U0728634

陈占敏

著

李白的选择

长江出版传媒　长江文艺出版社

图书在版编目（CIP）数据

李白的选择 / 陈占敏著. -- 武汉：长江文艺出版社，2019.3

ISBN 978-7-5702-0642-1

Ⅰ. ①李… Ⅱ. ①陈… Ⅲ. ①随笔－作品集－中国－当代 Ⅳ. ①I267.1

中国版本图书馆 CIP 数据核字(2019)第 001313 号

责任编辑：田敦国　　　　　　　　责任校对：陈　琪
封面设计：颜　森　　　　　　　　责任印制：邱　莉　　胡丽平

出版：长江出版传媒 | 长江文艺出版社

地址：武汉市雄楚大街 268 号　　　　邮编：430070
发行：长江文艺出版社
电话：027—87679360
http://www.cjlap.com
印刷：湖北画中画印刷有限公司

开本：880 毫米×1230 毫米　　1/32　　　印张：10.375　　插页：2 页
版次：2019 年 3 月第 1 版　　　　2019 年 3 月第 1 次印刷
字数：233 千字

定价：30.00 元

版权所有，盗版必究（举报电话：027—87679308　　87679310）
（图书出现印装问题，本社负责调换）

目　录

皇家的诗

中国的"官本位"思想其实是"其来有自"。像中国这样几千年沿袭的封建大帝国，皇权至高无上，皇权而下，哪一个等级的权力也是在它统辖的那个范围内威仪煊赫，不可一世。"官本位"思想产生发展，"蔚为大观"，并不是多么奇怪的事情；而且它也是无远弗届，无孔不入，就连《全唐诗》这样的艺术汇集，也要按照官职排序，皇家的诗排在最前头，且不管皇帝、后妃们会不会作诗。

排在《全唐诗》第一位的自然是开创了"贞观之治"的太宗皇帝了。而且，收入此书中的皇家诗，唐太宗也算是多的，六十九首。一一读下来就会发现，唐太宗绝不是皇帝中最会作诗的人。他把皇帝的架子端得太足，那就做不了好诗人了。他的诗可取的是那少数戒勉的句子："纵情昏主多，克己明君鲜"，以及由此思想而衍生的序言："皆节之于中和，不系之于淫放。"他寓于其中的治国理念，要是能被历代皇帝重视起来，也就不至于生出一代代穷奢极欲的昏君了。可惜不能，单单有唐一代，也不乏纵情的昏主。

唐太宗以皇帝身份赐给大臣房玄龄、魏徵的诗也很差。倒是魏徵亡后，他的《望送魏徵葬》是他最好的诗，"哀笳时断续，悲笙下舒卷"的凄切，"望望情何极，浪浪泪空泫"的哀婉，"无复昔时人，芳春共谁遣"的失落，活画了一个垂泪送葬的皇帝形象，有真情流露，不再是那个端着架子的皇帝了。诗到底与官位无关，只属于情感。李世民是怀念那些与魏徵君臣廷对宴饮的时光了吧。魏徵犯颜直谏的往事，皇帝此刻似乎并没有记起。那到底不是能让皇帝高兴的,不管他是昏君,还是明君。

武则天本是唐太宗看中的美女,十四岁时,就被唐太宗召入宫中立为才人了。此"才"非彼"才",与才华没有什么关系,只关涉容貌。唐太宗死后,武则天做了高宗的皇后。后来,她成了中国历史上第一位女皇,光照天下,还特地为自己发明出一个汉字:曌,大可会意。她在《全唐诗》中存诗也不少,四十九首,仅次于唐太宗。

如果在京剧舞台上看过武则天的戏,那就差不多等于看到了她的诗,就是那种凤冠霞帔威仪赫赫的样子。尽管她在《全唐诗》中排在唐朝所有的皇帝之后,收入后妃之列,可是她的诗比那些李姓皇帝的架子要足多了。她堆砌雕琢,像舞台上她穿戴的皇家衣服冠冕一样,繁复不堪。舞台上那样妆饰,灯光笙管里还很可观,诗可就不堪入目了,那完全是"赘饰",除了让人知道她是皇帝,再无他用。她唯一的好诗是《如意娘》,"看朱成碧思纷纷,憔悴支离为忆君"的思念情怀,"不信此来长下泪,开箱验取石榴裙"的真切意绪,都不再像是一个震动朝野的女皇帝了。至于《腊月宣诏幸上苑》,报信宣旨:"花颜连夜发,莫待晚风吹",便又是那个君临天下的女皇帝,面目峻厉了。洛阳的牡丹花到底会不会像人间的臣子一样听命,在不应该开放的时节一夜绽开,终究大可怀疑。

因为纵情,因为风流,因为与杨贵妃的那段故事,唐明皇成了唐代皇帝中最有名的一位,在晚近的演艺形式中,他的"出镜率"比唐太宗还要高出许多。他懂音律,懂舞蹈,能亲自掌鼓,在梨园指挥排演。《全唐诗》中他存诗一卷,在唐皇帝中他留下的诗最多。他在《端午之殿宴群臣探得神字》的序中说:"朕宵衣旰食,辑声教于万方",又说他"闻蝉声而悟物变,见槿花而惊候改",可是"春宵苦短日高起,从此君王不早朝"又怎么讲?"渔阳鼙鼓动地来,惊破霓裳羽衣曲"呢?看来,皇帝的自诩是不足信的,有几个皇帝肯承认自己是败国之君、亡国之君呢?

唐明皇在位的时间可算长的,四十七年,经"开元"而"天宝",经盛世而衰乱。"安史之乱"没有在他的诗里留下一点影子,那留待其他大诗人去写。唐明皇一卷诗中无一好诗。他治国在太宗之下,写诗也逊于先祖,他的《送贺知章归四明》,按说该有点真情实感了吧,却还是一派套话。他没有留下为杨贵妃写的诗,也留待别人去写。他有首《题梅妃画真》,"霜绡虽似当时态,争奈娇波不顾人",睹画思人,有一种物是人非之感,稍稍可取,也仍然是皇家的后宫情态,不大关涉岁月沧桑。

唐朝皇帝中,宣宗皇帝的诗算是最好的,他存诗仅六首,却多有佳句。《百丈山》"日月每从肩上过,山河长在掌中看",并非皇帝雄视天下的自大情怀;《题泾县水西寺》"长安若问江南事,说道风光在水西"也清新平易;《瀑布联句》"溪涧岂能留得住,终归大海作波涛"也是寻常诗人的襟怀抱负;他的《吊白居易》"童子解吟长恨曲,胡儿能唱琵琶篇。文章已满行人耳,一度思卿一怆然",是皇帝悼臣子的诗中难得的佳构,他并没有因为《长恨歌》写了他先祖皇帝的风流韵事荒疏朝政,致使唐王朝由盛转衰,从而责罚诗人,他连一点怨恨的情绪都没有。在皇帝中,这就极为难得了。那是因为宣宗做光王时,为唐武宗所忌,便"晦迹为方外游",山川风物给了他别样的情怀吧。另外,他做了皇帝以后,"重科举,留心贡举","佳人物偶不中第,必叹息移时",重才选贤若此,他才能对诗人的谢世,思之怆然。

说来,唐代皇家重文之风,还是由唐太宗开始的。李世民还未做皇帝时,"初建秦邸,即开文学馆,召名儒十八人为学士"。中宗皇帝也曾"于景龙中,置修文馆学士,盛引词学之臣"。文宗皇帝"听政之暇,博通群籍",还对左右臣子道:"若不甲夜视事,乙夜观书,何以为人君。"一代皇帝能够如此重视读书,实在难能可贵了。唐代文学,彪炳千古,巨星辉耀,群星璀璨,固然要从多方面探寻原因,皇家的重视和提倡也不应忽视。儒雅的政府,才会倡导文雅世风;相反,轻薄文化愚鲁粗鄙的官府,也必将导引野蛮世风,这是必然的,毋庸置疑。

由于皇帝的提倡,后妃们也不敢怠慢了。哪怕是有一点"附庸风雅",她们附庸的到底是风雅,毕竟比附庸粗蛮要好。《全唐诗》中收入的后妃们的诗不多,太宗皇帝的文德皇后一首《春游曲》,"井上新桃偷面色,檐边嫩柳学身轻",不写杨柳细腰桃花面,却反其意而用之,颇见巧思。杨贵妃《赠张云容舞》"轻云岭上乍摇风,嫩柳池边初拂水",倒像是自画自抒,情态宛然。江妃,也就是梅妃的《谢赐珍珠》,"长门尽日无梳洗,何必珍珠慰寂寥",大约是失宠赌气,谢绝了皇帝所赐的珍珠,女人的嗔怪怨恨都在纸上了。上官婉儿是唐代后宫中的才女,她曾经"劝帝侈大书馆,增学士员,引大臣名儒充选",后宫饮宴赋诗,君臣赓和,"婉儿常代帝及后长宁安乐二主,众篇并作,词旨益新",其才情横溢,于此可见。可是她那些应制诗篇并无可观。唯《彩书怨》一首,"露浓香被冷,月落锦屏虚",好像是自身的后宫凄冷,叹怨如见。诗到底不是"应制",而是自然流淌的。

《全唐诗》中,也收入了南唐先主李昪、嗣主李璟、后主李煜祖孙三人的诗。把亡国之君的诗也收进来,至少可见编者的文化胸怀了。李煜做了宋太祖赵匡胤的俘虏,他可算是投降的敌人了。按照"成王败寇"的定式,在后世皇帝命文臣编辑的正统诗集中,"败寇"的诗还能收入正统的诗集吗?在《全唐诗》这里,看来没有成为问题。

幸亏有了这部《全唐诗》,我们可以看到李璟、李煜父子那些绝美的词之外的诗。他们父子以词为重,留下的诗不多,李璟存诗二首,李煜存诗十八首。写过"问君能有几多愁,恰似一江春水向东流"的李煜,他的诗在《全唐诗》收入的皇家诗中,自然是最好的。他的《病起题山舍壁》,"炉开小火深回暖,沟引新流几曲声"的身心凉暖,他的《渡中江望古城泣下》,"吴苑宫闱今冷落,广陵台殿已荒凉"的家国兴衰,他的哀念惠后娥皇的《感怀》,"又见桐花发旧枝,一楼烟雨暮凄凄"的凄切心境,都让人想起他的那些词中同样的情味。他做了宋太祖的俘虏,宋太祖曲宴,命他诵自己的得意之作,他吟出《咏扇》"揖让月在手,动摇风满怀",一条军棍打过八百座军营并未读过多少书的赵匡胤也不禁脱口赞赏:"好一个翰林学士。"

问题就在这里,李煜当之无愧可称得一个好翰林学士,可他不能算个好皇帝,他是一个好诗人,可他当不成一个明君。好皇帝和好诗人是不能画等号的。好诗人尊重性灵,短于理性,惯弄笔墨,动不得杀伐,治国很难能好。南唐的亡国之象其实早就出现了。李煜有诗句道:"莺狂应有恨,蝶舞已无多。"陆游在他的《老学庵笔记》中记道:"作此未久,亡国。"李煜还有两句诗:"万古到头归一死,醉乡葬地有高原。"是他岁暮乘醉而书,醒来看到,大悔不及,不久,就谢世了。他死于他的敌人宋太宗赐的牵机药毒酒。得了天下的皇帝,还是容不下敌国皇帝睡于榻侧,哪怕是亡国之君,已经做了俘虏。

不管什么样的皇帝,一代一代都过去了。皇帝死了,皇家的诗留下来,任后人品评臧否。有的皇帝死了也就死了,有的皇帝死了,还活在他自己的诗中。诗是不死的。当然那得是好诗。

2013 年 6 月 3 日

5

廷臣的诗

像郊庙歌辞一样大都不可诵读的，是一大批奉和应制诗。

唐朝皇帝自太宗而下，多好风雅，李姓皇帝与廷臣们饮宴舞乐时，会下诏传旨，令臣子们当场应制作诗。不是出于心灵的自然跳动闪跃，奉旨应诏，硬着头皮作出来的诗，除了套话俗话谀辞颂词，就很难再有什么了。诗是山林里的鲜花，一入庙堂便失去了鲜灵的生命，萎缩干枯了。廷臣们把世界上能够找到的大词美词，都拿来奉和应制，重重堆叠起来，献给皇帝，珠光宝气之下，玉液琼浆之中，还是没有诗的生命。"金铺照春色，玉律动年华。朱楼云似盖，丹桂雪如花。"（陈叔达《早春桂林殿应诏》）金玉丹桂，像暴发户装修他们的房子，富有可算富有了，可就是缺了灵气。这还算好的，不那么佶屈聱牙，堆砌不重。"大藩初锡瑞，出牧迓皇京"（褚亮《玄武门侍宴》），"大君端扆暇，睿赏狎林泉"，杜正伦《玄武门侍宴》），"时雍表昌运，日正叶灵符"（岑文本《奉和正日临朝》），"玄塞隔阴戎，朱光分昧谷"（许敬宗《奉和执契静三边应诏》），简直不知道廷臣们战战兢兢，到底要向皇帝说什么好话了。

不能完全怪廷臣们没有骨气，他们要在朝廷上跪下去跟皇帝说话，走向餐桌舞厅，也要跟在皇帝后头，弯下腰去，趋步向前；笙歌燕舞，皇帝喝酒喝得高兴了，命他们作诗，他们小心翼翼，还怕说错了话呢，要作诗又怎敢放肆？心中没有诗情诗意，只好拣着大话好话，像堆在盘子里的宫廷菜肴一样，一盘子一盘子端给皇帝，皇帝吃不下，看一看没有触目的东西，不会惹得不高兴就好。实在是难为臣子们了。廷臣们的大量谀诗，是经过这样的工序，奉和应制出来的，不可读不可诵自是情理之中。

应该说，廷臣们作谀诗，奉和应制，常常是无奈之举。皇帝好细腰，宫女多饿死，皇帝好风雅，臣子就要赶鸭子上架，硬着头皮作诗，有诗才无诗才，有诗情无诗情，都得作，不作就是抗旨，作诗成了遵旨而行的公差，其苦可知。皇权之下，诗便成了婢女。不在宫廷，远离庙堂的天才诗人，有时候也会作出一二谀诗来，李白的《春日行》，也会以"小臣拜献南山寿，陛下万古垂鸿名"阿皇，杜甫的祖父杜审言写《大酺乐》，也会以"毗陵震泽九州通，士女欢娱万国同"谀世；至于"故欲开蹊待圣君""来比春华寿圣皇"（李峤《桃花行》），"圣王至德与天齐"（张说《舞马千秋万岁乐府词》），"天下传呼万岁声"（张祜《大酺乐》），则颂歌高呼，直达天听，毫不逊于廷臣们的当朝阿谀了。

还需要对诗人们的有一些带谀辞的诗细加辨析。杜甫"致君尧舜上，再使风俗淳"，寄希望于皇帝圣明，目的在民风化淳，李白"功成献凯见明主，丹青画像麒麟阁"，志在建功立业，青史留名，献凯见主并非最终目标。天下之大，莫非王土，皇权之下，诗人们的济世理想只能通过皇帝来实现，别无他途，他们不如是，又能怎么样呢？"兄弟尚路人，吾心安所从"（李白《箜篌谣》），诗人的怅惘茫然，遍及人世，也许只有皇帝圣明，风化天下，才能够安下诗人痛苦的灵魂吧。伟大的诗人难得的是还有一份清醒："襄王云雨今安在，江水东流猿夜声。"（李白《襄阳歌》）生命的终极悲剧永在，人人平等，一代帝王无论如何圣明，也不能朝云暮雨，永世永在，只有猿啼江流，夜声三峡——三峡也会有一天不再存留，还呼什么万岁呢？

唐代诗人与宋代诗人不同。宋代的一流诗人欧阳修、苏轼、王安石等，都做过高官廷臣。唐代的大诗人都没有做高官，进入庙堂；李白做的那个供奉翰林本不是官,他能够出入宫廷,也不算数的。唐代做了高官的人有的也能作诗,但他们都不是一流诗人。

唐代廷臣的诗排在首位的自然是魏徵。诤臣魏徵,到底能不能像史书上记载的那样,跟皇帝面折廷争,有什么说什么,无所顾忌,且不去管它。魏徵的《述怀》诗:"郁纡陟高岫,出没望平原。古木鸣寒鸟,空山猿夜啼。"品格高古,境界幽邃。"人生感意气,功名谁复论。"朝廷重臣意气沉雄,不求功名,魏徵风范,在此一诗。

与魏徵同朝为官,位及礼部尚书的许敬宗,相形之下,品位格调就落下去了。许敬宗在《全唐诗》中存诗二十七首,奉和应制十八首,此类诗大都乏善可陈。其中《奉和七夕宴悬圃应制二首》"荐寝低云鬓,呈态解霓裳",倒是有自我个性流露了,不过格调实在低下,不知皇帝看了这样的诗,会做何感想,做何评论。皇帝会随手交给侍宴的后妃看看吗?另一首《七夕赋咏成篇》,不是奉和应制的诗了,也还是"情催巧笑开星靥,不惜呈露解云衣",许敬宗念念不忘的就是"解衣""呈态"了,难道他除了宽衣解带,再不会作他想了吗?许敬宗唯一的好诗是《拟江令于长安归扬州九日赋》:"本逐征鸿去,还随落叶来。菊花应未满,请待诗人开。"身世感怀,于中可见一斑。官至高位的许敬宗也会叶落知秋,抒怀就菊。

华阴人杨师道,本隋宗室也。《全唐诗》说他工诗,每与名士燕集,歌咏自适。入唐后,杨师道官至侍中,参预朝政。皇帝每每见到他的诗,必吟讽嗟赏。皇帝会不会对廷臣的诗那般喜爱,姑且不论,在唐王朝高官廷臣中,杨师道的确是能诗的。他的《陇头水》"笳添别离曲,风送断肠声",古朴苍凉,《中书寓直咏雨简褚起居上官学士》"前晨怅多绪,怀友自难裁",情深意切,是高官廷臣的诗中难有的真情实感。他的《初宵看婚》,绝不像许敬宗那样格调低下,一下子就想到"呈态""解衣",却也不端起高官的架子,装腔作势,而是体察入微,"隐扇羞应惯,含情愁已多",看到了一般人并未留意的隐情闺态。即便应诏作诗,他也会跳出一般廷臣的藩篱,写自己的情怀。"雁声风处断,树影月中寒"(《初秋夜坐应制》),情与景融,秋寒已透。他的《还山宅》"芳草无行径,空山正落花",如闻如见,令人想到了王维的禅诗。他是廷臣,自然也少不了侍宴应制。他《侍宴赋得起坐弹鸣琴二首》"变作离鸿声,还入思归引",亏得他有这副胆量,敢在御宴上作离鸿之声,入思归之引,难道他不怕皇帝说他思念旧朝梦想复辟吗?有了这诸多好诗,他就是在《应诏咏巢鸟》中写下"惊鸣雕鷙侧,王吉自相知"这样一二谀辞,也可以原谅了。

如果没有虞世南,杨师道就是唐代高官中最好的诗人了;可是,有了虞世南,杨师道就要退居其次了。

虞世南无疑是唐代廷臣中写诗最好的。唐太宗称他:"德行、忠直、博学、文词、书翰为五绝",大约并非溢美之词,皇帝总不会把天下的好话都赐给臣子吧。别的不论,虞世南的诗固然不能跟唐代的那些大诗人相比,可是在廷臣中,他确是一绝了。他官高而情真,极为难得。他的《从军行》"剑寒花不落,弓晓月逾明",有魏徵遗韵。他的《出塞》"雪锋黯无色,霜旗冻不翻",开边塞诗风,直启岑参的"风掣红旗冻不翻"。他的《结客少年行》"轻生为知己,非是为身谋",写侠义豪气,让人完全忘记了他的高官身份。他的《怨歌行》"宠移恩稍薄,情疏恨转深",像寻常诗人一样写宫怨,全不怕皇帝当庭怪罪。他的《春夜》"惊鸟排林度,风花隔水来",幽静深邃,像晚后的杜甫绝句。他的《中妇织流黄》"还恐裁缝罢,无信达交河",写思妇心态,像平民诗人一样,是一副悲悯情怀。

虞世南是高官,是廷臣,在朝廷上行走,陪驾侍宴,他就免不了也要奉和应制。他的《奉和咏日午》"再中良表瑞,共仰璧晖斜",《发营逢雨应诏》"豫游欣胜地,皇泽乃先天",也免不了谀辞套话。难得的是他在皇权之下，谨慎应对，能够着意寻找一点诗的天地。他《侍宴应诏赋韵得前字》"滥陪终宴赏，握管类窥天"，小心应制，他《侍宴归雁堂》"刷羽同栖集，怀恩愧稻粱"，曲折阿谀，表达的是他廷臣为诗的复杂情感。他的一些奉和诗，做了艰难的努力，只着笔写景，尽量不把谀辞写入，表现了他诗人的一份难能可贵的自尊。他《应诏嘲司花女》"缘憨却得君王惜，长把花枝傍辇行"，不出苟语诮言，可见虞世南本是温厚之人。让人不解的是皇帝了。闲极无聊的皇帝，竟会下诏让大臣作诗嘲司花女，实在并不幽默，只是戏谑。

虞世南最差的诗是《奉和幸江都应诏》，满篇谀辞，堆砌套叠，全无可取。"多幸沾行苇，无庸类散樗"，皇帝的驾幸，能不能让苇草沾溉，不类其樗，那实在不是一首谀诗能够保证的，而取决于自然。

虞世南回到自然之中咏蝉，"居高声自远，非是藉秋风"，千古传响，的确不是因为他官高位重，而是因为诗心灵动。

2013 年 10 月 22 日

人间情怀

　　唐乐府之横吹曲本军中之乐，马上奏之；与此相应，诗人们所作的鼓吹曲辞也多有边塞诗，征战戍边，开拓疆土，表现了有唐一代独具的豪迈之气。就连"明月松间照，清泉石上流"的王维，也不再闲适恬淡，转而弯弓盘马，写下了"玉靶角弓珠勒马，汉家将赐霍骠姚"的豪壮诗句。不过，王维还是心有不平，他并不一味地豪壮勃发，在《陇头吟》中，他便抒发了心中的不平："关西老将不胜愁，驻马听之双泪流。身经大小百余战，麾下偏裨万户侯。苏武才为典属国，节旄空尽海西头。"封侯拜相往往并不是公平地"论功行赏"，被后世一再称颂的盛唐一代明君在朝，也是如此。"死是征人死，功是将军功"，我们并不那么熟知的诗人刘济的《出塞曲》，就一针见血，道出了盛世明君治下的不公现实。由此，盛世高调应该降下几度，不要再盲目鼓吹了吧。

　　诗人们心头交织着重重矛盾，每一个朝代都不能例外。唐代诗人是主张建功立业的。经由了隋代的腐朽奢靡，新建王朝带着新生的锐气，让诗人们感到了新朝的希望，他们的歌唱便带了一种乐观和向上，一往无前。边塞诗人中，自然是岑参和王昌龄最能代表豪壮雄阔一派。"蒲海晓霜凝剑尾，葱山夜雪扑旌竿。""洗兵鱼海云迎阵，秣马龙堆夜照营。""昨夜将军连晓战，番军只见马空鞍。"岑参的《凯歌六首》不写欢呼雷动彩旗招展，仍然是战场的杀伐功战，与后世的凯歌写法有异，有大诗人的气度章法在，不可与后世的凯歌写手同日而语。王昌龄的《出塞》诗"但使龙城飞将在，不教胡马度阴山"，已成千古名句,只需吟诵几遍,就会有一腔豪气荡溢在胸,诗中题旨,也无须像当下一些晦奥的新诗那样,苦苦求索而不得。诗意诗情,本不该成为谜语,令人费猜。玄思诗自古以来就不是好诗。

不仅仅征战的封赏不公,令诗人们怀抱不平,对于连年不止的攻战实质,诗人们也持了怀疑态度。王朝的战争,征兵服役,鲜血生命,到底是为民还是为皇家朝廷,诗人们心存怀疑,用诗句表现出来,尚稍带了些婉曲。卢照邻的《陇头水》"从来共呜咽,皆是为勤王",就不再纠结于封疆拓边的论功行赏,天下的安与否,而是指向战争的"勤王"实质了。翁绶的《陇头吟》"横行俱足封侯者,谁斩楼兰献未央",虽然还抱着对封赏不公的牢骚不满,但还是道出了功劳是报向朝廷的征战本质。万万不要一味地道什么"时代的局限"云云,古代诗人的识见,有时候却远远超过了当代诗人和作家。当代作家诗人笔下的战争书写,倒常常落后于先哲圣贤,是在大踏步地倒退。名臣魏徵的《出关》诗,"岂不惮艰险,深怀国士恩","人生感意气,功名谁复论",由于他的身份和地位,与上述诗人有异;他要报答唐王的知遇之恩,才会有这样的胸怀抒发,不可与一般诗人一概而论。

在唐乐府诗的"鼓吹曲辞""横吹由辞"中,收有杜甫的《前出塞》九首。杜甫到底是杜甫,他的出塞诗一出,境界便高于其他了。"君已富土境,开边一何多",他批判的矛头直接指向了王朝国君,贪婪国土比贪婪财富并不高明多少,贪婪国土更要以万千生民的性命为资本为代价。"射人先射马,擒贼先擒王","苟能制侵陵,岂在多杀伤",杜甫主张的显然是"不战而屈人之兵"了。有了这样的"出塞情结",才会有"三吏""三别"那样的反战诗。杜甫自然也存着建功立业的思想,"致君尧舜上,再使风俗淳",他从来都没有忘记报效朝廷,但他报效的最终目的倒是由上而下的,通过"尧舜",而至"风俗"。他念念在心的是民风民俗,物稔年丰,而不只是皇家的疆土。到了《后出塞》,杜甫

"誓开玄冥北,持以奉吾君",似乎发生了倒退。不过,完整地看杜甫,他的诗的人民性,体现在方方面面,确非其他诗人可比。

能够与杜甫比肩的,自然是李白了。在对李杜两位伟大诗人的评价上,历来存在着"扬李抑杜""扬杜抑李"之争,实在大可不必。李白豪放,杜甫沉雄,长江泰岳,各具千秋,实在无法说长江胜于泰山,还是说泰山胜于长江。在对待战争的态度上,李白也写出了别人笔下无的诗句,他的《战城南》中"乃知兵者是凶器,圣人不得已而用之",将《道德经》的语句化入诗中,不是对战争的谅解,仍然是对战争的不满,而且还有无奈。无奈中寻找出路,李白找到的是酒和仙。《将进酒》"人生得意须尽欢,莫使金樽空对月",其实是不得意,才恣意于酒;"天生我材必有用,千金散尽还复来",其实是怀才不遇,才纵情放歌;"呼儿将出换美酒,与尔同销万古愁",其实是"抽刀断水水更流,借酒浇愁愁更愁",白发三千丈的人生长愁。李白从来都没有过真正的销愁。万般无奈之中,李白才慕仙,才《有所思》而发:"西来青鸟东飞去,愿寄一书谢麻姑。"李白是愁肠万端回肠九曲的伟大诗人,往往被人曲解了。伟大诗人的情肠与三千丈白发一样长,怎能以区区小尺子度量。

战场上会有旌旗翻飞,金戈铁马,争战拼杀,慷慨捐躯,战士会有战士的豪壮,自不待言。唐代诗人,多有此类诗篇抒写。不过,唐代诗人也不乏征夫泪思妇怨的诗作,这是在其他朝代少见的。一方面是征战的英雄气概充溢胸间,一方面是征夫思妇的哀怨梗塞胸臆,唐代诗人把他们的矛盾情怀表露无遗,呈现出唐诗优于其他朝代诗歌的丰富情貌;这与唐代的文网不密,诗人们可以较大自由地抒发有关。于濆的《陇头水》"借问陇头水,终年恨何事。深疑鸣咽声,中有征人泪";皇甫冉的《出塞》"三军尽回首,皆洒望乡泪";崔融《关山月》"夜夜闻悲笳,征人起南望";李白《关山月》"戍客望边色,思归多苦颜";都不再是出征的慷慨激昂了。这样的"军歌"更接近人性的本质。血肉之躯的人，并不是战争的机器。与征夫思乡相应，便有怨妇的思夫思戍，张籍《望行人》"无因见边使，空待寄寒衣"的失望，翁绶《望行人》"况是故园摇落夜，那堪少妇独登楼"的寂冷，读来令人肝肠寸断，不能不诅咒那可恶的战争。

恰恰在征夫思乡怨妇思夫的时候，京都中却是别一番景象。"汉家宫殿含云烟，两宫十里相连延"，"春雨依微春尚早，长安贵游爱芳草"，"何能蒙主恩，幸遇边尘起。归来甲第拱皇居，朱门峨峨临九衢"，一将功成万骨丘，班师回朝的将军封侯拜相，在万千白骨上筑起他们的功勋牌楼，坐享富贵。他们舍不得这白骨累累筑起来的荣华富贵，苦的是来日无多："欢荣若此何所苦，但苦白日西南驱。"他们在战场上有士兵替死，他们没有死掉，归来后倒怕起死来了。韦应物的这首七言古风《长安道》，是乐府诗横吹曲辞中仅见的长制，把所谓"开国元勋"的心理状貌书写得淋漓尽致。沈彬的《入塞曲》"功多地远无人记，汉阁笙歌日又曛"，与韦应物的《长安道》异曲同工，并不只是替功高无记的战士发发牢骚，他的批判矛头也是指向了笙歌日日的归朝"功臣"。功高无记与汉阁笙歌，形成了鲜明的对立，便是阶级的对立了。打仗时将军会招呼着"弟兄们"冲锋捐躯，得胜后将军的府第便设了重重警卫，"弟兄们"不得随意出入了。笙歌日日并夜夜，姬妾簇拥，舞伎起舞，那是将军们的神仙日子，与战士无缘。

在唐乐府的鼓吹曲辞中，收有柳宗元的《鼓吹铙歌》十二曲。《全唐诗》注道："此十二曲史书不载，疑柳宗元私作而未尝奏，或虽奏而未尝用，故不被于歌。"柳宗元所作的这十二曲鼓吹铙歌，有《晋阳武》《战武牢》《靖本邦》等题，佶屈堆叠，直不可诵。《泾水黄》中"肆翱翔，顿地纮，提天纲。列缺掉帜，招摇耀铓。鬼神来助，梦嘉祥"，《苞枿》中，"澶漫万里，宣唐风。蛮夷九泽，咸来从。凯旋金奏，象形容。震赫万国，罔不龚"，除了用大话空话颂扬皇家的武功，再无其他。读柳宗元的这类诗，实在难以想象他那"孤舟蓑笠翁，独钓寒江雪"的诗是怎么写出来的，好像它们不是出自同一个柳宗元手笔。朝廷命官会把诗人的心灵扭曲到什么样子呢？柳宗元的这十二曲《鼓吹铙歌》史书不载，不知道究竟是为什么。不过，不载也好，少了使柳宗元形象污损的一些记载。不过，既然写下了，史书不载，他书载。写作者不可不时刻小心，下笔留神，莫让后世为之惋惜。

柳宗元这十二曲《鼓吹铙歌》用笔，类似于那些《郊庙歌辞》。《郊庙歌辞》在《全唐诗》中占了不小的比重，是整部《全唐诗》中最不堪卒读的篇章，《豫和》《太和》《庸和》《雍和》等，皆不可诵。其《应圣期》"圣德期昌运，雍熙万宇清。乾坤资化育，海岳共休明。辟土欣耕稼，销戈遂偃兵。殊方歌帝泽，执贽贺升平。"总算不那么佶屈聱牙了，但仍然是满纸谀辞，寄期望于朝廷，套话连篇，无甚可取，不读可也。即便卢照邻的《芳树》"容色朝朝落，思君君不知"，出语平常，罗隐的同题诗中"陶陶兀兀大醉于青冥白昼间，任他上是天，下是地"，有及时行乐之慨，也都是真情实感，远远地胜过了《郊庙歌辞》的敬天祀神。说到家，《郊庙歌辞》敬天地，祀鬼神，最终的落脚点还是皇家的社稷，天的儿子——天子罢了。哪怕是卢仝的《有所思》"美人兮美人，不知为暮雨兮为朝云。相思一夜梅花发，忽到窗前疑是君"，没有那么强烈的批判，没有多么深切的哀怨，也还是人间情怀。诗，不能须臾离弃的便是这可贵的人间情怀。

2013 年 10 月 11 日

诗人的天地

　　相和歌辞乃唐乐府诗之大宗,诸多大诗人皆有所作。闺怨宫怨是诗人们着眼颇多的诗题,女性的命运,她们哀怨的情绪,总是最易入诗的。"嫁得瞿塘贾,朝朝误妾期。早知潮有信,嫁与弄潮儿。"李益的《江南曲》借女性的口吻,抱怨的还不是"重商主义""商品经济",而是商贾们投身商业大潮随波逐流,却不能像自然的潮汐那样信守周期,闺中少妇的怨恨是深入到了骨子里的,"有信"和"无信",又岂止是来归和去留,信誓的失守才是更为切紧的。

　　男人们好像总是"轻别离"的,他们霜晨晓月,打点起行装就走了,常常顾不上看一看少妇眼角的泪痕,他们自己有泪,便洒在陌陌荒路上了。男人们要建功立业,要挣钱养家,他们纵然也有万般情肠,也只能把眼泪往肚子里吞,铁心一横,夺门而去,他们往往来不及看一看"美人二八面如花,泣向东风畏花落"(顾况《短歌行》),前方的功业、远方的艰难等待着他们,他们只能视闺怨如平常了。即便深知"宛转蛾眉能几时,须臾白发乱如丝"(刘希夷《白头吟》),岁月催人,青春短暂,他们也顾不得缱绻缠绵,留恋感怀,还是青锋袤马,绝尘远去。心肠软一些的, 才会留下一句安慰的空话:"挥鞭望尘去,少妇莫含啼。"(戎昱《从军行》)倚门远望的少妇哭到了什么时候,他们却顾不上了。男人们是不主张厮守老家的,他们的目标总在远方,在朝在野,大都如此。

　　不管男人们"有信""无信",女人们还是丢不下那一份牵挂:"征

16

客去来音信断,不知何处寄寒衣。"(张泌《怨诗》)谁知道远方的征客是不是另有他欢,寒衣有托了呢,闺中少妇依然是痴心一片,不改初衷。"长安一片月,万户捣衣声。"(李白《秋歌》)"明朝驿使发,一夜絮征袍。"(李白《冬歌》)秋信冬令,一腔牵挂,满腹柔情,全在那捣衣声中、征袍絮里了。写下过《莺莺传》的元稹,"以张生自寓,述其亲历之境""文过饰非",视美丽聪明的女人为"天之所命尤物",完全以男性视角看待女性。到了他写《决绝词》的时候,也会"感破镜之分明,睹泪痕之余血。幸他人之既不我先,又安能使他人之终不我夺",态度为之一转,不再是"始乱之,终弃之"的薄幸状了。据《莺莺传》改编的《西厢记》,千百年来在戏曲舞台久演不衰,是动人的爱情魅力使然,绝非"尤物""祸水"的陈腐观念被历代观众接受。那是人性的种子,植入戏曲,成了艺术的灵魂。

相和歌辞中的闺怨,有好多还是与征战相关。高适的《燕歌行》"战士军前半生死,美人帐下犹歌舞",揭露的是不公,抒发的是不平。帐下歌舞的美人可算是随军"艺妓",她们不在闺中,似乎没有哀怨(那可真不一定);同一首诗中"少妇城南欲断肠,征人蓟北空回首",就把时空拉开,少妇与征人遥遥相望,不得聚首,闺怨犹是"怨战"了。王昌龄的《从军行》"更吹横笛关山月,谁解金闺万里愁",与高适异曲同工,都是在极为开阔的时空中抒写哀怨,金闺关山,万里长愁,只一管横笛相连。唐诗的时空感如此阔大,在闺怨中也一至如是,实在非后代诗歌能比。唐诗以后,诗的境界越来越逼仄,首先是因为诗人们失去了阔放的胸怀。当代诗人动辄以"大"呼号,大国大世界大宇宙,其实并不是他们的胸怀扩大了,而只是一种语言迷信,大词自慰,说说大话罢了。唐诗气象,过了就是过去了,难以重回。

与闺怨密切相连的是宫怨。后宫中多的是倚门而望的白发宫女。"夜悬明镜青天上,独照长门宫里人。"(李白《长门怨》)"经年不见君王面,花落黄昏空掩门。"(刘氏媛《长门怨》)"似将海水添宫漏,共滴长门一夜长。"(李益《宫怨》)一座长门宫,是妇女们的多少怨恨筑起。比起那些无信的"瞿塘贾"来,君王们的无信更加铁石心肠,惨无人道。可悲亦复可怜的是锁进长门宫里的嫔妃们还要一夜复一夜,倚门望幸,还要怨妒争宠;不过,她们不如此,可就真的没有一丝活路了。只有少数人敢怀着另一种情感:"宫殿沉沉月欲分,昭阳更漏不堪闻。珊瑚枕上千行泪,不是思君是恨君。"刘皂的《长门怨》大胆地写出了另一种宫怨,便卓然超拔于同类诗之上了。敢恨才能仇,敢恨才能爱,情感的起伏跌宕,变异升华,恨是很重要的基础。

宫怨的另一种形态的表现是昭君诗。汉代的女子王昭君,由于她特殊的经历,便成了历代诗人吟咏的对象,由后宫而大漠,王昭君的身世哀怨引发了诗人们一代又一代的咏叹,绵绵不绝。说起来实在奇怪,你很难想象诗史上第一首昭君诗竟是东晋豪富石崇写的。"仆御涕流离,辕马为悲鸣。哀郁伤五内,泣泪沾半缨。行行日已远,遂造匈奴城。"石崇的《王昭君辞》开了后代昭君诗悲剧性的滥觞,自此以降,写王昭君的诗都不会离开这样的悲剧基调。东晋豪富石崇,似乎不是那个与人斗富的石崇,而只是那个不肯把爱妓绿珠让与赵王司马伦党羽孙秀,因而遭诬被杀的石崇了。不肯把自己的爱妓当货物让与他人的石崇,恢复了他诗人的本色,才能在悲咏前朝美女的诗中一抒真情。"殊类非所安,虽贵非所荣。"石崇眼中的王昭君,还没有后世诗人硬加上去的民族联盟、民族团结的大义,诗人同情的只是王昭君难以面对西域的陋风:"父子见凌辱,对之惭且惊。"由中原后妃,而为朔漠阏氏,在石崇看来,纯然是"昔为匣中玉,今为粪上英"。

我们知道,王昭君的往昔也不就是"匣中玉",也许可算是"玉"吧,可是她被毛延寿画成了有瑕之玉,她就永无出匣之日了。王昭君的悲剧命运,在她一入宫的时候就被决定了,并不是在她跨上出塞雕鞍的那一刻。唐代以至后代诗人的昭君诗,耿耿难忘的便是那贪图贿赂的画师,他们往往把一腔仇恨全部倾泻到了故意把王昭君画丑的毛延寿身上:"何时得见汉朝使,为妾传书斩画师。"(崔国辅《王昭君》)王昭君拒不贿赂毛延寿,致使毛延寿故意把她画丑,难见君王,诗人们就在诗里为她出一口恶气,完全忘记了悲剧的最终原因还是在帝王身上。皇帝的后宫里嫔妃成群,皇帝怎么也顾不过来,用一个画师画像,"按图索骥",还算是普降甘霖的一个不错的法子;连画像也不看,"三千宠爱在一身",或者逮到一个算一个,后宫里就会少了怨声连天吗?诗人们揣摩远去塞北的妃嫔心理,绘摹口吻:"君王若问妾颜色,莫道不如宫里时。"(白居易《王昭君》)谁知道那究竟是不是王昭君的真实情感呢?被汉家皇帝冷落的王昭君,真的会痴心不改,思念着那无情无义的皇帝吗?远离中原,大漠上黄沙蔽日,朔风呼啸,昭君想家是一定的。"一双泪滴黄河水,应得东流入汉家。"(王偃《明妃曲》)黄河长流,泪水长流,汉家女儿的泪水只会流进她家乡的河道里。她还会设想:"思从汉南猎,一见汉家尘。"(郭元振《王昭君》)家乡的土地上尘烟起处,就是她日思夜念的汉家;此处的汉家与天子无关,只是良家女子生长的土地。

怨而不伤,中国古诗的温柔敦厚传统磨平了诗人的锐角,思想的尖锐也被磨钝了,越到后代,诗人们变得越乖巧,能够"绵里藏针"就算不错了。不能完全责怪传统,也不能完全归咎于诗人们的取巧卖乖,实在是后代的文网日密,诗人们动辄触网,不得不想法保护一下自己。

唐代在隋朝的腐朽奢靡旧基上立国,除旧布新,新朝建立,霸业大展,唐朝还没有设下严密的文网,唐朝诗人还较少束缚,他们歌唱的喉咙还未被扼伤,他们还可以比较大胆地唱出心声,有一些讥刺,直接指向了朝廷君王。"六军将士皆死尽,战马空鞍归故营。"(贾至

《燕歌行》）"无罪见诛功不赏,孤魂流落此边城。"（王翰《饮马长城窟行》）"但令一物得所,八表来贺,亦何必令彼胡无人。"（僧贯休《胡无人行》）批评的依然是朝廷的穷兵黩武,征战不休,赏罚不明,好大喜功。纵然诗人们痴心不改,建功立业的壮志不泯,立誓"尽系名王颈,归来报天子"（王维《从军行》）,"不求生入塞,唯当死报君"（骆宾王《从军行》）,"报君黄金台上意,提携玉龙为君死"（李贺《雁门太守行》）,但是,他们已经知道最终的结果总是事与愿违了:"大小百余战,封侯竟蹉跎",倒不如"玉簪还赵女,宝瑟付齐娥"（陶翰《燕哥行》）。就连在鼓吹曲辞中写下过十二曲不堪诵读的《鼓吹铙歌》的柳宗元,也恢复了他"独钓寒江雪"的诗人本色,喊出了"绝咽断骨那下痛,万金赠宠不如土"的决绝之声。至于薛作童"君王好长袖,新作舞衣宽"的屈己逢迎,虽为怨声,到底显得微弱多了,不成主调。

即便在唐代文网不密的文化背景下,诗人们也不会得意忘形,以为诗是没有边界,绝对自由的,他们知道哪里碰得,哪里碰不得,游刃有余还须在小心翼翼的前提下才能实现。狂放不羁如李白,也深深知道"有策不敢犯龙鳞,窜身南国避胡尘"（《猛虎行》）,那几片龙鳞是万万触不得的。自从有了君王,有了朝廷,诗人的天地就被限定了,历朝历代都是如此。

2013 年 10 月 19 日

浩浩长叹

诗是生命的咏叹,生命的哀婉。诗人的生命与常人同样短暂,他们却比一般人多了一些敏感和脆薄,草青草黄,风起霜临,他们感知的不仅仅是寒温冷暖,却敏悟到生命的衰残凋零,发而为歌,便有了永远不会断绝的生命感怆,人生如寄之叹。唐乐府之相和歌辞,琴曲歌辞,多的是此类诗篇。

"临穴频抚棺,至哀反无泪。""薤露歌若斯,人生尽如寄。"孟云卿的《挽歌》写尽了生命逝去不可挽回的至痛至哀,无泪比有泪更加深痛骨髓。长歌当哭,薤露若斯,人生如寄,白驹过隙,绵绵挽歌只能寄托后死者的哀思,却不能挽回逝去的生命稍待片刻。白居易的《挽歌》同样也是恸哭墓地,"旧垄转芜绝,新坟日罗列。春风草绿北邙山,此地年年生死别。"人生一世,可以弃绝了他处,就是不能永别坟场,不是与他人诀别,就是自己走向最终的归宿。墓草青黄,墓木拱矣,那生命的终极悲剧,不仅在宗教那里成为起始和终结,在诗里也是反复出现,一再回响。死亡是残酷的,又是公平的,死亡面前人人平等。"举头君不在,唯见西陵木。"(刘商《铜雀妓》)一代帝王,无论怎样雄才大略,也要走向孤坟荒丘,皇陵上修起牌坊碑楼,也只是死亡的标征,不是生命的迹象。"行至上留田,孤坟何峥嵘。""悲风四边来,肠断白杨声。"(李白《上留田》)只有那青葱的树木还会一放悲声。远去的亡魂会因之而得到稍许宽慰吗?

说到家,挽歌如潮,还是吟诵给生者听的,安慰的是后死者的灵魂,挽他人其实正是挽自己。生命的悲悯总是由己而他,转一个圈回来,还是落脚在一己之身。如此,生命的悲悯才不是空空落落的教义,而有了实实在在的人生内容。生命是如此的短暂,生命的最终悲剧又不可避免,无奈的生命如何消受这岁月的风刀霜剑?

于是,酒被发明出来了。有了酒,这暂时的麻醉剂,苦痛人生可以有一时的解脱和快乐,忘忧一刻了。以酒解愁最早的著名诗篇,无疑是曹操的"何以解忧,唯有杜康",一代豪雄、一代帝王的曹操,他的忧愁便来自"人生几何"的感慨。以酒入诗,在魏晋诗人那里还没有蔚成大观,只有到了唐代,有了酒中仙的李白,诗人和酒,才难解难分了;诗酒酬唱,成了诗人的雅兴,也汇成了酒诗的大河,才情藻思,浪漫遄飞了。"寄言当代诸少年,平生且尽杯中渌。"诗和酒都不那么著名的崔国辅《对酒》诗,也这样娓娓劝勉了。"自古帝王宅,城阙闭黄埃。君若不饮酒,昔人安在哉。"李白《对酒》相劝,还是从人生苦短出发,大诗人劝酒,境界也显得阔大。诚如贺知章所言,李白是"谪仙",由天上谪贬到人间,那么,李白的生命感人生感比别人更加强烈,他是生了另一副眼光,更能够看透人生易逝。"白日何短短,百年苦易满。""北斗酌美酒,劝龙各一觞。富贵非所愿,为人驻颜光。"李白的《短歌行》再一次劝酒,竟幻想驻颜仙术,能为人留住哪怕是衰颓的容颜了。诗人的浪漫无远弗届,自然会到达生命的本质。

红颜老去,红颜又来,幸而有了代代生命的交替,才可以稍稍乐观一些。然而,在生命的悲观主义看来,新的生命的诞生,仍然不具有乐观的意义。"人家见生男女好,不知男女催人老。短歌行,无乐声。"王建的《短歌行》,真是把生命的悲观主义推向了极致,无处寻得安慰了。在生命代代宇宙恒久的意义书写上,张若虚的《春江花月夜》是古今第一名篇。"江畔何人初见月,江月何年初照人。人生代代无穷已,江月年年望相似。"生命的苍茫感,再也不能表达得如此渺茫空浩了。

它让人不乐观，也不悲观，不希望，也不绝望，它只是让人遥望冥想，思接千载，目骋八荒，不知此身于何处何年，似乎在此一瞬，又似乎在于永久，在渺渺茫茫的冥思中达到了忘我，忘物，物我皆忘，我便是世界，世界也便是我，我消失了，又永生了……在诗史上，有了这样一首诗，张若虚足可不朽了。

人要度过的还是现实人生，冥想只能一时，不能终生。唐乐府中的琴曲歌辞，杂曲歌辞，抒写人生感慨、男女之情，多有悲歌。李白的《悲歌》"死生一度人皆有，孤猿坐啼坟上月"，感怀的仍然是人生的终极悲剧。他的《渌水曲》"荷花娇欲语，愁杀荡舟人"，《秋思》"征客无归日，空悲蕙草摧"，就回到了寻常日月，再发闺怨了。在唐代的大诗人中，李白是写乐府诗颇多的一位，他实在是有感于人生代代相似的况味，愿意借乐府旧题，一抒襟怀了。另一位大诗人白居易再写昭君诗，径题为《昭君怨》，王昭君的怨恨便找准了对象："自是君恩薄如纸，不须一向恨丹青。"其实，"君"又何尝"恩"过？诗人们还是把皇帝想得太好了。昭君出塞怀抱的那个琵琶，弹奏的只能是怨恨之声，而不该有怀恩之音。

《全唐诗》在《琴曲歌辞》下注道："古琴曲有五曲、九引、十二操。"我们是决然听不到原声的古琴曲了，千代而下，只能从诗人们留下的琴曲歌辞中，把过往之人的心曲揣摩一二。文起八代之衰的韩愈，领导了唐代的古文运动，他是主张文以载道的。他在文章中说师说道，有时候便以文入诗。他的诗不如他的文有名，人的才华到底只能专擅，而不能兼善。他的《雉朝飞操》写"雉之飞，于朝日，群雌孤雄。""嗟我人，曾不如彼雉鸡。生身七十年，无一妾与妃。"莫非他真的是感叹自己未能妻妾成群，便羡慕雉鸡的群雌孤雄？诗人的人性复杂，以致如是，恐怕也是合理的。他写《别鹄操》"雄鹄衔枝来，雌鹄啄泥归。巢成不生子，大义当乖离。""更无相逢日，安可相随飞。"简直要为大义乖离的别鹄流下伤心的泪来,这就是那个《原道》《师说》的韩愈了。韩愈其实有深深的痛苦藏在心中。"秋之水兮其色幽幽,我将济兮不得其由。"(《将归操》)不得其渡走投无路的痛苦,只有亲历者才能借琴曲辞道出。韩愈到底是韩愈,不可因《雉朝飞操》的羡慕雉鸡群雌孤雄,而以轻蔑视之。

女性的命运,女性的情感,总是令诗人倾心倾意的。自我抒写的女诗人不多,便由男性诗人替她们一再摹写,借她们的口吻,或者径以男性的视角。"双飞难再得,伤我心中。"李白的《双燕离》写"孀雌忆故雄"的哀伤。"波澜誓不起,妾心井中水。"孟郊的《列女操》则直接替女性向逝去的男性发誓了,尽管这誓言发得有些背离人性。李白的《妾薄命》对女性予以规劝:"以色事他人,能得几时好。"那自然是因为红颜易老,不能够青春永驻。李端的同题诗《妾薄命》便以女性自拟:"忆妾初嫁君,花鬟如绿云",然而"一从失恩意,转觉身憔悴",所以他劝"新人莫恃新,秋至会无春",与李白出自同样的心意。刘元淑的《妾薄命》"夜夜愁君辽海外,年年弃妾辽海西",卢弼同题《妾薄命》"君恩已断尽成空,追想娇欢恨莫穷",已是怨怅满腹,愁思成恨了。李白《北风行》"黄河捧土尚可塞,北风雨雪恨难裁",终于再一次找到了怨恨情仇的最终对象:"念君长城苦寒良可哀""人今战死不复回",夫君并非无故而去的。李白的豪阔雄放,哪怕是写少妇少女,也会开拓出另一番境界。

在唐乐府的杂曲歌辞中,也并不是满篇愁苦和哀怨。崔颢的《渭城少年行》,写京都长安的繁华,"棠梨宫中燕初至,葡萄馆里花正开。""长安道上春可怜,摇风荡日曲河边。万户楼台临渭水,五陵花柳满秦川。""京华少年不相饶,双双挟弹来金市。"这里的少年,还不是衙内恶小,恃强凌弱,欺男霸女,他们只是少年气盛,挟一时豪气,争胜斗勇,尚非令人发指一辈,所以"可怜锦瑟筝琵琶,玉台清酒就君家。少妇春来不解羞,娇歌一曲《杨柳花》",还不是酒色肉麻的奢靡,而是繁华物事的铺陈,令人爱怜。有唐一代欣欣向荣之象,于此可见一斑。

在唐代的大诗人中,杜甫是写乐府诗最少的一位,他似乎是在规避着染指此道。也许他不肯用乐府旧题,他是要苦心孤诣创造自己的乐府诗吧。他的"三吏""三别"等古风,是不妨看作新乐府诗的。他少见的乐府诗《少年行》之一写"马上谁家白面郎,临阶下马坐人床。不通姓字粗豪甚,指点银瓶索酒尝",写得豪放流荡,与他那些沉郁顿挫的诗不同。伟大的诗人用笔,原本不可一以概之。高适的《邯郸少年行》"未知肝胆向谁是,令人却忆平原君。君不见今人交态薄,黄金用尽还疏索",感叹的是人心不古了。人心不古之叹代代因袭,号为盛世的唐代,尚且如此,又何况其他朝代呢?生命之叹,又加上人心不古之叹,诗的长叹是这般浩浩不息啊……

2013 年 10 月 20 日

25

牵牛织女可有家

尽管有生命的终极悲剧在前,又有人生的种种不测,诗人们还是豪气激扬,没有消尽生活的乐观精神。假如诗里只剩下悲观绝望,人还怎么活下去呢?

唐代诗人的积极豪迈,前朝诗人没有,后世诗人也难以比肩。昂扬豪放,自然不是说大话自吹自擂,跟饿着肚皮干号不是一回事。唐代诗人写游侠,写壮士,就连吟味着"慈母手中线"的孟郊,写《游侠行》也一改温柔枯瘦面貌,发出豪语:"杀人不回头,轻生如暂别。"孟郊在这里咏赞的自然不是嗜杀残酷,而只是豪侠义气。侠士们心仪的是"重义轻生一剑知"(沈彬《结客少年场行》),"感君恩重许君命,泰山一掷轻鸿毛"(李白《结袜子》),重义轻生,以死而报知遇之恩。诗人们笔下的壮士,不再是"风萧萧兮易水寒"的悲壮凄凉,而是慷慨登程,凯歌以还。就连严谨苦寒的贾岛,也不只是在月下把那扇寺门推来敲去了,他的《壮士吟》像孟郊一样豪语当头:"壮士不曾悲,悲即无回期。"而且,他还对前朝壮士发出了质疑:"如何易水上,未歌先泪垂。"

新朝诗人,立国方兴,他们与易代之际诗人的心境是大不相同了。他们看到的不是亡国壮士刺杀暴君而不成的惨烈,而是新朝立国之初的勃然生机。"明日长桥上,倾城看斩蛟。"(刘禹锡《壮士行》)这样的壮士行自然有别于前朝刺客。至于斩蛟是不是比刺杀帝王容易,诗人们不予考量。新朝的侠客壮士,行侠仗义,未必全是凯旋,不过,诗人们并不为之悲切。"纵死侠骨香,不惭世上英。"(李白《侠客行》)身死留名,这就够了。李白笔下的女儿家也是侠气凌云,不让须眉,他的《秦女休行》"手挥白杨刀,清昼杀仇家。罗袖洒赤血,英声凌紫霞。"女儿行侠,仿佛坐上织机,扬手抛梭,洒血而无血腥,英声而不喊杀,与后世的血腥暴力不同。

　　唐代诗人的游侠诗、壮士诗,留下了满纸豪气,直干云霄。百代过后读来,仍然使人切实地感受到了新朝诗人勃勃向上的姿态,令人钦羡。至于新建的王朝究竟是不是像史书上记载的那样值得向往,还是常常令人生疑。只要朝廷上坐着的皇帝皇冠上垂下冕旒,让人看不清他的真切面目,只要朝廷的丹陛大臣们要跪下去跟皇帝说话,我们对任何王朝的态度都要有所保留,不应该一味称颂。当朝的诗人其实比后人更加清醒,"阊阖九门不可通,以额叩关阍者怒",李白在《梁甫吟》中表达的痛苦,就比后代称颂盛世者深刻得多,也切实得多,那是有切肤之痛的诗人才会发出的痛彻心扉的呼号。"白日不照吾精诚,杞国无事忧天倾。"杞国有事无事,精诚所至,金石也并不常常为之而开;更为可悲的是,杞国有事,诗人们忧虑的往往是真切的隐患,也叩不开阊阖九门,九重天子的大门设下了重重门岗,你的心再精诚,也是进不了门的。诗人们于是一再地发出了行路难的慨叹。"拔剑四顾心茫然,欲渡黄河冰塞川,将登太山雪满山",冰天雪地,荆天棘地,真是上天无门,走投无路了。新朝盛世,并不因为诗人才华盖世,而独予恩惠,恰恰相反,"大道如青天,我独不得出",越是才华绝世,越是绝境无路。诗人剩下的只有自我安慰了:"长风破浪会有时,直挂云帆济沧海。"在众多行路难的诗中,李白的《行路难》自然最好,气势浩荡,回肠九曲。伟大诗人拔剑四顾茫然无路的遭逢际遇,令人为之悲叹,绝世的才华不朽的诗篇,又令人为之感激。难道我们会为了得到优秀诗篇诵读万世,而忍心让诗人们遭际不幸吗?

同代的诗人已经为伟人深怀不平了："君不见楚灵均，千古沉冤湘水滨。又不见李太白，一朝却作江南客。"（僧齐已《行路难》）惺惺相惜，诗人的命运最能够在他的同侪那里得到同情和悲悯，那是他们同读诗书的缘故吧。诗文书香，总是能够搭起心灵沟通的桥梁。可是，"安知憔悴读书者，暮宿虚台私自怜。"（高适《行路难》）那是读书人的另一方面了。书中并不像俗谚里说的那样，有黄金屋颜如玉；黄金屋颜如玉并不常有，常有的是忧患是思虑，是比不读书的人更多了一副愁肠。"旁人见环环可怜，不知中有长恨端"（韦应物《行路难》），不是亲历者，又哪里会真正地感同身受。"一生肝胆向人尽，相识不如不相识"（顾况《行路难》），简直是无路可走，绝望极了。孤独傲岸的柳宗元也会豪荡纵放，大发牢骚："君不见南山栋梁益稀少，爱材养育谁复论。""盛时一去贵反贱，桃笙葵扇安可常。"（《行路难》）

唐乐府《行路难》旧题下，新朝诗人发出过多少不平呼喊，我们还会一片痴心向往那过往的盛世，自恨没能早生一千年吗？以额叩关关不开，失望至极的诗人们除了互怜，就是自慰了。"归来使酒气，未肯拜萧曹。"（李白《白马篇》）"看取富贵眼前者，何用身后悠悠名。"（李白《少年行》）"轩青桃李能几何，君今不醉欲安归。"（李白《前有一樽酒行》）李白找到的最好的自我安慰的东西还是酒。聂夷中的安慰，俗套而又无力："莫言行路难，夷狄如中国。""门前两条辙，何处去不得。"假如真的是条条大路通罗马，何路都能通达，何处都能去得，又哪里需要诗人们齐声诵叹行路难呢？仗剑去游，东奔西走的李白，满腔豪气，满怀壮志，也差不多消尽了，他也感到疲乏了，困顿了，心生回意了："锦城虽云乐，不如早还家。"（《蜀道难》）

去家，还家，伤别离成为唐代乐府诗的另一重要主题，被诗人们回环复沓，咏唱不断。"更把马鞭云外指，断肠春色在江南。"（韦庄《古别离》）远方的如画春色迷人风光，并不能使离人稍许欣慰，断肠人眼前的景色总是断肠物事。"停舟暂相问,或恐是同乡。"(崔颢《长干曲》)离人难见,若是乡亲,还可以略叙乡情,聊慰乡愁。难以判断是远去的人更伤感,还是留守的人更愁苦;不过,留守的人大都是女性,女性的别离伤愁更能够入诗,诗人们还是以女性的角度抒写的更多。"欲别牵郎衣,问郎游何处。"(聂夷中《古别离》)情态毕现,小心翼翼,不写眼泪,也可以看到眼角的泪光了,其中有牵挂,有不放心,欲言又止,欲别难别。"珠廉昼不卷,罗幔晓长垂。"(王适《古别离》)只见珠廉不卷,罗幔长垂,不见人,而人自见,那是倦于收拾,云鬓不整,翠钿委垂,也无心装点了。"苍梧山崩湘水色,竹上之泪乃可灭。"(李白《远别离》)李白是借娥皇女英湘竹斑泪,而写别离女子伤心欲绝;深创至痛,有斑斑竹泪为证。"郎骑竹马来,绕床弄青梅。同居长干里,两小无嫌情。"(李白《长干行》)同是一竿竹,寄寓了不同的情怀;青梅竹马的忆想,更增添了别离的忧伤。"猿鸣天上哀,门前迟行迹。"质朴清简,直成千古绝唱。李白的长干行,代拟商人妇口吻。最令人伤感的别离还不是行商,而是征战。"不如逐君征战死,谁能独老空闺里。"(张籍《别离曲》)"唯恐征战不还乡,母化为鬼妻为孀。"(施肩吾《古别离》)大唐连年征战,开拓疆土,留下了累累白骨,万千孤孀,诗人的歌唱时发悲音,那不是值得颂赞的人间景象。"劝君更进一杯酒,西出阳关无故人。"王维的《渭城曲》为别离诗画上了一个圆满的句号,送别诗以此为最,仍然难掩悲伤。

唐乐府诗的竹枝词,应该算是唐代的新民歌了。虽谓民歌,并不直白,不能以后世的民歌观念视之。竹枝词清新刚健,与一大宗别离诗相比,自是另一种调子。也写愁绪:"人言柳叶似愁眉,更有愁肠似柳丝"(白居易《杨柳枝》),却不愁肠百结,撕捋不开;也写别离:"长安陌上无穷树,唯有垂杨管别离"(刘禹锡《杨柳枝》),却不伤心欲绝,无以安慰;也写沧桑:"暮去朝来淘不住,遂令东海变桑田"(白居易《浪淘沙》），却不苍茫无限，惹人伤感；也写相思："相恨不如潮有信，相思始觉海非深"（白居易《浪淘沙》），却不揪肠挖肚，不得排解。令人喜爱的是还有别一番儿女情态："不知天意风流处，要与佳人学画眉。"（孙鲂《杨柳枝》）"青楼一树无人见，正是女郎眠觉时。"（薛能《杨柳枝》）"醉来咬损新花子，拽住仙郎尽放娇。"（和凝《杨柳枝》）有了这样的一些咏唱，人生放出了另一线明媚之光，我们可以不再悲观，欣喜地活下去了。

　　写竹枝词最好的诗人自是刘禹锡无疑。"请君莫奏前朝曲，听唱新翻杨柳枝"，刘禹锡写竹枝词是着意为之的。他的竹枝词篇篇可诵，都是难得的佳作。"花红易衰似郎意，水流无限似侬愁。""东边日出西边雨，道是无晴却有晴。""美人首饰侯王印，尽是沙底浪中来。""千淘万漉虽辛苦，吹尽狂沙始到金。"都是千古流传的名句。"如今直上银河去，同到牵牛织女家。"刘禹锡竹枝词里的浪漫，有一份家常的温情。不过，银河两岸本无牵牛织女家的，难道诗人忘了吗？专权的淫威之下，无情的天河相隔，哪里会有男耕女织的家呢？

2013 年 10 月 21 日

诗品与人品同质

"上官体"对唐诗的坏影响不必估计过高，但低估了也不大合适。"其词绮错婉媚"不必过于计较，因为那到底还属形式，不太伤诗的本质；而"偃伯歌玄化，扈跸颂王游"的奉和阿谀，几达谀诗之最，就令人不能容忍了。同代以至于后代谀诗，追溯起源流来，"上官体"不能不负有一定的责任。作这种诗的目的，原本就是为了"上官"的，那还让人有何话说？

上官仪似乎赶上了好时候。高宗时，天下无事，上官仪独持朝政。上官仪尝凌晨入朝，巡洛水堤，步月徐辔而咏诗，音韵清亮，群公视之，犹如神仙。想一想那情景，也够迷人的。当朝宰相，凌晨入朝，朗声颂诗，以后代人的眼光看来，那即便不是神仙，也与疯子差不多了。其实那正是上官仪志得意满的自然流露，并不是装装样子的。上官仪的诗，除了谀诗之外，他的怀友诗《酬薛舍人万年宫晚景寓直怀友》罗列堆砌，并无真情；挽诗《谢都督挽歌》无哀亦无情，他实在是冷静极了，淡漠极了。写《王昭君》虽有"泪尽"，并无怨情。太妃挽歌，公主挽歌，也无哀婉。他的《奉和颍川公秋夜》《咏画障》两两相对，工整匀称，极尽铺叙雕琢之能事，是"上官体"的代表作品。"芳晨丽日桃花浦，珠帘翠帐凤凰楼。蔡女菱歌移锦缆，燕姬春望上琼楼。"锦玉满目，珠翠环饰，可就是没有诗人应有的才情。他是当朝一品的宰相，手捧玉带，徐步而来，像戏台子上的此类宰相一样，只有官体，而无诗情。"上官体"是教人作诗为官的，不是成就真正的好诗人的。至于高宗驾崩，武后

31

临朝,上官仪"坐梁王忠事下狱死","上官体"到底没有救得了一任宰相的性命,因为"武后恶之",你作诗颂扬了前朝皇帝,后代皇帝就可能不高兴了。

张九龄为相时,唐王朝又换了一代皇帝,那就是以风流驰名与杨贵妃留下了爱情传奇的唐明皇了。张九龄可算是好宰相吧,唐明皇在位既久,稍怠朝政,张九龄还敢极言得失。宰相的话,皇帝自然是可听可不听的。唐明皇只是在杨贵妃的床上大用玉玺,在江山社稷上盖下荒唐的印记,全不顾安禄山虎视眈眈瞄准了他的床位,也觊觎他的皇位。张九龄曾经识透了安禄山必反,请旨诛之,而唐明皇不准。后来,安禄山打进长安,唐明皇西逃巴蜀,想起张九龄的谏言,怆然感怀,遣使祭之,这时候张九龄自然是不在人世了。皇帝有时候很像乖戾的坏婆婆,"走了的儿媳妇才是好儿媳"。张九龄逝后,唐明皇每用人,必定要说:"风度能若九龄乎?"

皇帝怀念的是张九龄的为臣风度吧。张九龄的诗也是大臣风范,雅容大度,四平八稳,而非诗人才情,头角峥嵘。他写了那么多送别诗,只是说说套话,客套一番,不动声色,也不失大臣风仪。《送广州周判官》算是好点的,"观风犹未尽,早晚使车回",动了点情,却仍无特点。《郡江南上别孙侍御》,"王程不我驻,常思逐秋风",想一想与上一首也差不多。等到他独行,《自豫章南还江上作》,"浦树遥如待,江鸥近若迎。津途别有趣,况乃濯吾缨。"就有些诗趣了。看来,张九龄还不是那种全无意趣的高官,他自适时也会有闲情逸致。他的挽歌,所挽的不是生离,而是死别。"奈何相送者,不是平生时。"(《故徐州刺史赠吏部侍郎苏公挽歌词三首》)生死契阔,无可奈何,他把生死合在一起写了,便有了生命之叹。

叹息生命,叹息岁月,诗人敏感的心总是与生命的终极脉息相连。"岁月既如此,为心那不愁。"(《登荆州城望江二首》)登上古城,看

32

江水长流，自西而东，昼夜不停，诗人兴起的便是岁月之叹。青春，美女，在岁月的叹息中有了独特的意义。青春易逝，美女易老，那是岁月感沧桑感最直接的体现，也是无奈的生命尚有的一丝慰藉，犹如一缕蕙风吹拂着胸口，要在"无邪"。"汉上有游女，求思安可得。"（《感遇十二首》）"千春思窈窕，黄鸟复哀音。"（《郢城西北有大古冢数十观其封域多是楚时诸王而年代久远不复可识唯直西北有樊妃冢因后人为植松柏故行路尽知之》）在眷恋生命的意义上，读张九龄这些思念美人的诗，不会觉得轻佻，而只感怅惘，更何况那是临流而思见古冢而思呢？流水古墓总是紧连着岁月和生命的。

张九龄身为当朝一品的宰相大臣，侍奉在皇帝身边，他要想不写谀诗，简直是不可能的，这好像是诗人做了朝廷命臣难逃的命数，也是劫数。好在张九龄还不是那么肉麻阿谀，他即便作奉和应制诗的时候，也尽力保持着他的雍容安详。"我后元符从此得，方为万岁寿图川。"（《奉和圣制龙池篇》）算是张九龄的谀诗之最了，仍然不是某些谀诗的肉麻称颂，让人尚可忍受。这与张九龄的为官姿态有关，他为官是怀着哀悯之情、兴亡之感的。《折杨柳》"更愁征戍客，容颜老边尘"，《和黄门卢监秦始皇陵》"一闻过秦论，载怀空杼轴"，就不是铁石心肠的高官情态，而是有家国之思、平民之情的。"高轩问疾苦，丞庶荷仁明。"（《酬宋使君见赠之作》）虽然不忘皇家仁明，到底还肯问一下民间疾苦。《洪州西山祈雨是日辄应因赋诗言事》"多惭德不威，知复是耶非"，由自然界的旱雨，而想到了为官的德威，从而疑惑惭愧；那并不是一般高高在上的官员能有的情怀，殊为难得。有几个为官的会为下雨不下雨，而想到自己的失德失政而惭愧呢？不会惭愧，就离无耻不远了。

只要他是真正的诗人，他做了高官，即便一人之下，万人之上了，他也仍然会有自由受到束缚之感，除非他失去了诗人的品性，只剩下了官体官性。张九龄看见"云间有数鹤,抚翼意无为",也会心生艳羡,自叹身家,发出"却念乘轩者,拘留不得飞"的感怀。(《江城常目送此意有所羡遂赋以诗》)因此,位极人臣,张九龄也会生出归意,"长怀赤松意,复忆紫芝歌"(《商洛山行怀古》),"归去田园老,倘来轩冕轻"(《南还湘水言怀》)。避世修行也好,归隐林泉亦佳,总之是要避开这污浊的官场倾轧的朝廷。

张九龄在任时,李林甫方与同列,"阴欲中之",张九龄的官做得并不那么舒心。"海上生明月,天涯共此时。"(《望月怀远》)张九龄一发而为千古名句,所抒的就不仅仅是个人向往一己情怀了,诗的开阔和辽远,非有大胸怀者不能为之。与张九龄同代的张说,曾论张九龄的文曰"如轻缣素练,实济时用,而窘边幅",这说的不外是张九龄的格局狭小了;但是,此断独独不适用于这首《望月怀远》诗。张九龄有此一诗,身为宰相诗人,蛮好蛮好了。一辈子只作诗的人,又有谁会留下一句半句诗,千古流传呢?

官做得不小名气也很大的李峤,儿时曾梦人遗双笔,由此而有文辞。《全唐诗》和《唐诗纪事》都这样记载,不知究有真事否,即便确有其事,那也不能成为好诗人的必然证据,还是要看看他的诗作得到底怎么样。李峤的《汾阳行》自是好诗,七言长歌,开后世白居易长调之风。"豪雄意气今何在,坛场宫馆尽蒿蓬。"好像提前写过了唐明皇重回长生殿爱妃不在的凄凉景象。"山川满目泪沾衣,富贵荣华能几时。不见只今汾水上,唯有年年秋雁飞。"唐天子"上穷碧落下黄泉"的寻觅恓惶,也好像是被提前写到了。但是,李峤的这首长歌前半嫌堆砌,少情致,不如白居易的《长恨歌》饱满,首尾一贯。他的《送司马先生》"一朝琴里悲黄鹤,何日山头望白云",也是送别诗中的好句子,有李白"孤帆远影碧空尽,唯见长江天际流"的境界。送别诗难工,李峤能写到这样,真的要算上乘了。

可惜李峤这样的好诗太少。他写的应酬诗太多，大都不好，套话连篇，送别乏情，只是俗话。《送李邕》稍见好些，"落日荒郊外，风景正凄凄"，情景宛然。他的大量应制诗，可算把谀辞颂辞写到头了，"神龙见像日，仙凤养雏年。"（《中宗降诞日长宁公主满月侍宴应制》）公主满月，便又是"神龙"，又是"仙凤"了，皇帝登基还能怎么样呢？"忠臣还捧日，圣后欲扪天。"（《奉和骊山高顶寓目应制》）原来，把皇帝捧为太阳，把皇后也捧到天上，并不是千年后诗人的发明，李峤早已做在前头了。在《全唐诗》中，写太平公主的诗不在少数，李峤就两度写过，《奉和初春幸太平公主南庄应制》"主家山第接云开，天子春游动地来"，《太平公主山亭侍宴应制》"龙舟下瞰鲛人室，羽节高临凤女台"；李峤是皇家的高官吹鼓手，吹开了主家的山第、鲛人的居室，诗人的本色远远地丢开了。

李峤写谀诗好像并非被迫的，他是心甘情愿这样做。他以此邀宠承恩，乐颠颠的。他侍宴公主，就会"承恩咸已醉"（《侍宴长宁公主庄应制》），志得意满；他侍宴皇帝配驾天子，就会诚惶诚恐，沾沾自喜，"帝泽顷尧酒，宸歌掩舜弦"（《奉和天枢成宴夷夏群僚应制》），"小臣滥簪笔，无以颂唐风"（《皇帝上礼抚事述怀》），只怕找不到世上最美的谀辞来献给皇帝。他在皇帝面前这样失去诗人之态，他就离最终失节不远了，他居然会为武三思献出这样的挽歌："忠贤良可惜，图画入丹青。"（《武三思挽歌》）用哪一家的忠诚贤良标准来衡量，能得出武三思"忠贤"可以入得"丹青"的结论呢？李峤的诗，实实不如戏台子上的粉墨丹青更为可信了。《谢瑶环》中的武三思，是勾了奸佞脸谱的大奸臣，小孩子都能指认的。

李峤写诗，几欲穷极无聊了，他有一百二十首诗，由日、月、雾、露，直写到熊、鹿、羊、兔，他连床、被都写到了。如果给他时间，他好像要写遍世上所有存在的物件，名为"咏物"——不，他连世上没有的龙、麟也要写到。这样的咏物诗,一无可取,倒为后世的一些无聊"诗人"效法,当下,这样的"咏物诗"实在是太多太多了。不过,当代写这类"咏物诗"的"诗人"恐怕没有读过李峤的咏物诗吧,他们要是读过了,理当从唐代的无聊中发现当今的无聊,罢笔不写。

奇怪的是,李峤却曾得过大名。《唐诗纪事》说他"初与王勃、杨盈川接,中与崔融、苏味道齐名,晚诸人没,独为文章宿老,一时学者取法焉",想来似乎令人难以置信。李峤到底凭什么为学者取法呢?《唐诗纪事》又道:"峤有三戾,性好荣迁,憎人升进;性好文章,憎人才华;性贪浊,憎人受赂。"这就对了,如此品格,岂能有好诗好文。诗名与人品同质,向来如此。

2014 年 6 月 29 日

"初唐四杰"的结局

　　《全唐诗》杨炯仅存诗一卷,第一首《奉和上元酺宴应诏》虽然也属谀诗,但"赤县空无主,苍生欲问天"诗句一出,即气势逼人,与一般廷臣诗人有了区别。整首诗前半确有优秀诗人的气象,难掩的才气凌厉透出;过半则堆砌铺陈,无甚诗意了。这种奉和应诏诗实在难写,原本没有多少非要抒发不可的诗情,硬要奉和作来,自然是勉为其难了。皇权之下,只要是沾上朝廷的边,再杰出的诗人也难逃此劫。

　　离开了奉和应诏,杨炯自抒胸怀,写《广溪峡》"乔林百丈偃,飞水千寻瀑",写《巫峡》"山空夜猿啸,征客泪沾裳",已隐隐透出了李白之风。《从军行》"宁为百夫长,胜作一书生",也是意气风发,报国之志搏动于胸,不甘文墨终老的。《夜送赵纵》"送君还旧府,明月满前川",一语而境界全出,难工的送别诗在杨炯笔下,有了雄奇浑茫,很难得的。

　　作为"初唐四杰"之一,杨炯曾自我评价说,"吾愧在卢前,耻居王后"。同代诗人张说也道,"杨盈川文思如悬河注水,酌之不竭,既优于卢,亦不减王也"。文坛排名之风,自古有之,看似有趣,实则无聊。写诗作文,本不是体育场上竞技优劣,实在难有那样的"秒表"计量文名排序。评论界愿意做这种排名之事,就由他们去吧,作家诗人本身切不可当真。杨炯自己当起真来,"王后卢前"地比较,失格了。公正地讲,杨炯一出,虽与一般廷臣诗人有了区别,但他到底不是大诗人。他本人是沾了"初唐四杰"这个名号的光了,中国人是愿意相信这种"四"数"八"数的。

真的比较起来,王勃的确比杨炯的名气大得多。王勃有千古流传的名句,而杨炯却没有。"落霞与孤鹜齐飞,秋水共长天一色",《滕王阁序》中的句子令多少代后学着迷,张口成诵。"海内存知己,天涯若比邻"(《杜少府之任蜀州》),也让人过目不忘;其胸怀之阔大,境界之高远,好像也非杨炯能比。据说王勃为文,先磨墨数升,大被蒙面而卧,忽起而书之,初不加点,时谓腹稿。看起来好像故作张致,细细想来,也或许是真的需要。文人性体不同,有人作诗作文,正需要有一些个人习惯的做法,后人不必究之,更不必仿之。现在或许也有人写作之前会蒙被躺下,忽然爬起来就敲动键盘,那谁知道呢。

　　王勃是少年英才,六岁便善文辞了。沛王闻其名,召为署府修撰。是时诸王斗鸡,勃戏为文,檄英王鸡,高宗斥之,王勃因而被废。王勃也是恃才傲物了,他忘记了自己的身份。皇家的王子们好斗鸡,就让他们斗去好了;你写一篇檄文,直冲一王的鸡而去,不被当朝皇帝斥逐,也要遭王爷倾轧,没有好日子过的。王勃写《怀仙》,写《忽梦游仙》,"流俗非我乡,何当释尘昧",也想超尘而去,难怪他了。世不见容,仙界会让诗人容身吧。

　　王勃本是多情之人,他写《秋夜长》拟少妇口吻,"鸣环曳裾出长廊,为君秋夜捣衣裳",秋夜漫漫,思念征夫,错砧乱杵,相思自伤,只可惜"君在天一方,寒衣徒自香",只怕不知寒衣寄往何方呢?他送友人,"谁谓波澜才一水,已觉山川是两乡"(《秋江送别二首》),寒夜怀友,"秋深客思纷无已,复值征鸿中夜起"(《寒夜怀友杂体二首》),都是他情深意切的吟诵,与一般送别怀友诗的套话俗话不一样的,他是情动于中,才发而为诗。他的《滕王阁》"阁中帝子今何在,槛外长江空自流",沧桑满目,岁月苍凉,《临高台》"君看旧日高台处,柏梁铜雀生黄尘",也是满纸今昔之感,人生之感。乐府诗《采莲曲》长歌一阕,跌宕流走,回环往复,抑扬起伏;吟诵一过,才会发现,后世白居易的那些长歌,实在是有源可溯的。

像中国的好多传统文人一样,王勃也是想建功立业的。他因戏为文檄英王鸡而被斥废,客于剑南,曾经登葛愦山四望,慨然思诸葛之功,赋诗抒情。他终于在赣州参军任上坐罪除名。他的父亲也因之左迁交趾令。他去探视父亲,竟渡海溺水而亡,年仅二十九岁。一代英才,就此长逝。思之痛哉!

很难说王勃就是"初唐四杰"中最不幸的。卢照邻染风疾,疾甚足挛,一手又废,病苦难忍。他去官而居太白山,以服饵为事。他自知生命不会长久,预先为墓,曾偃卧墓中。后来实在不堪忍受病苦了,便与亲属诀别,自投颍水而死,才四十岁。他曾经著《五悲文》以自我剖明。七言绝句《九月九日登玄武山》中"他乡共酌金花酒,万里同悲鸿雁天",已露出了不祥之音。敏感的人,是会提前接获死神发出来的讯息的。而他此前的《释疾文三歌》,"死去死去今如此,生兮生兮奈汝何",真是声声凄切,病苦之声,无奈可怜。

病苦中的卢照邻真是不可言状了。他的《结客少年场行》,"烽火夜似月,兵气晓成虹",曾经多么豪气纵横;他的《行路难》感慨人生,又充满向往,"苍龙阙下君不来,白鹤山前我应去",又是何等样的浪漫多思。他的《赠益府群官》"不忽恶木枝,不饮盗泉水",勉人而又自诫;《失群雁》"愿君弄影凤皇池,时忆笼中摧折羽",仍不乏高翔之志,自伤而未自馁。他的《狱中学骚体》,"万族皆有所托兮,蹇独淹留而不归",才苍凉自叹,当年豪气似有所减了。

卢照邻最好的诗是他的《长安古意》。"双燕双飞绕画梁,罗帏翠被郁金香。"京都长安的繁华绮丽,在卢照邻的诗笔下铺锦错玉地展开。"罗襦宝带为君解,燕歌赵舞为君开。"京华皇宫的奢靡香艳也在卢照邻的诗笔下缛秀昵香地铺开。然而这一切好景不长,"昔时金阶白玉堂,即今唯见青松在",一切富丽堂皇都成为过去,只有青松夕照,映照着汉家宫阙。不幸的是前朝奢华过去了,后代会变本加厉起来;于是,便开始另一轮的兴衰存亡。古城旧国如此,长安古意之"意"也在于此。诗人的笔好像是不起什么作用的,因为它动摇不了江山社稷的根基,救治不了代代帝王的奢靡之心。等到白居易写《长恨歌》再触到长安古意,那一代帝王是比前朝皇帝更加穷奢极欲侈靡不堪了。

卢照邻的《中和乐九章》歌诸王歌公卿之类,无一好诗。《登封大酺歌四首》"千年圣主应昌期,万国淳风王化基",也是谀辞堆列,不值一说了。

骆宾王的名气似乎由他七岁时作的"鹅鹅鹅,曲项向天歌"而来,其实他像卢照邻一样,也擅长歌。他的《帝京篇》当时以为绝唱,那可不是小孩子张口能诵的"鹅鹅鹅"那么简单。"小堂绮帐三千户,大道去楼十二重。"帝京富丽,于焉可见。世称杨炯为文,好以古人姓名连用,号为"点鬼簿",骆宾王好以数对,人号为"算博士",好像有些道理。可是接下来"宝盖金鞍金骆马,橪窗绣柱玉龙盘","侠客弹珠垂杨道,倡妇银钩采桑路。倡家桃李自芳菲,京华游侠盛轻肥",就华堂锦物,情色浓艳了。"翠幌珠廉不独映,清歌宝瑟自相依","红颜宿昔白头新,脱粟布衣轻故人",也是才华横溢的诗句,丰赡华美,由物华而人情,由风物而风韵,红颜白头,布衣故人,非才情满腹的诗人不能写出。同样是长歌,骆宾王的《从军行路难二首》《畴昔篇》也是饱满华美之作。长歌在卢照邻和骆宾王的手中发射出了一段璀璨的光芒。

骆宾王是气势逼人的诗人,难怪他能写出《为敬业檄武后罪》的檄文了。他的"徒觉炎凉节物非,不知关山千万重",虽然也落脚于"但令一被君王知,谁惮三边征战苦"(《军中行路难二首》),但豪气干云,满纸是不羁的气势。《畴昔篇》"不见猿声助客啼,唯闻旅思将花发"的羁旅客思,"相将菌阁卧青溪,且用藤杯泛黄菊"的宛转流走,"昨夜琴声奏悲调,旭旦含颦不成笑"的人世之叹,"紫禁终难叫,朱门不易排"

40

的不平之气,千年之后读来,仍然能感到骆宾王的过人才华。他在《浮槎》中"徒怀万乘器,谁为一先容"的怀才不遇之感,他在《咏怀》中发出的"少年识事浅,不知交道难"的人世感怀,令人生出如许怜悯,也不能不有"兔死狐悲"的感伤。好诗人好文人总是命运乖蹇,千年万年,莫不如此。

七言歌行不是自骆宾王始,但的确是在骆宾王手中才放射异彩,不同以往了。他的七言歌行比卢照邻多,卢照邻只一首《长安古意》可与骆宾王比肩。骆、卢之后,七言歌行才多起来,逐渐成熟起来。文学史上的先驱意义,后世不应轻易抹杀。

骆宾王的短诗多为五言,自不如他的七言歌行。唯《在狱咏蝉》好,"无人信高洁,谁为表予心",乃写真切感怀,故好。骆宾王于狱中自感遭际,闻蝉唱而生叹,非无病呻吟可比。他在序中说:"每至夕照低阴,秋蝉疏引,发声幽息,有切尝闻,岂人心异于曩时,将虫声悲于前厅。嗟乎,声以动容,德以象贤,故洁其身也。"环境遭逢,是会让诗人生出异于常时之情的。此情合于此境,便真切动人了。骆宾王还有一首《咏蝉》,不是在狱中所写,便流于一般了。这首《咏蝉》只是客观的咏物,虽然也有"自怜疏影断,寒林夕吹寒"的凄清,到底缺乏《在狱咏蝉》的警拔。诗是主观的,而非客观的。

实实在在地说,骆宾王的诗史地位还应得到更为充分的评价。他的《宿温城望军营》"白羽摇如月,青山断若云",已开后世边塞诗先声了。杜甫的"朱门酒肉臭"也能从骆宾王的"朱门不易排"中找到影子。骆宾王在《伤祝阿王明府》的序中说,"夫心之悲矣,非关春秋之气,声之哀也,岂移金石之音。何则,事感则万绪兴端,情应则百忧交轸。"骆宾王是强调主观情怀的;那也是后世文人"不以物喜不以物悲"的胸襟了。

大概骆宾王最为人称道的,除了那首"鹅鹅鹅",就是他为徐敬业讨武后而草的檄文了。所谓武后读此檄文，但嬉笑，至"一抔之土未干，六尺之孤安在"，矍然曰："谁为之？"有人答以宾王，武后道："宰相安得失此人！"即便宰相识才，召骆宾王为慕僚廷臣，朝廷上就能容得下诗人之才吗？真正的诗人总是桀骜不驯的。

徐敬业讨武后败北，骆宾王因而亡命，不知所踪。有一个说法，说宋之问遭贬，放还至江南，游灵隐寺。夜月极明，宋于长廊行吟，而不能完篇。有老僧点长明灯问，续以结句。天亮后宋之问访之，则不复见矣。有寺僧知之曰，此宾王也。

我们多么希望这传说是真的，一代诗人未死于皇权的屠刀之下，而游走方外。那该是"初唐四杰"最好的结局了。那果真是可能的吗？

2014 年 6 月 30 日

诗体与国体

在唐代诗人中,如果宋之问不是与沈佺期在诗体声韵上的贡献,而并称为"沈宋",宋之问的诗史地位就要大打折扣了。不过,客观地讲,宋之问虽然不是大诗人,但他到底还有好诗,不应忽视。

宋之问善写孤独情怀,他《温泉庄卧病寄杨七炯》"惜兄载酒人,徒把凉泉掬",抒写病中心怀,质朴感人。宋之问似乎总是郁郁寡欢的,易于伤感和寂寥。他《使之嵩山寻杜四不遇慨然复伤田洗马韩观主因以题壁赠杜侯杜四》,由慨然而发,却落于感伤,"旧友悉零落,罢琴私自怜",自哀自怜起来了。宋之问的"慨然"就这样常常走向感伤,他《至端州驿见杜五审言沈三佺期阎五朝隐王二无竞题壁慨然成咏》,结句还是"处处山川同瘴疠,自怜能得几人归"。这样的感伤诗人羁旅客思,闻猿啼而涕泪沾裳,就是自然而然的了。"驿骑明朝宿何处,猿声今夜断君肠"(《寒食江州满塘驿》),开阔而凄清,诗人的感伤由己达人,他的哀悯情怀便广远起来,不再局限于一己情感了。

看起来宋之问也活得并不开心。只要他是诗人,还有诗人的赤子之心,他纵然为官一时,也终究难以欢天喜地,他哀愁伤怀,那是必然的。在"自怜能得几人归"的诗句前头,宋之问尚有"千山万水分乡县"句,后世曾化用为"万水千山只等闲",虽说是情怀不同,而宋之问的胸襟倒也值得敬佩。他没有豪壮,却沉郁过,沉郁自也动人。他的《有所思》一唱三叹,回环往复,"今年花落颜色改,明年花开复谁在","年年岁岁花相似,岁岁年年人不同","婉转蛾眉能几时,须臾鹤发乱如丝",生命感沧桑感弥漫绵延。林黛玉的《葬花词》可以由此找到源流。一代诗人,能有三二诗句为后世诗人化用模拟,足可自慰了。

正因为在世间不如意,所以一代代诗人羡慕起世外桃源来了。陶渊明以降,多少诗人慕仙慕道不成,渴望归隐林泉了。可是真正弃官不做,回归田园的诗人却并不多,他们只是在诗里写写罢了。为官为宦的好处舍不得丢掉,归隐田园也需要有一定的条件,那至少要有几亩地种着,养家糊口。想来,像宋之问这样的官员,家里几亩薄地总会有的吧,可他仍然是只在诗里写一写田园向往世外追慕,也就算了。《陆浑山庄》"野人相问姓,山鸟自呼名",有陶潜之风了。《寄天台司马道士》"远愧餐霞子,童颜且自持",不能修道,便自惭起来,自是代代诗人共有的心理趋向。

宋之问最好的诗《渡汉江》中"近乡情更怯,不敢问来人",寻常却奇崛,平实质朴地道出了游子归来的忐忑心怀,人人心中有,而人人笔下无的,宋之问此诗一出,便成名句。宋之问是善于在这种微妙的心理中流转腾挪,以成诗篇的。他的《途中寒食题黄梅临江驿寄崔融》"北极怀明主,南溟作逐臣",极天极地,苍凉茫远;结句"故园断肠处,日夜柳条浅",似乎又一转而为春色即来,不必绝望了。到了他《新年作》"又似长沙傅,从今又几年",以贾谊自况,又彻底沦落,跌到了谷底。诗人的心情就这样大起大落,难以平静,新年也不得安宁欣快。唯一的办法也许就是秉烛夜游彻夜狂欢吧。《广州朱长史座观妓》"歌舞径连夜,神仙莫放归",正是一时欢乐以求不止的写真了。唐代诗人好多人都写过"观妓"诗,诗中不涉淫秽,只道饮宴作乐,是诗人们的一时逃避,并不能久长。一夜观妓之后,随之而来的仍是无尽无休的寻常日子,世间磨难,官场倾轧,为宦维艰。

作为同代诗人,宋之问能够理解陈子昂的"知君心许国,不是爱封侯"(《使往天平军马约与陈子昂新乡为期及还而不相遇》);可是他自己为官,也与同僚争宠竞胜,"不愁明月尽,自有夜珠来"(《奉和晦日幸昆明池应制》),谀辞谄媚,把沈佺期比了下去。行走在朝廷之上,规行矩步,宋之问的诗人气质失去,俗人俗气来了,"今朝天子贵,不假叔孙通。"(《奉和幸长安故城未央宫应制》)经过了千年驯化,臣子们在朝廷上行走,已经中规中矩,再不必汉皇帝时的叔孙通来制定规范,教臣子们如何趋走如何下跪;臣子们自觉地趋步丹陛,长跪在地,何假叔孙通教化。到这里,宋之问有谀,也有自得,他把朝廷上的规矩森严用诗来美化了,这就难怪他宫廷侍宴也会诚惶诚恐了。"微臣一何幸,再得听瑶琴"(《上阳宫侍宴应制得林字》),宋之问的媚态仿佛无可救药。不,还不能遽下如此断语,他的《龙门应制》诗最易写成套话谀辞,堆砌罗列,俗不可耐,宋之问此诗却可读可诵,结句有劝农桑之意寓焉,可惜仍落脚在捧皇帝了:"吾皇不事瑶池乐,时雨来观农扈春。"

　　诗人们大都是矛盾的, 他们比常人更多了一些心理负担情感负荷思虑忧患,他们要下决心做什么事情,其实很难。陶渊明归隐田园,也是几经矛盾,才毅然决然的。后世诗人能像陶渊明那样决绝的很少,宋之问自不能例外,他自怜而又自得,自哀而又自适。他《下桂江龙目滩》"溟投苍梧郡,愁枕白云眠",到底还是怀愁而入眠,白云悠悠睡过去了。矛盾可以原谅,不能决绝也不必苛求,要不得的是动摇,朝秦暮楚。武后当朝,蓄面首张易之,宋之问与沈佺期等媚附张易之,及败遭贬,后又依附武三思。景龙年间,宋之问谄事太平公主;等到安乐公主权盛,又去巴结安乐公主;太平公主因而深为嫉恨。等到唐中宗时,将用其为中书舍人,太平公主发其脏,便下迁为越州长史。再一代皇帝睿宗登基,便以其狷险盈恶,下诏流放钦州,不久又赐死。诗人被皇帝赐死,宋之问不是首例,也不是最后一个;不过,像他这样今日依附这个,明日依附那个,在权贵之间周旋巴结,为人为诗,都有失品格了。

诗史上并称"沈宋"的沈佺期，没有宋之问这样为人的劣迹。他跟宋之问争胜的那次作诗，根子本不在他，细究起来，也与宋之问没有多大关系。唐代皇家是好诗文好风雅的，皇家宴集，常会令臣子们作诗奉和，大量的"应制诗"便是这样制作出来的。那一年正月晦日，唐中宗驾幸昆明池赋诗，臣子们应制百余篇，帐殿前结彩楼，命上官昭容选一首为新翻御制新曲。片刻间，纸落如飞，臣子们的诗作纷纷掷下，唯沈、宋二诗不下。又过一会儿，一纸飞坠，乃沈诗。及此沈乃伏宋，不敢复争了。这也就是在说，由于一次的奉和应制作诗，决出了高下，沈有逊于宋了。

皇家的评判且不管它，也不必非要把"沈宋"重排为"宋沈"，具体到沈佺期的诗里看看，沈佺期作诗好像的确不如宋之问。他的《兴隆池侍宴应制》是典型的沈诗，对仗工整，没有声病，却并非好诗。他常被选家看中辑入各种选本的《古意呈补阙乔知之》，"卢家少妇郁金堂，海燕双栖玳瑁梁"，声韵浏亮，华美丰赡，是沈诗中最好的了；但还是差强人意，无惊人之语，显得平淡。沈佺期和宋之问是有意为诗体作范的，他们要纠正诗中的声病，自己的诗自然作得严整漂亮，不能从技术上挑出毛病。但是，诗到底不是纯技术的，而首先是关乎才情的。沈佺期有意规范诗体，他作的七言律诗较多，是开风气立规格之人，在诗体的完善上，其贡献应予肯定。在他之前，七言诗少，七律就更少。沈佺期与宋之问联手纠正诗病，"沈宋"的地位不应轻易否定。

沈佺期的好诗也是写困顿便好。《入鬼门关》"土地无人老，流移几客还。自从别京路，颓鬓与衰颜"，已经透出了后世杜甫的信息。也许诗到底是穷而后工的。《代魑魅书寄家人》"龙钟辞北阙，蹭蹬守南荒。览镜怜双鬓，沾衣惜万行"，也是穷后而诗，抑扬顿挫，字字有力的。至于"侍宠言犹得，承欢谓不忘"，忆昔日荣光，也情属难免。"喜逢今改旦,正着复归唐",承宠称颂,感恩戴德,官员诗人走俗的路子,要求沈佺期避开,也不大可能。他《遥同杜员外审言过岭》,也不忘称颂皇帝一声,"两地江山万余里,何时重谒圣明君";实在难为了皇权之下的诗人们了。在那个时代的诗人中,好多人都有过夜宴安乐公主宅的诗。想来,安乐公主当年似乎夜宴不休,廷臣们是以侍公主夜宴为荣的。沈佺期"自有金杯迎甲夜,还将绮席代阳春"(《夜宴安乐公主宅》),也是欣欣然陶陶然,乐而忘归的。

有一些诗原本不错,可是往往会被忽略了。沈佺期《哭苏眉州崔司业二公》,因在旅次,又作挽诗,便有凄凉语,惨切动人了。他在此诗的序中说,"所恨迁窜有期,行迈在远,哀不展旧,礼不申悲,流恸斯文,冀通幽路";生死契阔,天人相隔,诗人哀恸的是阴间与阳世的不能打通,却冀冀有望。"罢琴明月夜,留剑白云天。涕泗湘潭水,凄凉衡峤烟",琴断弦绝,抚剑长叹,人无能为力的就是这生死相隔啊!万千诗文,谁知道远逝的亡魂收到了几行文字呢?人世间又是这样的吉凶莫测,前途未卜。沈佺期《狱中闻驾幸长安二首》,"君看鹰隼俱堪击,为报蜘蛛收网罗","传闻圣旨向秦京,谁念羁囚滞洛城",也是自哀自怜,可怜巴巴的。他纵然为诗体完善做出了再大的贡献,也还是无用;皇家关心的是政体,是国体,是皇家的规矩,而不是诗的声韵格律。

沈佺期也是因交好张易之而获罪,遭流放的。女皇帝蓄一面首,为了她个人的欲望满足,廷臣诗人们不敢得罪女皇的相好,依附相交。女皇帝死了,面首随之完蛋,倒霉的还是诗人廷臣;这天下实也没有多少道理好讲。在诗体完善上做出了同等贡献的沈佺期和宋之问竟是同样的命运。诗体与国体是这样的不可相容。诗人们不可过于天真。

2014 年 7 月 2 日

里程碑式的诗人

《唐诗纪事》和《全唐诗》都记载了陈子昂初入京师时的一件事。陈子昂举进士入京,不为人知。有人卖胡琴,价百万。陈子昂看看左右,"辇千缗市之",也就是花大价钱买下了胡琴。周围人惊诧询问,陈子昂说,他善于此。众人问,可以奏来听听吗?陈子昂说,明天可去宣阳里。大家如期而往,陈子昂备下酒肴相待。吃罢,陈子昂捧胡琴说,蜀人陈子昂,有文百轴,驰走京毂,碌碌尘土,不为人知。此乐贱工之役,岂宜留心。言罢举起胡琴来摔碎,把他的文章遍赠来者,一日之内,声华溢郡。此时武攸宜为建安王,即召陈子昂为书记。

用当代人的眼光来看,陈子昂好像有作秀之嫌,有点自我炒作的意思了。可是,他怀才不遇,愤而做出点出格的事情,难道还不可原谅吗?《唐诗纪事》还说,陈子昂资褊躁,然好施予,笃朋友;这是说他褊狭急躁,耐不得性子了。不过,他不吝家财,乐善好施,对朋友笃实忠诚,却实在难得。当代一些长于自我炒作的作家诗人,恐怕就没有这样的品质了。

《全唐诗》评价陈子昂道:"唐兴,文章承徐庾余风,姘丽秾缛。子昂横制颓波,始归雅正。李杜以下,咸推崇之。"看上去给陈子昂评价不低。其实,认真考察起来,在唐代以至于后世,陈子昂的名气还是低于了他的实际成就。

贺知章就恰恰是陈子昂的反面,名气比成就远过为大。贺知章《全唐诗》收诗十九首,两个散句。除去了迎神、回宫之类七首,奉和三首,剩下的十首诗中,只三首好诗,一为《咏柳》,"不知细叶谁裁出,二月春风似剪刀",再是《回乡偶书》二首,"少小离家老大回"了。公平地讲,贺知章的三首好诗都是小诗,好在有巧思,再要往多么高了去评价就不大应该了。贺知章因为发现了李白,一见李白诗文,道出了"君是谪仙人"这千古不易的名言,这一发现,使贺知章的名气远远大过了成就。是李白成就了贺知章。说来这也不易,又有几人具备发现天才的眼光呢?陈子昂的天才不就是无人发现,他才愤而自我"炒作"吗?

读《全唐诗》,会有一个十分强烈的感受。前头的诗人合卷不算,从皇帝诗人唐太宗顺次读下来,到陈子昂一出,顿觉一变。《感遇诗三十八首》满纸苍凉,魏晋风骨于焉再现。"但见沙场死,谁怜塞下骨",令人想起了魏晋王粲《七哀诗》"白骨露于野,千里无鸡鸣",杜甫的"朱门酒肉臭,路有冻死骨"也宗于此。陈子昂是不会为唐王朝勃兴的表面所惑的,他的诗笔还是要伸向社会深处,触到一个王朝疼痛的神经,哪怕那根神经为歌舞升平所麻痹。陈子昂的感遇由现实而历史,达到方方面面。"骨肉且相搏,他人安得忠。"这是疑古疑情;"长城备胡寇,嬴祸发其亲。赤精既迷汉,子年何救秦。"这是追问历史,探究祸乱兴亡之因;"莫以心如玉,探他明月珠。"这是有感于世情冷暖,向世人发出警示;"何知七十战,白首未封侯。"这是为不公而鸣不平,抒发愤慨;"圣人去已久,公道缅良难。"这是叹世风之日下,怀圣人之远去了。陈子昂的感遇真是无所不届,但很少涉及个人忧欢,谁说他"褊"呢?

世情不能让人乐观,陈子昂像好多浪漫的诗人一样,会向往化外,思慕仙家。"平生白云志,早爱赤松游"(《答洛阳主人》),他也有云游方外之心。"至人独幽篁,窈窕随昏明。""咫尺山河道,轩窗日月庭。"(《夏日晖上人房别李参军崇嗣》)世外生活是这样的悠然闲适,窗明心静,令人钦羡,"我辈何为尔,栖皇犹未平"呢?在这首诗的序中,陈子昂把这种情怀的产生叙写得更为明晓:"东西南北,贤圣不能定其居;寒暑晦明,阴阳不能革其数。莫不云离雨散,奔驰于宇宙之间,宋远燕遥,泣别于关山之际。"人间的变动不居,悲欢离合,使人心不宁,惨凄涕泫,何如幽篁轩窗,离世索居?诗人总是比常人多了些敏感,物序月华,都能引起诗人的生命感怀,人生惆怅。"空簾隔星汉,犹梦感精魂",(《月夜有怀》)"击剑起叹息,白日忽西沉",时光倏忽,追梦驰魂,人生短暂,日月恒久,陈子昂心骋八荒,思接千载,他距《登幽州台歌》发出那千古一叹不远了。

　　人世的牵挂是这么多,让人割舍不下。"明妃失汉宠,蔡女没胡尘"(《居延海树闻莺同作》)王昭君,蔡文姬,她们只是失宠沦没的女子的代表罢了,诗人挂怀的是万千沦落的生命。"野戍荒烟断,深山古木平。如何此时恨,嗷嗷夜猿鸣。"(《晚次乐乡县》)夜猿哀鸣,只是因为诗人的心头有哀愁,那声声长鸣,才动人心魄,催人离魂了。"途遥烟雾生,莫言长落羽",(《落第西还别刘祭酒高明府》)"转蓬方不定,落羽自惊弦",(《落第西还别魏四懔》)陈子昂为落第连写两首诗,极言"落羽"之惨切,他抒写的也非一己情怀,而是万千举子跳龙门失落共有的心境。

　　像陈子昂这样敏感多愁的诗人,他偏爱怀古是自然的。《岘山怀古》"谁知万里客,怀古正踟蹰",他登高览古,怀想着兴亡之理,踟蹰不前,心事苍茫,也不是为了他的一己悲欢。陈子昂是有济世理想的。传统文人修齐治平的道路在他这里走得并不顺利,他因此便在对别人出塞征战的和诗中表达他的踟蹰满志。"晚风吹画角,春色耀飞旌。"(《和陆明府赠将军重出塞》)境界苍凉而廓宏,气势雄壮,差不多有了稍后边塞诗的格调了。"天河殊未晓,沧海信悠悠。"(《宿襄河驿浦》)陈子昂心头弥漫着悠悠思绪,望天河,观沧海,难以排解的是岁

50

月无穷人生有限的感怀,他就要发出那千古一叹了。

陈子昂写诗,偏爱加序。他的序文叙事明理,书写原委,纵横捭阖,抑扬顿挫,骈四俪六却不觉匠气,读来依然跌宕流走,朗朗上口。上引《夏日晖上人房别李参军崇嗣》的序文便是一例。《送著作佐郎崔融等从梁王东征》《晦日宴高氏林亭》《秋日遇荆州府崔兵曹使宴》等诗的序,都是陈子昂诗序中比较长的,是可以单独抽出来读的。他在《与东方左史虬修竹篇并书》的序文中陈说他的文章主张,是陈子昂文学思想重要的节点。他序道:"文章道弊,五百年矣。汉魏风骨,晋宋莫传。然而文献有可征者,仆尝暇时观齐梁间诗,彩丽竞繁,而兴寄都绝,每以咏叹。思古人,常恐逶迤颓靡,风雅不作,以耿耿也。"陈子昂为诗,是有意要正时弊,怀有抱负的。他是以自己的诗承续汉魏风骨,像韩愈领导古文运动,要"文起八代之衰"一样。陈子昂一出,诗风大变,正是建基于此。陈子昂为唐诗发展做出了里程碑式的贡献,中国诗史应为陈子昂重重地写上一笔。

沉重抑郁的陈子昂难得有轻适乐观的时候。唐代诗人常有观妓的诗,陈子昂也有一首,《上元夜效小庾体》,"楼上看珠妓,车中见玉人",却不露轻佻,仍然是庄重优雅的。这是陈子昂诗中少有的一次轻松了。

陈子昂心头的重压无以解脱。他的心头重重地压着历史,压着现实,压着人生,压着岁月。人生岁月的重压成为沉沉的生命感坠在陈子昂的心头,他终于发出了那千古一叹:"前不见古人,后不见来者,念天地之悠悠,独怆然而涕下。"(《登幽州台歌》)陈子昂把生命的无奈生命的苍凉生命的终极悲剧,一声长叹,慨然而出了。我们的悲剧正在这里。在生命的流程中,我们每个人都只能占有这有限的一个端点,既不能与古人晤谈,也不能与后来者相聚,唯天地悠悠,无尽无休。这样的人生感叹,又有几人能够感受,能够理解呢?陈子昂的孤独长叹穿过了岁月的厚幕,自那时至今天,乃至而后,不息传来;可惜回音寥寥,盲目的乐观遍及人世,只能任涕下者独自怆然。

有了对生命况味的深刻感受,陈子昂对红艳桃李也有他自己的看法。他写《彩树歌》,"红荣碧艳坐看歇,素华流年不待君。故吾思昆仑之琪树,厌桃李之缤纷。"红颜易老,春花早谢,不老的是昆仑山上的琪树;那是仙家的珍奇,是凡人能够接近的吗?

难道陈子昂预感到他将不久于人世了吗?不过,他大约怎么也不会想到他会冤死狱中吧。他的父亲为县令段简所辱,陈子昂闻之,遽还乡里。他的父亲去世以后,县令段简听说陈家富足,便图谋勒索。陈子昂的家人给段简送去了二十万缗,但县令还是罗织罪名,把陈子昂抓进了监狱。据说陈子昂在狱中为自己卜过一卦,卦相大凶,陈子昂惊道:"天命不佑,吾殆死乎!"不久,他果然死在了狱中,年仅四十二岁。一代诗人,里程碑式的诗人陈子昂,就这样结束了他天才的生命;这还不是他所长叹的生命终极悲剧,而是人为的悲剧,小人构陷。有史料说,县令段简是为武三思唆使,罗织罪名,捕陈子昂下狱的。武三思是武则天异母兄长的儿子,也就是女皇的侄子。武则天为她自己立碑无字,陈子昂为自己立的碑是他的诗文。武则天是故弄玄虚罢了。陈子昂的诗则是实实在在的汉魏风骨,卓立千秋。

2014 年 7 月 3 日

命脉相系的知音

王维青春年少时也曾豪气干云，与他上了些年龄时大不一样的。"画戟雕戈白日寒，连旗大旆黄尘没。叠鼓遥翻瀚海波，鸣笳乱动天山月。"作这首《燕支行》时，王维二十一岁，这哪里是"明月松间照，清泉石上流"（《山居秋暝》）的王维呢？年轻的王维还没有禅意，他有的也是一般年轻诗人共有的豪情，那种浑茫大气，倒也不大像二十出头的年轻人。王维这样的诗还有《老将行》，"一身转战三千里，一剑曾挡百万兵"，英雄豪情，剑气逼人，王维似乎有披挂上马前敌破阵的勇武，不像一介书生了。

想来，王维也是早熟的多情诗人，他十六岁（一说十八岁）时所作《洛阳女儿行》，"谁怜越女颜如玉，贫贱江头自浣纱"，少年诗人居然深怀了如此哀悯的情感，他懂得怜惜红颜了。他十九岁时作《李陵咏》，小小年纪，对遥遥时空阻隔的前朝名将表示同情和理解，李陵有知，会引为知己吧："既失大军援，遂婴穿庐耻。"少年的理解，居然跟练达深邃的司马迁相近。"深哀欲有报，投躯未能死。引领望子卿，非君谁相理。"王维的理解和同情，远远地投向北国大漠；可惜历史的烟云比大漠的风沙更难穿透，司马迁为当朝的李陵鸣冤叫屈都受了宫刑，后代的少年诗人又能如何？发思古之幽情，往往只会令诗人更加痛苦。多情的诗人自少年时便比别人多添了一副情肠，他不忧苦，还会有别的出路吗？王维的名诗《九月九日忆山东兄弟》"每逢佳节倍思亲"，写作时王维才十七岁。他的《相思》诗"红豆生南国"，写爱情，写思念,禅意的王维也会柔肠寸断的。他"劝君更进一杯酒,西出阳关无故人"(《渭城曲》),简直是满眼含泪,为朋友把盏进酒了。

王维走向闲适悟禅也是注定的,他十九岁时就作《桃源行》,抒发他那归隐的向往了。他的桃源行自然还是在陶渊明的书写上再予以颂赞,到头来依然是"春来遍是桃花水,不辨仙源何处寻",失望而归了。陶渊明构想了这个世界从未存在也永远不会出现的桃花源,引得一代又一代多少痴情的诗人追慕寻求而不得。诗人的理想,总是浪漫的产物,而非现实存在。可是,如果连诗人的这种浪漫想象也没有了,现实人生可更让人难以忍受,无处逃遁了。能够暂时到虚幻的世界里,让心灵躲一躲歇一歇也好。

残酷的现实从来不会为诗人提供一处憩息之地,正相反,诗人比常人还要更多一些磨难。唐开元、天宝年间,王维诗名大盛,"宁薛诸王驸马豪贵之门,无不拂席迎之"。王维得宋之问辋川别墅,山水绝胜。王维与道友浮舟往来,弹琴赋诗,啸咏终日,那是王维的一段美好时光。他那些闲适禅意的诗大都与这段生活有关。也是在开元、天宝间,"安史之乱"爆发,安禄山攻陷西都,大会凝碧池,梨园弟子唏嘘泣下。乐工雷海青掷乐器,西向大恸,安禄山将雷海青肢解于戏马殿。此时王维也被安禄山兵所拘,因于菩提寺。王维写诗道:"万户伤心生野烟,百官何日更朝天? 秋槐叶落空宫里,凝碧池头奏管弦。""安史之乱"平定,肃宗登基,凡陷贼兵之手的官员皆三等定罪。王维因此诗获免。诗人的诗还能挽救了诗人的命运,这样的例子不多。王维是以气节,而不全为诗。有气节才会有此诗。王维未冠时,文章得名,又妙能琵琶。春试日,岐王曾引他至公主第,使其为伶人,进主前演奏。王维为安禄山兵所获,他服药佯瘖,是有意不为安史乱兵的宴会吟咏演奏的。艺人乐工,有雷海青那样节操高洁的,宁为玉碎,不为瓦全,也有太多的成为权贵的玩物侍婢,随风草偃,谁来了他们就为谁演奏歌舞,饮宴助兴,那就纯属"戏子"一流,全无气节可言了。诗人也是如此,有好多诗人也是被"御用"的。

像对陶渊明的理解常会只看到他"采菊东篱下",而忽视了他的"刑天舞干戚"一样,对王维,也往往会偏重于他的"青苔石上净,细草松下软"(《戏赠张五弟諲三首》)的细微禅机,而漠视了他的"大漠孤烟直,长河落日圆"(《使至塞上》)的阔大境界。大诗人总是至巨至宏至微至细的,王维自有他的丰富性,有豪纵也有静谧,有精妙也有恢廓。他有"江流天地外,山色有无中"(《汉江临汎》)的静观默察,也有"暮云空碛时驱马,秋日平原好射雕"(《出塞》)的豪情激扬;他有"欲投人处宿,隔水问樵夫"(《终南山》)的从容,也有"草枯鹰眼疾,雪尽马蹄轻"(《观猎》)的劲捷;他有"行到水穷处,坐看云起时"(《终南别业》)的闲适悠然,也有"关山正飞雪,烽戍断无烟"(《陇西行》)的紧张荒凉。王维为我们提供的解读空间无比辽远,只看我们的眼光能不能跟得上他的诗心。他摹写小女子的心态"忆君长入梦,归晚更生疑"(《早春行》),宛然细微;他赠友人的戏言"不知从今去,几时生羽翼"(《赠李颀》),又是一个幽默风趣的王维了。

王维最让人迷恋的诗,大概还是他那些禅意的闲适的,原因在于阅读者的追求和向往。现实的纷争嚣乱让人不得安宁,能到宁静的诗里避一避也好。"空山不见人,但闻人语响"(《鹿柴》)的境界多么令人神往,"深林人不知,明月来相照"的安谧也实在诱人,"野老与人争席罢,海鸥何事更相疑"(《积雨辋川庄作》)的乡野生活趣味无限,"披衣倒屣且相见,相欢语笑衡门前"(《辋川别业》)的欢乐时光又哪里是官场倾轧可比。王维归隐后的生活令百代之后的诗人们艳羡不已了。

其实,王维并不是一味散淡的人。安史乱中,他被拘服药伴痂赋诗纪怀的故事已如上述。王维另有一事,值得称道。《唐诗纪事》有纪道,宁王贵盛时,府左有卖饼者妻,纤白明媚,宁王一见属意,厚遗其夫取之,厚爱宠惜逾等。过了年余,宁王问女子,你还想饼师吗?即让其见之。"其妻注视,双泪垂颊,若不胜情。王座客十余人,皆当时文士,无不悽异。"宁王命众人赋诗,王维诗先成,座客无人敢继。王维的这首诗题为《息夫人》(一作《息妫怨》),诗曰:"莫以今时宠,难忘旧日恩。看花满眼泪,不共楚王言。"王维作此诗时,年仅二十。在权势与财富合谋几欲凌驾于一切之上的二十一世纪,这样的卖饼者妻和这样的诗,应该再一次让人想一想气节、操守、贫贱、高贵等概念了。

在唐代诗人中,孟浩然是与王维有些相近的一位,"微云淡何汉,疏雨滴梧桐",有王维的淡泊,却更多了清绝。这还只是个散句。《唐诗纪事》说,秋月新霁,诸英联诗,浩然吟出此联,举座叹其清绝,"咸以之阁笔,不复为缀"。

像王维一样,孟浩然也有过豪气勃发的时候,"吾亦赴京国,何当献凯还。"(《送陈七赴西军》)投笔从戎,建功立业,是万千诗人共有的理想,孟浩然也不例外。不过,孟浩然却自有一份傲气,他是不会斤斤于功名趋走权门的。山南采访使太守昌黎韩朝宗,谓孟浩然闳深诗律,"寘诸周行,必咏穆如之颂",先行揄扬于朝,约定日期引见。结果韩朝宗迟到了。孟浩然叱道:"业已饮矣,身行乐耳,遑恤其他!"于是毕饮不赴,由此间罢,孟浩然终不为悔。孟浩然的做法必定会为流俗所讥吧,所以他也有"世途皆自媚,流俗寡相知"(《晚春卧病寄张八》)的孤独之感;因此他渴望"挥手弄潺湲,从兹洗尘虑"(《经埋滩》),要绝尘而去,化外度日了。

细读孟浩然,自会发现,他那傲气并不常常流露的,他多的也是羁旅愁思。"还将两行泪,遥寄海西头。"(《宿桐庐江寄广陵旧游》)遥寄离愁别泪的诗人,哪里只是一点傲气可以总括。看一看孟浩然的诗中会有多少"愁"字:"永怀愁不寐,松月夜窗虚"(《岁暮归南山》),因愁而生无限孤寂;"客愁空伫立,不见有人烟"(《赴京途中遇雪》),因羁愁而生无边空旷;"客行愁落日,乡思重相催"(《途次望乡》),因乡思而生的愁绪挽不住无边落日;"移舟泊烟渚,日暮客愁心"(《宿建德江》),因客居而生的愁思无边无际,笼罩了日暮江渚;"愁心极杨柳,一种乱如丝"(《春意》),闺中少妇的愁绪也如柳丝乱拂,莫可名状了。那"春眠不觉晓,处处闻啼鸟"的闲淡,就只是无心无肠的听闻吗?那么"夜来风雨声,花落知多少",听雨声而愁花落呢?那不是春愁又是什么?"天寒雁度堪垂泪,日落猿啼欲断肠"(《登万岁楼》),已是愁肠寸断,凄凉之极了。愁绪满怀的诗人到了送别的时候,才不会写一番套话俗话敷衍人,而是情肠万端,牵挂千里:"日暮征帆何处泊,天涯一望断人肠。"(《送杜十四之江南》)

把孟浩然这些写愁思愁绪的诗一一读下来,便读到了傲气之外的另一个孟浩然了。其实,那正是最真实的孟浩然。会忧愁的诗人,才会拍案而起声震屋瓦指叱权贵;那些没心没肺的所谓"诗人",才会一味忘忧,趋迎巴结,他们像坏主子的忠犬,汪汪地叫几声,只是吓唬吓唬平民百姓罢了。《唐诗纪事》说孟浩然"骨貌淑清,风神散朗。救患释纷以立义,灌园艺圃以全高";这是说孟浩然的清高孤傲,崇节重义了。

孟浩然的丰富性也与王维相似。他善写静,能静到孤凉透体:"松月生夜凉,风泉满清听。""之子期宿来,孤琴候蔓径。"(《宿业师山房期丁大不至》)他也善写空旷,空旷到天高月小,茫远无限:"天边树若荠,江畔舟如月。"(《秋登兰山寄张五》)"闲居枕清洛,左右接大野。"(《寓包二融宅》)孟浩然的细微和宏阔都是同代诗人中杰出的。他的七言古风《送王七尉松滋得阳台云》《夜归鹿门山歌》,又是另一副面貌,流荡奔放,有李白古风的风致了。

孟浩然抒写的诗境,最令人向往的是那"开筵面场圃,把酒话桑麻"(《过故人庄》)的农家拙朴。现代化的大酒店里觥筹交错,灯光迷乱,还会有那种乡野的淳朴闲适吗？当代人的拼酒宴乐,比得上古人的把酒絮话吗？想来还不能不令人生疑。然而我们都回不去了。人的痛苦,大概就在这时光不再日子永远不息向前之中吧。孟浩然自适于"长歌负轻策,平野望烟归"(《采樵作》),他在田园里也还会"昼坐常寡悟,冲天羡鸿鹄"(《田园作》)。让我们怎样才能走出这心境的迷宫？古人的,以至于今人的？

　　开元二十八年,王昌龄游襄阳,当时孟浩然发背且愈。两位大诗人相得欢甚,纵情宴谑。孟浩然"食鲜疾动,终于南园",年仅五十二岁。王维曾过郢州,画孟浩然像于刺史亭。王维有忆孟浩然的诗道:"故人今不见,日夕江汉流。借问襄阳老,江山空蔡州。"王维与孟浩然也是命脉相连,惺惺相惜。孟浩然也曾在《留别王侍御维》的诗中说,"当路谁相投,知音世所稀。"知音难觅之叹自古皆然,而今尤之,能有一二已属难能了,不必多求。

2014 年 7 月 4 日

向远方

　　如果只看到王昌龄"黄沙百战穿金甲,不破楼兰终不还"(《从军行七首》)的豪壮,而不看他"黄尘足今古,白骨乱蓬蒿"(《塞下曲四首》)的悽怆,那就曲解了这位诗人,失于片面了。优秀诗人的复杂性总不能用简单的眼光去看。其实,在王昌龄"大漠风尘日色昏,红旗半卷出辕门"(《从军行七首》)中,已经有苍凉在了,固然也不乏遒劲。就是那"但使龙城飞将在,不教胡马度阴山"(《出塞二首》)中的誓死争战,也是先有了"万里长征人未还"的悲凉。在优秀诗人的笔下,战争从来都不是值得颂扬的事情。血流成河白骨遍野的战争,人杀人的战争,什么时候都不应称颂。只有那些铁石心肠的人才会把大炮轰鸣血肉横飞当作"美景"展览,一再欣赏。那是在当代影视中反复出现的景象,他们在借此颂扬"胜利"。战争的胜利要以万千生命为代价,没心没肺的人是不予考虑的。

　　王昌龄也是柔肠百转的人,"忽见陌头杨柳色,悔教夫婿觅封侯。"(《闺怨》)只有满腹柔情的人,才能如此描摹出闺中少妇哀怨的口吻。"谁分含啼掩秋扇,空悬明月待君王。"(《西宫秋怨》)"熏笼玉枕无颜色,卧听南宫清漏长。"(《长信秋词五首》)王昌龄写宫怨,也能写到宛转百态,柔肠寸断。王昌龄的七绝犹似李白,"乱入池中看不见,闻歌似觉有人来"(《采莲曲二首》),其清丽天然,情景细微逼现,会让人想到李白的一些诗句。"忆君遥在潇湘月,愁听清猿梦里长。"(《送魏二》)"洛阳亲友如相问,一片冰心在玉壶。"(《芙蓉楼送辛渐二首》)

极易流于套语俗话的送别诗,到了王昌龄的笔下,却是这样的柔婉多致,别出机杼。读着这样优美宛转的深情诗句,几乎觉得那些豪壮的边塞诗是另一个王昌龄作的了。的确,王昌龄一改送别诗难工的通例,写出了一首又一首绝佳的送别诗,"醉别何须更惆怅,回头不语但垂鞭。"(《留别郭八》)就连旷野张望,王昌龄也深情满怀,写出了另一种境界:"穷秋旷野行人绝,马首车来知是谁。"(《旅望》)王昌龄的此类七绝,好像不用力,无迹可寻,唐代诗人中唯有李白与之相似。王昌龄与李白是好朋友,声气相投了。

像他那纵横放歌的好朋友一样,王昌龄也会在"高皇子孙尽,千载无人过"的汉家陵园中,发出"人生须达命,有酒且放歌"(《长歌行》)的感叹,他穷愁时也会自叹命途淹蹇:"今日无酒钱,凄惶向谁叹。"(《大梁途中作》)生命的长途上并没有备下旅店酒宴,供疲惫的诗人把酒吟诗,一抒心怀,常有的倒是反面。王昌龄"不护细行,世乱还乡里",为刺史闾丘晓所杀,比他的好友李白的最终命运更惨。他叹燕丹、荆轲"诚知匹夫勇,何取万人杰"(《杂兴》)的时候,哪里会知道一代诗人不逞匹夫之勇,也会死于无辜呢?世事世情,好像总在与诗人作对似的。什么时候,人类世界都不会珍惜上苍赐予的人杰。

王昌龄自然也曾孤凄寂冷,"惊禽栖不定,寒兽相因依"(《途中作》),他因此而深觉"当时每酣醉,不觉行路难"了。(《大梁途中作》)总是无情的现实教诗人懂得了诗情浪漫救不了困顿艰辛。这时候再想一想少年时的"气高轻赵难,谁顾燕山铭"(《少年行二首》)的豪气纵横,会觉得未免轻狂了一些吧,而"功多翻下狱,士卒但心伤"(《塞上曲》)的不平发泄,便是自然而然了。此时再来回望边塞,反思战争,就没有了那份豪壮,而是另一番心境了:"去时三十万,独自还长安。""乡亲悉零落,冢墓亦摧残。"(《代扶风主人答》)这里没有凯歌以还,没有庆功宴,有的只是凄惨荒凉,生命凋残,战争最沉重的代价。

在唐代诗人中，王昌龄的七绝像李白，而岑参的七言歌行，大概也只有李白能为。"一川碎石大如斗，随风满地石乱走"（《走马川行奉送出师西征》），放到李白集中，谁能辨出？而同一首诗中，"半夜军行戈相拨，风头如刀面如割"的劲切，李白集中也不多见。岑参《白雪歌送武判官归京》"忽如一夜春风来，千树万树梨花开"，以暖笔写大雪，用笔奇特；"纷纷暮雪下辕马，风掣红旗冻不翻"，径写严寒，寒气袭骨；"山回路转不见君，雪上空留马行处"，驻留怅惘，行迹悠然，让人把李白"孤帆远影碧空尽，唯见长江天际流"的送别诗想起来了。岑参苍茫，李白开阔，两人都写下了送别诗的名篇。

岑参似乎是善写冰雪严寒的。"将军狐裘卧不暖，都护宝刀冻欲断。""雪中何以赠君别，惟有青青松树枝。"（《天山雪歌送萧治归京》）雪中送别，自是别一番情调。白雪青松以留别，固然别致如画，而无物相赠，岑参也会送出另一种诗情来："马上相逢无纸笔，凭君传语报平安。"（《逢入京使》）有了这样一些送别诗在，那些俗滥的无情致又无新意的送别诗真的没有什么存在的价值了。在中国诗史上，自从魏晋诗人首写送别诗，开了此类诗的先河，送别诗成了诗的一大宗，许多送别诗大都是套话俗话，俗滥不堪，连唐诗也难例外。后人再写此类诗，不可不下笔慎重，无新意写不好，索性不如不写。岑参《送王昌龄赴江宁》，殷殷叮咛朋友，"惜君青云器，努力加餐饭"，没有新奇造语，质朴到家的家常话，却也深动人心，不是敷衍了事的送别诗句。

岑参的边塞诗比王昌龄的边塞诗更多了一些现场感，不只是豪壮雄阔可以概括的。"阴山烽火灭，剑水羽书稀。"（《北庭西郊候封大夫受降回军献上》）虽然写的是休战时期，但仍然能让人感觉到军情紧张，并未和平。"日暮上北楼，杀气凝不开。"（《登北庭北楼呈幕中诸公》）便战云密布，箭在弦上了。他不写边塞，然而"长风吹白茅，野火烧枯桑"（《到大梁却寄匡城主人》），也还是透露着边塞般的紧张苍茫;他回到边塞大漠,"寒驿远如点,边烽互相望","有时无人行,沙石乱飘扬"(《武威送刘单判官赴西行营便呈高开府》),就又是苍凉辽阔、战前或战后的景象了。这样的诗句是会让人读下泪来的,只要你心中怀了对战争的痛恨和恐惧,且不说还有后边的强烈对比:"红泪金烛盘,娇歌艳新妆。"岑参的诗笔苍劲而又浓艳,但他绝不绮靡,他是没有齐梁之风的。

生当盛唐,一个朝代的鼎盛时期,岑参像他的同代诗人一样,是不甘落寞,不主沉沦的,建功立业成为他们的追求,他们的理想,在他们那里,建功立业,也不止是为了一姓帝王单单为了报答"君恩"的。"男儿何须恋妻子,莫向江村老却人。"(《送费子归武昌》)抛妻别子,走向远方,才是有志男儿的孜孜以求。可惜,太多士子,太多男儿,他们的追求和理想还是要通过皇家那条途径,他们不被发现,不被重用,便是常有的事了。

岑参在《优钵罗花》的序中,写优钵罗花"异香腾风,秀色媚景",从而感叹这种花的身世遭际:"尔不生于中土,僻在遐裔,使牡丹价重,芙蓉誉高。惜哉,夫天地无私,各遂其生,自物厥性,岂以偏地而不生乎,岂以无人而不芳乎。适此花不遭小吏,终委诸山谷,亦何异怀才之士,未会明主,摒于林薮邪。"这种怀才不遇的感叹,代代不乏。然而,一代一代才俊之士杰出人物,还是埋没在荒郊野外,像那一朵朵优钵罗花一样,也像柳宗元在"永州八记"中发现的那些风景绝异的小丘一样,只因未生于通都大邑,便要遭受沦落与湮没,终而默默无闻,什么胸怀抱负,都要付之于悠悠白云无情天地了。这样看来,岑参"一生大笑能几回,斗酒相逢须醉倒"(《凉州馆中与诸判官夜集》),就不是"酒逢知己千杯少"那么简单了,他何尝不是借酒浇愁呢?

在高适那里,似乎没有那么多愁肠了。高适仕途顺利,没有太多诗人为官的颠沛流离贬谪流放,因而他便可"以功名自许"了。他年五十始为诗,为而即工,"以气质自高,每一篇出,好事者辄传布"。高适为诗,打破了诗属于青春的惯例:一般来说,年过半百了,方才为诗,难得有什么造就了。在人的寿命还没有大幅度提高的唐代,五十岁已经过去了人生的兴盛时期,走向暮年了。在高适的诗里,却看不到暮气。他的七言歌行,满是盛唐气象,昂昂向上。他的《送浑将军出塞》频频换韵,却气韵饱满,看不出换韵的顿断,只觉得一气贯之,气势逼人。"城头画角三四声,匣里宝刀昼夜鸣","黄云白草无前后,朝建旌旄夕刁斗",不写杀伐,而杀气自在,边塞的紧张气氛满布纸上。

高适豪气干云,却并不只是战场的冲杀之气,他也有不平之气。"战士军前半生死,美人帐下犹歌舞"(《燕歌任》)成为千古名句,不是因为他写了战场攻杀,而是因为他写了前方与后方的对立,阵前与大帐的不公,从而被代代传诵。尽管他在同一首诗中也写了"杀气三时作阵云,寒声一夜传刁斗"的战云密布,慨叹"君不见沙场征战苦,至今犹忆李将军",不尚消沉;但是,"少妇城南欲断肠,征人蓟北空回首"的凄凉,仍然让人对战争的本质有了更深一层的认识,不是那种所谓"凯歌"能够相比的。对战争的态度,是对诗人人性检验的一个重要标尺,那些一味鼓噪"战争美学"热衷于展览杀戮的所有"艺术",都应该在这里重新检视,看看创作者究竟是何等心肠。

只要他是一个好的诗人,他即便自己家境殷实甚而豪富,仕途通达甚而高居宦位,他也依然会有一副愁肠,悲悯的不是一己身家,而是天下苍生。高适《苦雨寄房四昆季》也是忧心忡忡,"惆怅悯田农,裴回伤里闾。曾是力并税,曷为无斗储。"他深知,要解田农里闾的困境,还要靠皇家垂怜;可是君门遥遥,无缘上达,他"十年思上书,君门嗟缅邈",无论什么朝代,暴秦还是盛唐,也无论什么时世,盛世还是末世,皇门总是遥远而紧闭,不是谁都能近前叩开的。所以仕途顺利的高适也会"为衔君命且迟回""转忆陶潜归去来",犹豫彷徨,踟蹰不前了。

不过，高适到底是未受仕宦之苦，未受贬谪之害的，他纵然世事洞明，人情练达，看透了世态炎凉，感叹着"君不见今人交态薄，黄金用尽还疏索"，他仍然豪纵狂放，轻易不传达消极情绪。他送别友人，就不写眼泪，不写思念，不写哀猿夜啼，不写午夜梦回，而是给人安慰，给人鼓舞："莫愁前路无知己，天下谁人不识君。"《别董大二首》这样的诗篇一出，"好事者辄传布"，就不为奇怪了。别友人，向远方，还是怀着希望要好，哪怕那希望只是一点渺茫的星光。我们，到底还是要向前走去的呀。

2014 年 7 月 7 日

李白的选择

李白在他的《悲歌行》中曾经悲哀地唱出："悲来不吟还不笑，天下无人知我心。"伟大诗人的孤独寂寞令人悲叹。千年而下，我们还是作着一次次试图知心的努力，想走进李白的心灵，尽管往往仍是徒然；可是放弃了这种努力，我们却更加不忍，我们不忍心让伟大的心灵在那里永久孤寂，无人走近。

因为"子是谪仙人"，我们与李白本非同类，便只能遥遥相望，看李白飘然而来，飘然而去，难以把捉其行迹，走不进他的心灵吧。李白诗如仙风拂来，无迹可寻，既不知其何从来，又不知其何从去，我们无法把握李白的作诗之法——他本无定法，无法之法，又焉可把握？如果不是硬要寻觅李白的诗法，而只是由他的诗走进他的心，凡人走向仙家，会不会有几分可能？

"大道如青天，我独不得出。"（《行路难》三首)无路可走的痛苦几乎困扰了李白的一生，就连他短暂的供奉翰林时期，贵妃磨墨，力士脱靴，看上去无比宠荣，也还是如此，否则，他便不会发出他那惊世的呐喊"安得摧眉折腰事权贵，使我不得开心颜"了。"欲渡黄河冰塞川，将登太行雪满山"，李白陷入走投无路的境地了。在这里没有"置之死地而后生"的绝境逢生，而只是英雄末路的悲怆。李白，也许是因为人家只看到他的荣庞，他的盛名，而看不到他的困窘，他的绝望，他才发出了那"天下无人知我心"的感叹吧。"燕雀焉知鸿鹄之志"，李白必定是常以鸿鹄自居的。

丝毫也不必怀疑，李白就是怀揣了鸿鹄之志的。他不是志大才疏自视甚高的那类狂人，谁都不该怀疑李白的才能，那还不只是诗的才华，也包括经世之才，济世之能。"我本楚狂人，凤歌笑孔丘。"（《庐山谣寄卢侍御虚舟》）李白真的是笑倒了儒学的根基，从根子上否定了经世济用的传统吗？其实不是的，李白从来没有放弃他的建功立业之志，他只是拒绝了进士及第的仕途老路，而要依仗自己天赋的才华，从另一条路子走向他的目标罢了。他的狂，只是他自负的表现。一旦有了济世的机会，他便"仰天大笑出门去，我辈岂是蓬蒿人"了。

李白真是豪情万丈，气冲斗牛。"愿将腰下剑，直为斩楼兰"，"横行负勇气，一战净妖氛"。李白丝毫也不怀疑他的治国平天下安邦定国的才能，他理想地勾画了他的凯歌以还，庆功筵宴："功成画麟阁，独有霍嫖姚"。（《塞下曲六首》）在李白心中，在李白的诗里，大漠边塞不再是可怕的荒凉白骨累累，而只是英雄豪杰的用武之地辽阔战场了；虽然，他心中永远也不会忘记"乃知兵者是凶器，圣人不得已而用之"（《战城南》）。李白的矛盾是天下士子共有的矛盾，他们分明看透了开疆拓边是要以万千生命为代价的，可是他们的修齐治平理想却往往要在这样的"事业"中实现，他们不情愿，又无可奈何。而且，他们的理想实现，还要靠圣上旨意朝廷敕命，他们纵有经天纬地之才，也要"试借君王玉马鞭，指挥戎虏坐琼筵"（《永王东巡歌十一首》）；他们要自行其是还不成。

造成困难重重的主要原因就在这里。"我欲攀龙见明主，雷公砰訇震天鼓。""阊阖九门不可通，以额叩关阍者怒。"李白写下的是万千怀才不遇的士子共同遭遇的困境，只是在李白这里表现得更加强烈，李白用他一贯的豪情纵放发抒了。可叹的是"白日不照吾忠诚，杞国无事忧天倾"（《梁甫吟》），诗人的一腔赤诚并不能被昭示于天下，或者不能够被"明主"瞧见；而他的心忧天倾，又哪里就是杞国无事呢？

"生不当封万户侯，但愿一识韩荆州。"李白《与韩荆州书》，向韩朝宗陈情告白，想求得进身之阶的举动，好像成了豪放的李白生平的一个污点，有时候会被人诟病；可是，想一想李白走投无路报国无门的情况，他写下那样一封自荐的信，又是可以理解可以原谅的了。后人们置身局外，往往会忽略了当事者的痛苦，苛求前人，刻薄先贤，那不厚道了。要是能够想到，李白做了供奉翰林，荣宠备至，他仍然不得"开心颜"，那种情怀和质量，又哪里是苛求前人的蝇蝇后辈能够理解的呢？

　　李白的古风，千古一人，李白的痛苦，世所罕见。李白的古风，"大雅久不作"而下，受陈子昂感遇诗影响甚大，但他却走向了开阔和浩荡，一泻千里。李白的痛苦，在这些古风里表现得淋漓尽致。"路逢斗鸡者，冠盖何辉赫。鼻息干虹蜺，行人皆怵惕。"这是那个时代得意者的活画像，不只是斗鸡，走马斗狗者又何尝不是如此。正是他们挡住了青天大道，致使"我独不得出"。与此辈蝇营狗苟，抑或争斗竞获，李白是决然不屑的，"焉能与群鸡，刺蹙争一餐"。自视甚高的盲目自傲固然不可取，鹤立鸡群的傲骨还是应该有的，只要他真正地具备了超群之才；那是不甘沉沦的洁身自爱，是在滚滚浊流中保持贞洁的节操。

　　李白深知，"正声何微茫，哀怨起骚人"，他是使命在身的："我志在删述，垂辉映千春。"上天赋予他的使命还不只是为皇家的帝业贡献才能，而是在大雅正声中一展才华。朝廷上并不缺少一个大臣，屈原之后，千年以来，却少了一位伟大的诗人。那空缺的位置，正待李白去填充。"素手把芙蓉，虚步蹑太清。""吾当乘云螭，吸景驻光彩。"那正是李白步入一代伟大诗人的境界所呈现的溢光流彩美景了。"奈何青云士，弃我如尘埃。"这世上并没有多少青云之士能够理解李白，提携李白，李白要依靠他自己的才华独步青云。"焉得偶君子，共垂双飞鸾。"能够与李白相知相投共乘飞鸾的,只是杜甫一人而已。"昔年有狂客,号尔谪仙人。笔落惊风雨,诗成泣鬼神。"(杜甫《寄李十二白二十韵》)也只有杜甫对李白的理解,才能够安慰诗人那寂寞的心灵。惺惺相惜,没有了伟大天才之间的理解和慰藉,文明世界也就沦落得像大漠戈壁一般,只剩下荒凉一片,连一茎绿草一滴清泉也没有了。

李白的自负是骨子里的,始终都不会失去。"天生我材必有用"(《将进酒》),李白从不绝望,他自信"长风破浪会有时",天高海阔,总有一天他必定要"直挂云帆济沧海"(《行路难三首》)。李白的豪气跟他的自负、自信紧连在一起。李白他"白发三千丈,缘愁似个长"(《秋浦歌十七首》),但他就是不颓丧,不消沉,愁肠满腹,仍怀揣希望。

不,李白最得意的时期,并不是他做供奉翰林随侍在皇帝身边的时候。在一般人看来,即便"御用",只要在皇帝身边转转着,也是荣宠备至,优渥有加了。但是李白不会这样,他还是发出那"安能摧眉折腰事权贵,使我不得开心颜"的呼喊,决绝地离开皇宫,纵情于山水之间了。皇宫笼罩,可以把金丝鸟关进去,皇家愿听什么歌,就在笼子里跳跃着唱什么歌,以求得到那三二金米玉粒。但是,伟大的李白不屑,李白是苍鹰,他的心灵要在皇宫之外的广阔天地飞翔,他要歌唱,便是声震八荒,唱给远为广大的世界。

李白最为意气风发的时期,是永王璘都督江陵,辟他为僚佐时。看他《永王东巡歌十一首》,节奏明快,一泻千里,就知道李白此时的心情自是阳光明媚,眼前展开的是楼船竞发王师出征的景象了。李白相信,他的理想实现指日可待。"但用东山谢安石,为君谈笑静胡沙。""南风一扫胡尘静,西入长安到日边。"终其一生,李白就是这个时期感觉到他的经国纬邦之才治国平天下之能可以得到施展了。多么矛盾,李白逃出了皇宫的笼罩,他还要进入皇家的另一个王子的幕府,才能够发挥他的才能,转来转去,他仍然不能不被"御用"。皇权之下,谁又不是被"御用"的呢？只是被"大御用"还是"小御用"之分罢了。

普天之下，也许只有皇帝一个人是自由的，他是为他自己所用。既然如此，又怎么能怪李白在做永王璘僚佐时写下这么多有关帝王的诗句呢？"永王正月东出师，天子遥飞龙虎旗。""龙蟠虎踞帝王州，帝子金陵访古丘。""王出三山按五湖，楼船跨海次陪都。""我王楼舰轻秦汉，却似文皇欲渡辽。"李白在他气势昂昂大展抱负的时刻，写下了这么多颂扬帝王的诗句。细细品读，仍然能够发现李白与那些廷臣诗人极大的区别，他没有肉麻地阿谀，他不卑不亢，保持了封建专制下伟大诗人的人格和诗品，李白还是李白。等到永王璘谋乱兵败，李白因而获罪长流夜郎，李白这组《永王东巡歌》会被当作"反诗"，而罪加一等吧；按后世为文人罗织罪名的做法，这是一定的。不过，史料上倒没有留下李白因诗获罪的记录。唐代的文字狱还没有兴起。那要等宋代而后，以苏轼"乌台诗案"为标志，诗人们作诗便要加倍小心了。

还算有幸，李白生在文字狱未兴的唐代，他可以无所顾忌，尽情放歌，他可以写杨贵妃"借问汉宫谁得似，可怜飞燕倚新妆"，并不在意赵飞燕是以色事人淫惑皇帝的代表形象，从而担心皇帝和贵妃指责他影射比附，讽喻皇上。他专写杨贵妃的《清平调词三首》，艳极却不生腻，非李白这样的大天才手笔难为。想一想李白当时"宿醒未解"，承诏援笔赋之，龟年歌之。"太真持颇梨七宝杯，酌西凉州葡萄酒，笑领歌辞，意甚厚。上因调玉笛以倚曲，每曲遍将换，则迟其声以媚之。太真饮罢，敛绣巾重拜。上自是顾李翰林尤异于（他）学士"。这般香艳，这般绮靡，又这般恩宠，这般洒脱，也只是李白当之而不沉迷，自古至今，有几个诗人还能如李白那样一走了之呢？

李白是志不在此啊。"安得倚天剑，跨海斩长鲸。"李白的理想在大江大海之上，在高天厚土之间，他可以被一时笼羁，不能被永久束缚，哪怕他看透了前途危艰，"蜀道之难，难于上青天"，看透了"自古

69

贤达人,功成不退皆殒身",打定了主意"行路难,归去来"(《行路难三首》),他也不肯扭曲自己的心性——"富贵故如此,营营何所求。"(《古风》)这就将要接近李白常被批评的及时行乐饮酒慕仙的节点了。其实,伟大的诗人哪里会那么简单,被一语概括呢?"百年三万六千日,一日须倾三百杯。"(《襄阳歌》)"且乐生前一杯酒,何须身后千载名。"(《行路难三首》)"人生得意须尽欢,莫使金樽空对月。"(《将进酒》)这么多有关饮酒的诗,其中也许有一些饮酒作乐自我麻醉的成分吧,可是"举杯邀明月,对影成三人"(《月下独酌四首》)呢?那不是孤独至极只能邀月而饮的寂寞情怀吗?潇洒也许还有一些,自适也有少许,可是欢乐却没有,那才是"抽刀断水水更流,借酒浇愁愁更愁"(《宣州谢朓楼饯别校书叔云》)呢。

"登鸾车,倚轩辕。遨游青天中,其乐不可言。"(《飞龙吟二首》)"吾将营丹砂,永与世人别。"(《古风》)"明星玉女备洒扫,麻姑搔背指爪轻。"(《西岳云台歌送丹丘子》)"人生在世不尽意,明朝散发弄扁舟。"(《宣州谢朓楼饯别校书叔云》)这是要弃世而去,化外成仙了。可是"我本不弃世,世人自弃我"(《送蔡山人》),是世人容不下李白,这个世界容不下李白,他才要一怒之下,弃世抗争。李白由仙界贬谪到世间,他必定是不知道人世险恶世道多艰吧,他如果知道了,他还会来人世走这一遭吗?李白的选择,大约是错了。

2014 年 7 月 14 日

令人失望的世间

　　在李白豪放的盛名之下，他的其他方面往往被忽略了。伟大的诗人是难以用一个词两个词来简单概括的，他的丰富性由他的全部诗篇来体现，进入他的全部诗作，才能够领略他的方方面面，而要加以陈说，仍然会以偏概全。

　　有时候简直难以相信，豪情纵放的李白还会柔婉细腻到无微不至。他的"郎骑竹马来，绕床弄青梅"的自然天真且不必说，他的《采莲曲》写"若耶溪旁采莲女，笑隔荷花共人语"，女儿情态像水灵灵的莲花一样委婉多致。他写思妇的《冬歌》，"素手抽针冷，那堪把剪刀"，体察入微，好像他化作了少妇亲自体验过似的。他的《江夏行》拟少妇口吻，娓娓如话，哀怨自现，豪放的李白竟能婉致如此，实在令人叹服伟大诗人天才的无所不届："青年下扬州，相送黄鹤楼。眼看帆去远，心逐江水流。只言期一载，谁谓历三秋。使妾肠欲断，恨君情悠悠。"谁说李白只会豪放得"仰天大笑出门去"呢？他的婉曲低回简直可以把他归于"婉约派"了。絮絮哀怨之后，少妇的决绝口气斩钉截铁，怨恨之极，便走向了另一个方面，李白把怨妇的心理揣摩得也是深入透彻："不如轻薄儿，且暮长相随。悔作商人妇，青春长别离。如今正好同欢乐，君去容华谁得知。"此语一出，不管是不是真的付诸行动，且让远去的男人听了后悔一番去吧。李白好像成了早期的女权主义者，为遭弃的妇女代言了。

　　伟大的诗人，伟大的作家，都是善写女性的，女性的优美，女性的

71

婉丽,女性的幽怨,女性的叹惋,总是能在他们的笔下得到多姿多彩的呈现,他们的悲悯情怀倾注其中,爱悯交融,形成了一曲曲柔肠百转的女性之歌。"停梭怅然忆远人,孤宿独房泪如雨。"(《乌夜啼》)这里有念尚无怨;"那作商人女,愁水复愁风。"(《长干行二首》)这里有愁也有怨了。那个时代的商人妇总是这种口吻,怨恨做商人的丈夫一去不还家。流水天涯,谁知道远去的经商的丈夫除了挣钱,还做了什么呢?到了商品经济时代,这种怨妇的口吻会变成自豪的吧,正妻,小妾,二奶,小三,她们在商品大潮的涌动中,会各安其所自得其适吗?要知道,李白却是在《妾薄命》中告诫过了:"以色事他人,能得几时好。"那么,另一种闺怨情景也许是有所觉悟的表现吧:"但见泪痕湿,不知心恨谁。"(《怨情》)不管是恨谁,有恨才会有觉悟。至于"夜悬明镜青天上,独照长门宫里人"(《长信宫》),那写的是宫怨,怨恨的对象不言而知,那就是给无数妇女带来不幸的皇帝。倚门望幸而不幸,剩下来的便只有怨恨,怨恨到了不敢道出,其怨更长,其恨更深,青天明月,夜夜复夜夜。

李白有时候会被人曲解了,豪放之下,有人会以为他不会深沉,不会细微,其实决然不是的。看看李白的《玉阶怨》,"玉阶生白露,夜久侵罗袜",就知道他的心会多么纤细;看看他的《秋歌》,"长安一片月,万户捣衣声",就会知道他的情感会多么绵远;看看他的《静夜思》,"举头望明月,低头思故乡",不作而诗,也该知道他会如何多情。

此时再来看李白的一些送别诗,就会明白难工的送别诗为什么会被他写得这样好了,他实在不是无病呻吟,只拿俗话套话来敷衍成篇的。"孤帆远影碧空尽,唯见长江天际流。"(《黄鹤楼送孟浩然之广陵》)李白是对孟浩然早已有过了"高山安可仰,徒此揖清芬"(《赠孟浩然》)的景仰之情,才会在送别孟浩然的时候极目远送,直至帆影消尽,长江横天,一片空旷和怅然。李白的送别留别诗,有的并没有写明具体的对象,唯其如此,才达到了广远和普遍,"请君试问东流水,别意与之谁短长。"(《金陵酒铺留别》)"一一书来报故人,我欲因之壮心魄。"(《赤壁歌送别》)一般说来,李白是不愿意在送别诗中哭哭啼啼的,所以他才会昂扬地唱出:"李白乘舟将欲行,忽闻岸上踏歌声,桃花潭水深千尺,不及汪伦送我情。"(《赠汪伦》)成为送别留别诗中的千古绝唱。这并不说明李白无情,只是李白用他别具的天才把他的深情换一种方式表现了。他《哭晁卿衡》,是生命的永别,他就是常人常情,悲愁满腹了:"日本晁卿辞帝都,征帆一片绕蓬壶。明月不归沉碧海,白云愁色满苍梧。"李白没有写出的,只有那涕泗滂沱了。

生离死别,人生悲剧,李白比常人体会得更为深刻,他只是不愿意念念叨叨总把悲愁挂在嘴边罢了。"惊波一起三山动,公无渡河归去来。"(《横江词六首》)这是世事维艰,对人劝诫。"富贵百年能几何,死生一度人皆有。"(《悲歌行》)这是生命必将面临的终极悲剧;富贵荣华纵然百年,又能怎样?"襄王云雨今安在,江水东流猿夜声。"(《襄阳歌》)襄王有幸,巫山神会,且为朝云,暮为行雨,纵情极乐,终有尽头,永无尽头的只是江水东流哀猿夜啼,不幸的生命,真要为此下泪了。人,不能越过的就是生死大限啊,这让人不悲观还待如何?

更何况还有人生的种种不如意。"此夜曲中闻杨柳,何人不起故园情。"(《春夜洛城闻笛》)"一叫一回肠一断,三春三月忆三巴。"(《宣城见杜鹃花》),寻常日子,也会有思乡,也会有情思,也会有许许多多莫名的感伤。李白把这一切都体味了,都道出了。李白的多愁善感也到达了极其细微的地方,他《见野草中有曰白头翁者》就会触景生情吟出,"折取对明镜,宛将衰鬓同",自感生命老去,青春不再。他于《洗脚亭》感而成诗,也会"送君此时去,回首泪成行"。李白的低回伤感实在是被我们长久以来忽略了,《劳劳亭》"天下伤心处,劳劳送客亭。春风知别苦,不遣柳条青。"伤感如此,几乎把那个踏歌送行的汪伦掩盖了。"白发三千丈,缘愁似个长",才是李白的心理本质,否则,他就不会在《闻王昌龄左迁龙标遥有此寄》中不寄安慰,不寄旷达,却完全相反,"我寄愁心与明月,随风直到夜郎西"了。愁心可寄,只因为有明月那一纸素笺啊。由此,我们也就可以理解为什么李白会"举头望明月,低头思故乡"了。

在李白的笔下,愁心可寄,思念可寄,可以把愁绪托付于明月,也可以将思念交付流水。"思君若汶水,浩荡寄南征。"(《沙丘城下寄杜甫》)近来有一种说法,说到李白与杜甫的关系,对李白颇有微词,说杜甫一直在思念李白,而李白对杜甫却极为冷漠,这不是事实。杜甫固然有《天末怀李白》《寄李十二白二十韵》《冬日有怀李白》等多首诗写思念李白的情怀,但是,李白有这一首寄杜甫的诗,思念之情浩浩荡荡若汶水长流,也就无愧于两位伟大诗人旷世的友情了。更何况,据郭沫若在《李白与杜甫》中所说,李白有很多诗稿散失了,其中大约也会有思念杜甫的诗。文学史上,像李白与杜甫这样伟大诗人之间伟大情谊的例子极为罕见,后人万万不可随随便便往先贤的脸上抹黑。

有了皇权加在诗人身上的枷锁已经足够残酷了,李白又是不肯摧眉折腰屈服的。他同情着"幽州思妇十二月""人今战死不复回"(《北风行》),思妇之苦令他难以释怀;他感叹着"不见征戍儿,岂知关山苦"(《古风》),为国家的战乱不已征战不休而忧患不已;他替闺中思妇凄切道出"长相思,摧心肝"(《长相思》),可是他自己命运乖蹇,遭遇不测,也无可奈何。他"归来使酒气,未肯拜萧曹"(《白马篇》),不肯向权贵低头,他纵有满腹韬略,可是"空谈帝王略,紫绶不挂身"(《门有车马客行》),心犹不甘,又能怎么样?皇家是早已张开了罗网,等待士子们撞去的。在皇家那里,你的忠诚和侠义常常是并不被看重的,你"感君恩重许君命,太山一掷轻鸿毛"(《结袜子》),准备好了要为皇家献身殉命,也没有用处。即便是朋友之间,背信弃义,反目成仇,小人伎俩,蛇鼠手段,还不是常见的吗?

李白最欢乐的时刻,大约就是他纵情山水引吭高歌的时候了。"一生好入名山游,手把芙蓉朝玉京。"(《庐山谣寄卢侍御虚舟》)在名山大川中的李白自是飘飘欲仙了。山川风物又是那样的迷人:"飞流直下三千尺,疑是银河落九天。"(《望庐山瀑布》)就连那巴峡哀猿,在心情好的时候,声声长啼也不再令人肠断,而是另一番情景了:"两岸猿声啼不住,轻舟已过万重山。"(《早发白帝城》)李白是归心似箭,轻舟一叶,驶向他理想的彼岸,他才如此欣快吧。

可惜等在李白前头的却是长流夜郎。短暂的永王璘幕府并没有为李白提供用武之地,让他一展治国平天下的抱负。"我愁远谪夜郎去,何日金鸡放赦回。"(《流夜郎赠辛判官》)李白再愁苦,再期盼他为人间写下多少美妙的诗篇,他既然由仙界被贬谪到人世,他就要遭受人世间的皇权惩罚,皇权面前,任何伟大的天才都不会得到丝毫怜恤。"天地再新法令宽,夜郎迁客带霜寒。西忆故人不可见,东风吹梦到长安。"(《江夏赠韦南陵冰》)李白这些写于流放期间的诗,真是凄苦得令人下泪了。李白曾经是那样的荣宠备至,京都长安给李白留下也只是一场梦罢了。"当时笑我微贱者,却来请谒为交欢。一朝谢病游江海,畴昔相知几人在。"(《赠从弟南平太守之遥二首》)人情冷暖,就是这样,感叹也无用,愤激也无用。

李白当年在仙界,大约不曾遭遇过这样的世故世情吧。这就是李白的痛苦所在了。他由仙界贬谪到人间,他所遭遇的,都是他不可想象的。尽管他用伟大诗人的敏感心灵感触了,用绝世的天才表达了,他的痛苦还是无以替代。李白的愤激之情忍无可忍,他《万愤词投魏郎中》激愤地大声疾呼了:"九土星分,嗷嗷栖栖。南冠君子,呼天而啼。恋高堂而掩泣,泪血地而成泥""树榛拔桂,囚鸾宠鸡。舜昔授禹,伯成耕犁。德自此衰,吾将安栖。好我者恤我,不好我者何忍临危而相挤"。

　　愤激中的李白始终不能明白,人世间惯有的就是"囚鸾宠鸡",就是"临危而相挤"啊。伟大的天才不能见容,正直、善良、真诚、坦荡这些优秀的品格也难以存在;相反的,倒是鼠辈横行,邪恶阴毒得意。这样的世间,怎不令人失望呢?李白来人世走这一遭,真的是错了。

2014 年 7 月 15 日

悲苦的根源

唐中宗做太子的时候,崔融曾为侍读,陪太子读书。唐中宗是武则天的儿子。武则天蓄面首张易之、张昌宗,同代的好多廷臣诗人都与女皇的这两个面首少不了干系,或依附,或作诗阿谀。张昌宗盛时,谄佞者奏道,张昌宗是东周贤人王子晋的后身,词人骚客赋诗美之,崔融之作为绝唱。《全唐诗》没有收入崔融的这首绝唱;读不到也罢,谄媚之词,本不会有多大的意思。武则天逝后,崔融作《则天皇后挽歌二首》,"日月昏尺景,天地何惨心。"用了大词,却无深痛。这种依附于权势的阿谀之作,怎么也不会有多少动人情感的。后来,崔融因附张易之、张昌宗罪而遭贬,也是他咎由自取。

平心而论,崔融的诗还是有其值得称道的地方。《关山月》"万里度关山,苍茫非一状",气势豪阔,《拟古》起首"日夕有川阴,云霞千里色",结句归于"寄谢闺中人,努力加飧食",既豪又婉,在一首诗里如此转换,情感由豪放到婉约,不容易的。他的《西征军行遇风》"北风卷尘沙,左右不相识","草木春更悲,天景昼相匿",已有边塞诗的先声了。《从军行》"坐看战壁为平土,近待军营作破羌",则更为豪壮,不大像一个依附女皇面首的阿谀诗人能够写出来的。《全唐诗》介绍崔融说,"融为文华婉典丽,朝廷诸大手笔多敕委之",大约也该是事实。《唐诗纪事》则记道:"撰《武后哀册》最高丽,绝笔而死,时谓思苦神竭云。"为逝去的女皇撰写哀册而用心之苦若此,你不知道该痛之,还是该叹之。皇权之下,崔融大概没有感到过多少苦楚吧,他成不了杰出的诗人，也成不了大诗人，其因也大概在此了。

唐王朝是开疆拓边的朝代。边塞征战，成为唐代诗人笔下大都会有的题目，一些没有到过战场征战杀伐的文臣也会有此类诗作，而且有一些还写得不错。诗，到底不是纯客观的，而是主观情感的产物。乔知之《苦寒行》"初寒冻巨海，杀气流大荒"，写得也颇为苍凉，"由来从军行，赏存不赏亡"，揭穿的就是千古不易的所谓"论功行赏"的战争实质。一将功成万骨枯，那些禁卫整肃的将军楼，是建在万千将士的白骨之上的，凯歌以还，真的没有多少值得欢欣鼓舞的理由。"汉家已得地，君去将何事。"（《从军行》）乔知之借闺中红颜之口，对皇家拓边的连年征战发出的批判，委婉却也有力，女子口吻怨恨的不是征夫，而是皇家，"况复落红颜，蝉声催绿鬓"，闺中红颜易老，绿鬓易摧呢。

乔知之是长于拟女人口吻的，他把女人的情怀抒写得婉曲多致，绵绵不尽。《和李侍郎古意》"苕枯花谢枝憔悴，香销色尽花零落。美人长叹艳容萎，含情收取摧折枝。"红颜老去艳容枯萎的心怀一唱三叹，乔知之对女人是充满了哀悯之情的。他写《倡女行》，前半固然"愿君解罗襦，一醉同匡床"，开始于醉，到最后，"且歌新夜曲，莫弄楚明光。此曲怨且艳，哀音断人肠"，仍然归结于哀。在乔知之这里，似乎有了"万艳同悲"的情怀，他的红颜诗篇总要着眼于落红零落春华不再。他的《定情篇》代少妇之言，有汉魏《古诗十九首》遗风，是初唐时难得的五古长篇。"人间丈夫易，世路妇难为。""本愿长相对，今已长相思。"质朴深情，把少妇的心路既婉转多情又朴实真切地道出来，令人深有所感；至于"赠君比芳菲，爱惠常不歇。赠君比潺湲，相思无断绝"，则有海誓山盟，"天地合乃敢与君绝"的情调了。乔知之是深懂女人心怀，又深得汉魏五言诗真诠的。

多情的诗人乔知之如此善写女性，他自然是会钟情于女人。他有一婢女名唤窈娘，美丽而善歌舞，为武则天的侄子武承嗣夺去。武承嗣当到了礼部尚书、文昌左相这样的高官,还曾要求他的姑母女皇立他为太子。天下他都想得到,他要夺人家的一个婢女,不是太寻常的事吗?乔知之偏偏放不下窈娘,怜惜有加,作《绿珠篇》寄情,密送于窈娘。窈娘以衣带结诗,投井而死。绿珠本是晋代豪富石崇的婢女,权臣孙秀想得,而石崇不与。孙秀借故构陷杀了石崇,绿珠便跳楼殉身了。乔知之借绿珠为题,写他的情诗,赠予婢女,他是一诗成谶了。武承嗣岂能容得乔知之作这样的诗,任到手的窈娘怀诗自尽。武承嗣到底让酷吏罗织罪名,杀了乔知之以泄恨。"百年离别在高楼,一旦红颜为君尽。"乔知之似乎是在引导着窈娘效绿珠自杀殉情了。看上去乔知之好像有些狠心,可是他不能忘情于一个婢女,耿耿在心,毕竟比那视女人如衣服的轻薄儿要强得多。不可同日而语啊。对女性的态度,联结着更为重要的方面,那是与美丽与情操相关的。

乔知之生当陈子昂同代,他有《拟古赠陈子昂》一首,情深意切,不可当一般的应酬赠答之作看待。他是与陈子昂同此心事同此情怀,才会"一弹再三叹,宾御泪潺湲。送君竟此曲,从兹长绝弦"。乔知之也是与陈子昂一样,常常悲观苍凉的。他的《羸骏篇》写征战万里的骏马羸弱之后的境遇,自然是借叹马而叹人。"丹心素节本无求,长鸣向君君不留。"曾经驰骋沙场的骏马竟落到了如此下场,岂不令人痛心!难道尔等忘记了"长城日夕苦风霜,中有连年百战场",骏马驰骤,就是在那样的古战场上吗?乔知之此诗古意苍凉,动人心弦。乔知之的绝望有时候是透到了骨子里的。他《哭故人》"平生不得意,泉路复何如",悲观至死,对死人的世界也不抱希望。谁知道黄泉路上是不是也有坏人当道权贵横行呢?那简直是肯定的。

唐代的一些诗人有幸生于唐代,同沐唐诗之风,共成唐诗气象,成为唐代诗人群星灿烂中的一颗,幸莫大焉;然而也往往是不幸的,他们中的一些人,如在别的时代,也会声名卓著,至少不会被淹没被遗忘,可是在唐代众星辉耀巨星高悬的天空中,他们的光芒有时候便显得微弱了,不被注目了。乔知之是这样,刘希夷也是这样。看刘希夷的《将军行》,"剑气射云天,鼓声振原隰。黄尘塞路起,走马追兵意。弯弓从此去,飞箭如雨集。截围一百里,斩首五千级。"由剑气而鼓声,由黄尘而走马,弯弓飞箭,截围斩首,有声有色,豪壮峻急,也是开边塞诗先声之作。如果不是后来岑参、王昌龄等更好的边塞诗掩盖,而放到别的朝代诗卷中,也可以独步风骚的。

刘希夷善为从军、闺情诗,可是因为词旨悲苦,不为时重。后孙昱撰《正声集》,以刘希夷为集中之最,由此刘希夷的诗才大获称赏。应该说,孙昱还是有眼光的,不说以刘希夷的诗为"最"是不是合适,但实实在在地说,刘希夷的诗确实是不错的。词旨悲苦,本不该作为不被看重的理由,倒是那些欢天喜地盲目乐观的诗,不应被看重。刘希夷的从军诗,由《将军行》即可看出大概。他的闺情诗《春女行》"自怜妖艳姿,妆成独见时",先写自怜,接下来就写到了自哀:"愁心伴杨柳,春尽乱如丝。"到了"忆昔楚王宫,玉楼粉妆红",红颜荣华,已成回忆,不堪回首了。再到"但看楚王墓,唯有数株松",一下子便沉到了哀愁的谷地,没有复起的希望了。如果是因为这样的词旨悲苦,而不为所重,那就是不敢正视生命的终极悲剧,不肯正视岁月人生的基本规律了。

刘希夷是有悲天悯人情怀的。优秀的诗人都应该具备这样的情怀,可惜好多所谓"诗人"没有,他们有的只是大言欺世大词惑众,用故意做出来的所谓豪放乐观迷惑世人。有没有悲天悯人的情怀,是检验一个诗人一个作家的重要标准,且不管他是什么主义什么国家他爱什么主义爱什么国,他只要没有了对生命的悲悯对岁月的感怀,他就不值一提,只应该鄙之嗤(斥)之。刘希夷《江南曲八首》"含情罢所采,可叹惜流晖""空盈万里怀,欲赠竟无因""可怜离别谁家子,于此一至情何已"，惆怅满怀，怜惜满怀，悲悯哀叹，一颗心仿佛要揉碎了化为诗句，这样的悲苦诗，实在远胜于那些"欢乐诗"。刘希夷"谁言此处婵娟子，珠玉为心以奉君"，代女子书写冰心玉骨，哀怨之情，不言而喻，内中不平，也隐隐透出。刘希夷写闺情，是能够深中款曲的。他的《捣衣篇》宛转回环，柔肠九折，是可读可诵的好诗。"此时秋月可怜明，此时秋风别有情。君看月下参差影，为听莎间断续声。"好似委婉倾诉，衷肠可怜。结束于"莫言衣上有斑斑，只为思君泪相续"，也还是"悲苦"，却益发动人。

在白居易的《长恨歌》《琵琶行》出现之前，刘希夷的《捣衣篇》与骆宾王的《帝京篇》、卢照邻的《长安古意》等，同开了七言歌行的先声。刘希夷的七言歌行《公子行》，同属此列。"的的珠帘白日映，哦哦玉颜红粉妆。花际裴回双蛱蝶，池边顾步两鸳鸯。"繁丽却不绮腻。写公子行仍着眼于红颜，刘希夷的确是善写闺情的。他作《晚春》，径写"佳人眠洞房"，却没有鸳鸯被温，而是晚春景象，佳人生叹，殷殷叮咛同伴："寄语同心珠，迎春且薄妆。"刘希夷把女子的心态琢磨得真是细致入微。

刘希夷有一首《代悲白头翁》，其中写道"今年花落颜色改，明年花开复谁在"，写完悔曰，我此诗似谶；乃改为"年年岁岁花相似，岁岁年年人不同"，改后仍叹，复似向谶矣。诗成未满一年，刘希夷即为奸人所杀。有一种说法，说是宋之问害了刘希夷，而以白头翁之篇为己作，至今有载此篇于宋之问集中的。这又是一宗疑案，是文人间的相残，有必要存照，以警当代，乃至后世。"文人无行"，看来还不是无端的污蔑。刘希夷的悲苦，来自于深深的命脉。

2014 年 7 月 17 日

野渡无人的境况

边塞诗、闺情诗成为唐诗之大宗,其中原因值得探究。唐代诗人的壮阔豪放和细腻委婉都已登峰造极,令后人难以望其项背。这是大唐气象的一个方面吧。在唐代边塞诗的先声中,崔国辅更值得重视的是他的闺情诗。唐代诗人由李白而上而下,大都写过闺情诗,可是比崔国辅写得更好的并不多见。崔国辅的闺怨是能够写到极致的。

"悔不少年时,嫁与青楼家。"(《古意》)崔国辅这样的闺怨,自会让人想到更多,闺中女子由怨生恨,恨极了会破罐子破摔吧,那却是被逼的无奈之举。"画眉犹未了,魏帝使人催。"(《魏宫词》)明白如话的诗句,书写的是得宠时的情景,可是"妾有罗衣裳,秦王在时作。为舞春风多,秋来不堪著"(《怨词二首》),失宠时的落寞寂冷更加令人不堪。可叹的是,得宠只是一时,失宠却更为长久。思想起来,倒是那"城中轻薄子,知妾解奏筝"(《襄阳曲》),值得回忆;那要是为其弹奏一曲,会怎么样呢?谁知道那轻薄子会不会始乱之终弃之,让闺中的《子夜冬歌》更不堪卒听呢?"夜久频挑灯,霜寒剪刀冷。"这男人主宰的世界,留给女人的就是这长久的凄冷;繁管热弦,只是一时。

崔国辅的闺情诗篇篇都好,首首可诵,随手采撷,便是珍珠。《丽人曲》"独有镜中人,由来自相许",这是寂寞中的自哀自怜,对镜顾影;《小长干曲》"菱歌唱不彻,知在此塘中",这是小女子的天真无邪,菱歌清澈;《秦女卷衣》"夜夜玉窗里,与他卷衣裳",这是宫中女子倚门望幸而不得,聊寄哀怨;《王昭君》"何时得见汉朝使,为妾传书斩画师",这是代昭君泄恨,代万千女子泄愤了。

对女子怀了深切情意的崔国辅,对朋友自然也会别情依依。他的送别诗《渭水西别李仑》,"不知呜咽水,何事向西流",就不是套话送别,而有了真情实意。他的《今别离》,"船行欲映洲,几度急摇手",便写出了普遍的送别情景送别怅惘,不是一人一地的送别了。

崔国辅《全唐诗》中收诗一卷,尽管他的闺情诗篇篇都好,但到底都是小诗。崔国辅不是大才,自然也没有大胸怀。诗人胸中要装下的是整个世界,世界自然不仅仅是女子,情感世界里当然也不只是闺情。《唐诗纪事》载,"子美献三赋,国辅、于休烈每称述焉。"看来,崔国辅的眼光还是有的。他只是没有像贺知章发现了李白那样,对杜甫的天才道出惊人之语。不过,"诗仙"是一见可知的,而"诗圣"却要由大诗小诗一首首一卷卷像筑山一样筑起,单单三赋还看不出来。

由于李白一叹,"眼前有景道不得,崔颢题诗在上头",崔颢暴得大名,无以复加了。当然,崔颢的《黄鹤楼》写得就是好,"黄鹤一去不复返,白云千载空悠悠"的悠远空旷,"晴川历历汉阳树,芳草萋萋鹦鹉洲"的清丽凄美,"日暮乡关何处是,烟波江上使人愁"的乡愁怅惘,都是这首诗成为千古绝唱的坚实理由,崔颢的才华在这里得到了最充分的展现。历来选本,都把这首诗当作七律收入,其实,它并不是工对严格的七律。可是,那又有什么关系呢?伟大的诗人李白就是不能被格律束缚的。他为此诗而慨叹,足见,诗,到底不是纯技术的。格律不能不要,但不能成为诗才诗情的枷锁,该摆脱该冲决的时候还是要冲荡一下。这当然并不意味着散漫无归。

据说崔颢本是"有文无行"的。唐代诗选家殷璠就说过,"颢少年为诗,属意浮艳,多陷轻薄"。绮靡浮艳,本齐梁文风,陈子昂有意变之,少年崔颢是无意中追随齐梁了吧。幸亏崔颢如殷璠所言"晚岁忽变常体,风骨凛然,一窥塞垣,说尽戎旅",这才成就了一位杰出的诗人。"杀人辽水上,走马渔阳归。"(《古游侠呈军中诸将》)这里可不再有一丝浮艳之气了,有的是杀气和豪气。崔颢一变,而上承魏晋之风,也如殷璠所道,他令鲍照、江淹相形有愧了。他写《江畔老人愁》,属七言长篇,代江畔老翁自述身世、离乱。虽然结末"感君有问为君说,说罢不觉令人悲",也多凄切,但总是不能与杜甫的此类诗篇相比,崔颢到底没有像杜甫那样亲身遭受颠沛流离。诗人的个人经历,要不影响他的诗作也难。

崔颢的七言长篇最好的是《邯郸宫人怨》。宫怨是唐代诗人大都涉及的题目,崔颢写来,也显得很顺手。"百堵涂椒接青琐,九华阁道连洞房。水晶帘箔云母扇,琉璃窗牖玳瑁床。"皇宫内的奢华绮丽,不必亲见,有过文字的阅读,就可以写出,因为皇家的奢靡都是一样的,再换一个朝代十个朝代,也还是一样。"恩情莫比陈皇后,宠爱全胜赵飞燕。瑶房侍寝世莫知,金屋更衣人不见。"皇帝宠爱嫔妃,也尽如此,可叹的是妃嫔们往往想不到她们最终的结局:"忆昨尚如春日花,悲今已作秋时草","非我今日独如此,古今歇薄皆共然"。无情最是帝王家,帝王家里为了争夺皇位,子弑父,弟杀兄,都属寻常。大唐皇帝李世民不就是杀了兄长才登上皇位的吗?登上了皇位,就意味着普天下的美女皆为朕所有,你又怎么能指望皇帝只会钟情你一个呢?

不幸的不仅仅是宫人,薄情的也不只是帝王。所谓"天下熙熙,皆为利来,天下攘攘,皆为利往","利"字当头的人世,人来人往,人情浇薄,真的值得那般留恋吗?崔颢《行经华阴》,也产生了怀疑,萌生了出世之意:"借问路旁名利客,无如此处学长生。"

可惜也只是说说罢了,多少人厌倦了人世间追名逐利的争斗,向往世外的淡泊恬然,可是,他们还是只偶尔往世外看上一眼,又转回来注目人间了,人间到底有太多牵挂,让人割舍不下。况且,世外就真的像经文中念的那般纯净吗?那些剃光了头发的俗人,不是也"放不下",也在斤斤于世外的利益吗?《长干曲四首》,崔颢"停船暂借问,或恐是同乡",又是怦然心动的人间情怀了。没有这样的人间情怀,崔颢是无论如此也写不出《黄鹤楼》来的,"黄鹤楼一去不复返"的此楼,筑在"此岸",又在"彼岸"。

刘长卿"柴门闻犬吠,风雪夜归人"(《逢雪宿芙蓉山主人》),诗句一出,似有千钧笔力,境界全出。稍后于他的权德舆,赞誉他的五言诗为五言长城,由这首五言绝句看来,倒也当得。他的《送河南元判官赴河南句当苗税充百官俸钱》,写"山东征战苦,几处有人烟",也是一以当十的佳句。他的《过李将军南郑林园观妓》,代妓言"小妇秦家女,将军天上人",是说好话甜人了,无甚可取。他的送人诗很多,大都一般。《送人游越》"西陵待潮处,落日满扁舟",却令人刮目相看,其阔大浑茫,绝非寻常。

刘长卿诗作很多,在他的十卷诗文集中编为九卷,《全唐诗》编五卷。把他的诗一一读下来,"风雪夜归人"的感觉越来越淡,会觉得权德舆的评价未免过高了。倒是高仲武评得更为中肯:"诗体虽不新奇,甚能炼饰,大抵十首以上,语言稍同,于落句尤甚,此其思锐才窄也。"高仲武者,一说即是高适。如果真的是诗人高适,那么,他的评价就是由诗人的感受出发,深得作诗之法。诗思到底不能全凭锐气取胜,还需要壮阔的才华。刘长卿的确是差强人意的。权德舆不是诗人,是高官,高官谈诗,不大可信的,只要他不是真的诗人。

其实与那"五言长城"之说相反,刘长卿的七言诗写得倒是不错,可圈可点。《家园瓜熟是故萧相公遗瓜种悽然感旧赋此诗》,"谁能更向青门外,秋草茫茫觅故侯"的怀旧,《重送裴郎中贬吉州》,"同做逐客君更远,青山万里一孤舟"的怀远,《寻盛禅师兰若》,"山僧独在山僧老,唯有寒松见少年"的人生感,《酬李穆见寄》,"欲扫柴门迎远客,青苔黄叶满贫家"的苍凉,都是能够深深打动人心的。刘长卿无疑也是多情善感的人，在他那里，见瓜熟而能感到故人遗下的瓜种，见老僧便能想到青春年少，送友人便激起同病相怜之感，迎客人即能想到贫寒人家的荒凉，刘长卿到底不失诗人的本质。要知道他也是做官的人，而且为官很有才干。还是那位高仲武曾言："长卿员外有吏干，刚而犯上，两度迁谪，皆自取之。"刚而犯上的官员诗人，才会眼睛向下，看到荒贫民间，产生悲悯情感。有此一点，刘长卿就不愧为一个好诗人了。他的诗才不够，那是上天赋予不足，不能怪他。

刘长卿真的是多情善感的。"怜君一见一悲歌，岁岁无如老去何。"（《赠崔九载华》）"江春不肯留归客，草色青青送马蹄。"（《送李判官之润州行营》）都不是一般送别赠人诗不动情感的套话俗话，其中有深情，有愁绪，有离别的无奈和眼泪。"月明江路闻猿断，花暗山城见更稀。"（《送柳使君赴袁州》）更是凄清透骨，猿声断续，更增添了别愁离绪，让多情的诗人难以忍受。《岁日见新历因寄都官裴郎中》"愁占著草终难决，病对椒花倍自怜"，他自是病中孤凄，自怜自哀，无以聊对了。

诗人患病，更会多一些痛苦，不只是肉体上的，而且是精神上的，诗人的敏感对著草椒花也会生起一些别样的失望和期待，难以对常人道的。刘长卿《长沙过贾谊宅》，"秋草独寻人去后，寒林空见日斜时。汉文有道恩犹薄，湘水无情吊岂知。"有惆怅，有愁怨，也有绵里藏针的批判。怀才不遇命运淹蹇的贾谊，引起了后世太多诗人同病相怜的凭吊，凭吊一过，不幸的命运同样降临至痴执的诗人头上，世世代代，不会有丝毫改变。诗人的惆怅怨恨，原来是这样力量微弱，动摇不了皇权专制冷酷无情的根基一丝一毫。刘长卿《双峰下哭故人李宥》，"图书经乱知何在，妻子因贫失所从"，为故人放声一哭，哭故人，也是哭他自己。诗人的诗里，总会有他自己在。

刘长卿的好朋友韦应物"性高洁，所在焚香扫地而坐"。这样高洁的人，一般秽物自不能近身。与韦应物交游的只是刘长卿、诗僧皎然等数人，往来酬唱，雅然而集。韦应物的诗"闲澹简远，人比之陶潜，称陶韦云。""嘉树蔼初绿，蘼芜吐幽芳。""孤鸟去不还，缄情向天末。"确可见陶渊明之风。

陶渊明是不可学的，他的行迹难以追踪，诗旨也难以模仿。多少人向往世外桃源，可是又丢不下世俗利禄，陶渊明的境界，只是想想而已，他的诗也只能成为孤体——陶体——世所罕出。韦应物有《与友生野饮效陶体》，故意效仿陶渊明，"且遂一欢笑，焉知贱与贫"，那是偶尔野饮，兴之所至了。他不与友人野饮时《效陶彭泽》，"掇英泛浊醪，日入会田家。尽醉茅檐下，一生岂在多。"田家生活有似，他还是与陶渊明有了区别。陶渊明归隐田园，躬耕田亩，他自己就是田园的一部分，他是客体，也是主体，他的诗是主体与客体融为一体自然生发的；而别人不是，别人是把田园当作对象，诗人是置身于外的。韦应物也是这样。尽管他《寄冯著》"春雷起萌蛰，土壤日已疏"，"披衣出茅屋，盥漱临清渠"，更有明显的陶风了，他依然不是那个自耕自足大汗淋漓的农夫诗人。

韦应物对陶渊明的羡慕自然也是真心的，可是他仍然不能毅然决然丢下这卑污的官场俗务，他只能在诗中慨叹不已："自叹犹为折腰吏，可怜骢马路旁行。"（《赠王侍御》）皇权之下，不必折腰的只有皇帝一人，一人之下万人之上的宰相常常也要折腰行事，有时候像一只忠犬，主子走在前头，睬也不睬，他还是摇摇尾巴跟上去。可叹的是皇权制下，大小官员都是这个样子，自己的尊严被践踏，他反过来又践踏别人的尊严，他对别人折腰了，他又要求人家对他折腰，折腰而复折腰，到最后便是下跪了，那是对人的尊严最残忍的凌辱和践踏。可是多少人习焉不察，连膝盖跪痛的那点感觉都没有，灵魂又怎么会疼痛呢？韦应物是有这种疼痛的，至少，他是在诗里把这种疼痛写出了。

等到他"身多疾病思田里，邑有流亡愧俸钱"（《寄李儋元锡》），他是矛盾重重，纠结难断了。

　　大历十四年，韦应物自鄠县令除栎阳令，他以疾辞不就，一度实现过他不为五斗米折腰的想望。不过，他后来还是出来做官了，两度为官滁州。他因此留下了他的绝句名篇《滁州西涧》："独怜幽草涧边生，上有黄鹂深树鸣。春潮带雨晚来急，野渡无人舟自横。"诗的孤绝幽凄，当是韦应物滁州任上的心境写照吧，他的官做得大约并不得意。

　　韦应物也是未能名重当时的诗人。晚于他的白居易曾在《与元九书》中称道："近岁韦苏州歌行，才丽之外，颇近兴讽；其五言诗，又高雅闲淡，自成一家之体，今之秉笔者谁能及之？然当苏州在时，人亦未甚爱重，必待身后，人始贵之。"白居易所言韦应物的不为时重，并非文学史上的个例，而是十分普遍的现象。被埋没被漠视，是历代好多优秀诗人作家共同遭受的命运，其复杂的原因难以言说。白居易给元稹写这封信时，他正"俟罪浔阳"。"浔阳腊月，江风苦寒，岁暮鲜欢，夜长少睡。"此情此景，援笔以书，白居易对韦应物的评价由苦寒中发出，自能深中肯綮。野渡无人，任舟自横，那是一幅旷达的景象，还是一种孤凉的境况呢？

2014 年 7 月 18 日

无边落木萧萧下

上了点年纪读杜甫，才会益发体会到杜甫的伟大不仅在于他的忧国忧民，以"诗"而"史"，还在于他的无所不至，体大精深。杜甫的丰富性前无古人，后乏来者。还有哪一位诗人能像杜甫那样至宏至细，诸体皆妙，既浪漫又现实，既阔雄又严整呢？元稹为杜甫作墓志铭称其道："盖所谓上薄风雅，下该沈、宋，言夺苏、李，气吞曹、刘，掩颜、谢之孤高，杂徐、庾之流丽，尽得古今之体势，而兼昔人之所独专矣。"评价如此之高，绝非溢美之言。至于元稹拿李白与杜甫相比，把李白远远地比下去，就不妥当了。

杜甫的伟大和李白的伟大没有可比性。李白的无迹可寻，杜甫难至；杜甫的格律谨严，李白不能做到。李白是谪仙，以神来之笔为诗；杜甫是诗圣，以人力精修作诗。两人一如江河，一如高山，只能够彼此欣赏，不能够相互取代。杜甫称颂李白"笔落惊风雨，诗成泣鬼神"（《寄李十二白二十韵》），移用于他自己也恰如其分。他们二人没有做过我高你低的比较，后代人也大可不必。

杜甫做过实质性的小官，不像李白那样只是个有名无实的供奉翰林；不过，杜甫也没有像李白那样在皇帝左右，得到过那般荣宠。他是李白的知己，为李白写下过"李白斗酒诗百篇"，"天子呼来不上船"（《饮中八仙歌》）的豪放语，睥睨天下，也为李白鸣过"冠盖满京华，斯人独憔悴"（《梦李白二首》）的不平。他没有过做廷臣近侍的机会，只能在《至日遣兴奉寄北省旧阁老两院故人二首》中表达一下他的向往:"忆昨逍遥供奉班,去年今日侍龙颜";小臣薄幸,以至于有些受宠若惊了:"无路从容陪语笑,有时颠倒著衣裳。"

在杜甫的生平中,一直贯穿着这种庙堂之高与乡野之卑的矛盾与苦痛。天宝初年,杜甫应进士不第。他献《三大礼赋》,唐明皇奇之,召试文章,才授了他个京兆府兵曹参军的小官。后安史乱发,杜甫被授过左拾遗,检校工部员外郎,也一直没有居庙堂之高,为治国平天下运筹帷幄。他只能以他的诗表达他的忧国忧民之思。"何时诏此金钱会,暂醉佳人锦瑟旁。"(《曲江对酒》)他梦寐以求的政治理想难以实现,偶尔有幸列一列朝班,也极为短暂。"昼漏希闻高阁板,天颜有喜近臣知。"(《紫宸殿退朝口号》)这样的诗句在杜甫的诗中绝无仅有,等待杜甫的仍然是默默无闻的卑下日子,艰难备至的颠沛流离。杜甫活得好像比李白苦多了。他在《赠李白》中为朋友放声一呼:"痛饭狂歌空度日,飞扬跋扈为谁雄。"那何尝不是他自己的心声。看上去颇为矜持的杜甫,也发出了不平的呐喊:"志士幽人莫怨嗟,古来材大难为用。"(《古柏行》)"自古圣贤多薄命,奸雄恶少皆封侯。"(《锦树行》)。

这是写夔州诸葛庙的古柏了。治国平天下"鞠躬尽瘁死而后已"的诸葛亮,似乎极能触动杜甫的家国情怀,《武侯庙》《八阵图》《诸葛庙》等,都是杜甫直接写诸葛亮的诗篇,即便在《谒先主庙》怀刘备时,他也不忘捎上诸葛亮一笔:"复汉留长策,中原仗老臣。"杜甫的见解实在是不错的,离开了诸葛亮,所谓"一世枭雄"的刘备还有什么?杜甫痛悼诸葛亮的诗,最能打动人的自然是《蜀相》了。"出师未捷身先死,长使英雄泪满襟。"这是常被后世引用的杜甫名句。代代英雄泪满襟,叹先贤也叹自身。接下来需要探究的问题,便是出师未捷的原因了,那责任在统率大军出师征战的将士身上,还是在京都朝廷听信谗言的国君身上呢?可惜这样的眼泪一代一代流过去,流了也是白流了。"哀哀寡妇诛求尽,恸哭秋原何处村。"(《白帝》)连年战争留下的还是满目萧疏,哭声遍野。受损的也不只是平民百姓,也包括京都权要,宗庙社稷:"洛阳宫殿烧焚尽,宗庙新除狐兔穴。"(《忆昔二首》)杜甫的忧患无边无际。

不必说杜甫的"三吏""三别"了,那些历代读者耳熟能详的诗句是战乱年代的历史存照,也是杜甫的心路历程,读那些诗,总能够看到忧愁满腹的诗人暮宿晨别,风尘仆仆。

如果认为杜甫只是用他的诗记录下"安史之乱"的史实,他只是一般化地反对内乱,那就错了。伟大的诗人总不会如此简单。他们的人道主义建立在普世的观念上,他们是在此基础上反对战争,痛诉战争给无辜生命带来的戕害。杜甫的批判直接指向了皇上:"君已富土境,开边一何多。"(《前出塞九首》)唐王朝的征战拓边还不能一味称颂,以万千生命为代价的开疆拓边,无论江山社稷的版图开拓得何等广大,都是毫无价值的。国家的版图实在是让鲜血浸泡得过于沉重不堪了。后世的战争,结束了冷兵器时代,大规模杀伤性武器在一公尺疆土上投下数百吨爆炸的钢铁,那样的国土争夺到底有多少价值,实在需要重新思量。"苟能制侵凌,岂在多杀伤。"(《前出塞九首》)厚道的杜甫,伟大的人道主义者杜甫,他是在提倡"不战而屈人之兵"了。在这里,他与伟大的李白达到了完全一致——"乃知兵者是凶器,圣人不得已而用之。"伟大的诗人,伟大的作家,他们在个人风格上会有万千差异,在思想的制高点上,他们却会达到高度统一。那是真正"以人为本"以生命为本的。看看"哀彼远征人,去家死路旁"(《又上后园山脚》),铁石心肠也应该有所触动。

可是,皇家为了他们的疆土,却并不这样想,他们穷兵黩武,好战不止。"边亭流血成海水,武皇开边意未已。"皇帝高坐朝廷之上,他听不见"牵衣顿足拦道哭,哭声直上干云霄",他不知道老百姓因苦痛而发生的心理变化："信知生男恶，反是生女好。生女犹是嫁比邻，生男埋没随百草。"（《兵车行》）杜甫对战争的批判，千百年过后，仍然振聋发聩。

对生命的怜恤贯穿了杜甫的全部诗作，《新婚别》对青春的怜恤，《垂老别》对暮年的怜恤……造成这一切不幸的原因，不是别的，只是战争，还是战争："哀哉桃林战，百万化为鱼。"（《潼关吏》）"子孙阵亡尽，焉用身独完。"（《垂老别》）战争留下的惨象目不忍睹："积尸草木腥，流血川原丹。"（《垂老别》）"白水暮东流，青山犹哭声。"（《新安吏》）不要以为新婚妻子嘱咐从军的丈夫"勿为新婚念，努力事戎行"（《新婚别》）就是在鼓励丈夫投身战事，英勇杀敌，她只是无奈罢了。"老妪力虽衰，请从吏夜归。急应河阳役，犹得备晨炊。"（《石壕吏》）也不就是一般理解的慷慨赴戎机，老当益壮。等到"天明登前途，独与老翁别"的时候，我们感受到的绝不是壮别，而是惨别。杜甫的"诗史"意义，并不在于他写了战争的胜利，而在于他写了战乱中生命的流离和牺牲，艰难和不屈；自然，为国赴难的情绪也不是没有，但那却不是主要的。

在这样的意义上，再来看杜甫的《闻官军收河南河北》，那一气之下的兴奋畅亮奔荡流走，就不只是欢庆胜利那么浅薄了，那是对失地收复战乱平息生活得以安宁生命得以保障的欢唱。在杜甫诗中，这是最为节奏明快声韵清亮的，它没有了杜甫一贯的抑扬顿挫，而是首尾通贯，一气呵成。那真是连喘气的停顿都没有啊，"即从巴峡穿巫峡，便下襄阳向洛阳"，杜甫的理想，好像顷刻之间就会实现，顺流一帆，指日便达彼岸。

诗人有时候是会过于乐观兴奋过头的。官军收复了河南河北，并不等于天下就此太平，老百姓可以安居乐业了。当然，杜甫是清醒的，他的一时兴奋，并不能改变他对天下基本的认识，即便没有战乱，"穷年忧黎元,叹息肠内热",杜甫对黎民百姓的忧思也令他五内俱焚,寝食难安。《自京赴奉先县咏怀五百字》是杜甫最重要的诗篇之一,其意义绝不在"三吏""三别"之下。"朱门酒肉臭,路有冻死骨。"杜甫警世的疾呼绝不止于"揭露了封建社会的不公"那么简单;离开了原始社会的任何社会阶段,这种贫富差距造成的不公也都赫然存在;商品社会物质丰富了,也依然如此,有时候所达到的不公程度更加触目惊心;可怕的是新社会的这种不公却披上了"合法""合理"的外衣,被某些官员、某些主义、某些理论大肆提倡起来。杜甫在那个时代看到了那种令人愤慨的社会现实,忧心忡忡,却又矛盾纠结:"生逢尧舜君,不忍便永诀。"我们面对当下的社会状况,也不能够痛断决绝,我们是为了什么?

杜甫对他那个朝代的"尧舜君"怎么也不肯失去希望,他是不忍永诀的。"唯将迟暮供多病,未有涓埃答圣朝。"他不会弃圣朝而不顾,只有朝廷弃他,他决不弃朝廷。虽然"闻道长安似弈棋,百年世事不胜悲",朝廷并不是那么理想的朝廷,世事也足可悲,而且"王侯第宅皆新主,文武衣冠异昔时",远离了庙堂之高卑居乡野的杜甫,仍然是"夔府孤城落日斜,每依北斗望京华"(《秋兴八首》),杜甫念念不忘放不下的仍然是那个令他纠结的朝廷。

绝不能把杜甫的这种情怀等同于一般廷臣的忠君思想,他跟那些趋走于丹陛之上的廷臣不同,他不是为了一己的荣耀,封妻荫子,他的出发点和落脚点是在这里:"致君尧舜上,再使风俗淳。"(《奉赠韦左丞丈二十二韵》)写这首诗的时候,杜甫三十七岁,时当天宝七载。"纨绔不饿死,儒冠多误身"的历史和现实不能令杜甫灰心,"朝扣富儿门,暮随肥马尘"的处境也不能使杜甫沮丧,他有"读书破万卷,下笔如有神"的自信,足以支撑着他明知不可为而为之,虽颠踬跌仆,也在所不辞。"儒术于我何有哉,孔丘盗跖俱尘埃。"(《醉时歌》)醉时的狂语是不可信的,杜甫永远都不会颓废沮丧破罐子破摔,他奉行的是最为本质的儒家传统,他像那挂马车上的儒学创始人一样,是永不灰心的;而且,他还多了屈原的那种彻痛,刻骨铭心。

不能怪杜甫把理想的实现寄托在朝廷上;皇权之下的文人官吏,他的修齐治平抱负不靠朝廷实现,又怎样实现? 他单枪匹马,势单力孤,不如此待能如何? 自然,朝廷不是理想中的朝廷,杜甫也有过犹豫彷徨的时候。"万方声一概,吾道竟何之。"(《秦州杂诗二十首》)从不灰心的杜甫也不知该投向哪里了。不过,"风尘三尺剑,社稷一戎衣"(《重经昭陵》),天地之大,还应该容得下书剑戎衣,杜甫的自信不会消尽。"无边落木萧萧下,不尽长江滚滚来。"(《登高》)杜甫的壮阔和豪迈也是世所罕见。谁说杜甫只能现实,不能浪漫呢?在这里,我们分明看到了一个苍凉的豪纵的浪漫的杜甫, 他不是那个小心的谨肃的现实的杜甫了。

2014 年 7 月 20 日

人民的诗人

读杜甫的诗,会有一种强烈的感觉,杜甫写什么都好;一种题材,一种情感,只要杜甫写过了,那就臻于妙境,不可能有人比杜甫写得更好了。

杜甫是有意为诗立范的。比如七律,在杜甫之前并未成熟,杜甫以一百多首七律为这一诗体作出楷本,他在严格的律法中"戴着镣铐跳舞",既狂放又合于法度,偶尔违拗一下,成为"拗体",我们仍然读不出缺失,只觉得别具一格。元稹作《子美墓铭》道:"吾读诗至杜子美,而知古人之才有所总萃焉。"的确,杜甫是集大成的诗人,古诗到杜甫,诸体皆佳,登峰造极,后人在这条路上攀登,只能笼罩在杜甫巨大的身影之下,望其项背尚且不能,更何况并肩齐驱呢?伟大的杜甫,像伟大的李白一样,后人只能够望而兴叹,不可企及了。

"会当凌绝顶,一览众山小。"(《望岳》)杜甫哪里只是写泰山呢,说他是自况心志,也未为不可。杜甫的豪迈壮阔往往会被人忽视,他只是轻易不出狂话不作妄语不自我膨胀罢了,杜甫的豪壮往往寄托在他的抒写对象上。杜甫有多首写马、写画马的诗,《高都护骢马行》《天育骠骑歌》《丹青引赠曹将军霸》《韦讽录事宅观曹将军画马图》,等等。"此马临阵久无敌,与人一心成大功。""此皆骑战一敌万,缟素漠漠开风沙。"杜甫实在是以骏马良骥驰骋千里的豪纵,来抒发他的志向抱负。当然,结果又往往是悲观的:"如今岂无騕褭与骅骝,时无王良伯乐死亦休";即便曾经驰誉天下,也终究晚景凄凉:"但看古来盛名下,终日坎壈缠其身";至于那落拓的老马,则更加凄惨,令人心伤:"皮干剥落杂泥滓,毛暗萧条连雪霜",谁还会想到"去岁奔波逐余寇,骅骝不惯不得将"(《瘦马行》),而今的瘦马,曾经在战场上叱咤风云,一日千里呢? 世情冷暖,马亦不能不遭受白眼,还让人如何忍受?

总的看来,杜甫还是多写悲苦的诗人,他的"两个黄鹂鸣翠柳"(《绝句四首》)的清新明快,他的"青春作伴好还乡"(《闻官军收河南河北》)的兴奋明朗,只是短暂的一瞬,过后仍然是无尽无休的苦难悲叹。他"感时花溅泪,恨别鸟惊心"(《春望》),句句警拔,因为他心中常怀着忧思,才会花泪鸟惊。他看到秋雨中的决明,也叹息连连,恤悯不已:"凉风萧萧吹汝急,恐汝后时难独立。"(《秋雨叹三首》)他怜花也是惜人,惜人也正是怜花,在杜甫这里,是没有无情之物,没有无情草木的。"像床玉手乱殷红,万草千花动凝碧。"(《白丝行》)杜甫寓目便成诗,成诗便成好诗,有色彩有情怀,才情无限,尽善尽美。杜甫是绝不用俗笔的。"为人性僻耽佳句,语不惊人死不休。"(《江上值水如海势聊短述》)杜甫的追求,后世尤其是当代,也许会有人不以为然吧。其实,在现代化印刷术开动机器大量印刷文字垃圾的时代,杜甫的刻意求精,不应该被弃之不顾,倒应该格外重视了。我们缺的还不只是杜甫的天才,还缺乏杜甫的精神。当代的诗,是如文一样,成吨成吨地倾泻着文字垃圾文字泡沫了。

杜甫的孜孜以求,语必惊人,为我们留下了多少警句,令后人一再引用。"文章千古事,得失寸心知。"(《偶题》)只有杜甫本人,才能说得出他那些粒粒珠玑的诗篇诗句是怎么来的吧,我们怎么能够进入伟大诗人的诗心,寻绎来龙去脉呢? 我们一次次作着解读的努力,只是试图走近一些,再走近一些,尽力走近伟大诗人的心魂。

杜甫与李白不一样。李白以他的"谪仙"姿态,仗剑去游,豪情万丈,睥睨天下;杜甫以凡人修圣,他取的是常人姿态,步步为营,构筑着他的诗歌世界。尽管他对李白的理解比一般人深刻得多,"不见李生久,佯狂真可哀"(《不见》),他知道李白的仙人姿态有一部分是装出来的,是"佯狂";但是,他到底比李白更为现实,更为谨肃。他在《天末怀李白》中写道"文章憎命达",与其说是从李白那里得出来的结论,倒不如说是他本人的深切感受。他在《陈拾遗故宅》中写"公生扬马后,名与日月悬""盛事会一时,此堂岂千年",也不必仅仅看作他是对陈子昂的感怀,那何尝不是他的自我况味呢?

论身世遭际,在历代诗人中,杜甫不算是最悲惨的,可他也算是不幸者之一了。他怀揣着报国理想,直至老病残冬,仍然惦念着朝廷社稷,"心折此时无一寸,路迷何处见三秦"(《冬至》),不肯放下他的济世抱负;可是他一辈子都未居庙堂之高,他纵有天大的才华,皇家也不肯重用他。他固然没有遭受过贬谪流放,没有过牢狱之灾,可是他怀才不遇,颠沛流走,也够他忍受得了。也许,上天就是要这样成就一位伟大的诗人吧。正是在战乱频仍流离失所辗转四方中,杜甫留下了他不朽的诗篇。诗人的不幸,成就了后人的幸运,我们得以在杜甫诗中一再流连,迷而忘返。"尔曹身与名俱灭,不废江河万古流。"(《戏为六绝句》)高官达人,皇帝大臣,去了也就去了,杜甫的诗却如江河奔流,万古不朽。

对杜甫诗的评价,无论加以怎样的赞语,都不会谓高。不写那些忧国忧民的大题材,日常小诗,杜甫也能臻于妙境,令人喜爱。"留连戏蝶时时舞,自在娇莺恰恰啼。"(《江畔独步寻花七绝句》)杜甫独步佳境,诗亦独步风骚,情致怡人。"但使残年饱吃饭,只顾无事常相见。"(《病后遇王倚饮赠歌》),家常话语入诗,念来令人心酸。"白头老罢舞复歌,杖藜不睡谁能那。"(《夜归》)短暂的欢乐,杜甫也会舞之歌之,狂放一回,自得自乐。"肯与邻翁相对饮,隔篱呼取尽余杯。"杜甫的家常日子,也有欢饮笑语;与伟大的诗人一度为邻,是天赐邻人的好运了。而杜甫是如此热情待客啊:"花径不曾缘客扫,蓬门今始为君开。"(《客至》)如果知道了杜甫老病后的心境,便不会为他这样的举动发笑,而只是益发伤心了。"多病独愁常闻寂,故人相见未从客。"(《暮登四安寺钟鼓寄裴十迪》)伟大的诗人到了病体独撑的时候,他也是害怕孤独寂寞的。作诗遣兴,却不能排愁。"愁极本凭诗遣兴,诗成吟咏转凄凉。"(《至后》)杜甫作诗,是与李白喝酒一样的,李白不是也"抽刀断水水更流,借酒浇愁愁更愁"吗?

那是杜甫的一段黑暗的日子,他的黑暗,当然不仅仅来自于他自己的老病。他身居乡野,惦念的仍然是庙堂之上。"云白山青万余里,愁看直北是长安。"(《小寒食舟中作》)朝廷纵然负我,我绝不负朝廷。像杜甫这样执着的诗人,此前曾经有过,那是屈原。虽九死而犹未悔,这样的传统会一直流传下去,直到把中国的文人碰撞得头破血流,也还是痴心不改,子规啼血,要把心整个啼出来。其实,杜甫惦念的还不只是朝廷,他惦念的是由朝廷主宰的这个天下,黎民百姓,他的"大庇天下寒士俱欢颜"(《茅屋为秋风所破歌》)的理想实现,不是还要呼吁朝廷,由朝廷来实现吗?在杜甫的心里,在历代文人的心里,朝廷就是天下,一姓之国也就是万民之国,不能用后世知识分子的观念去看他们。"十年戎马暗万国,异域宾客老孤城。"(《愁》)杜甫忧愁万斛,回肠九曲,他不知道怎样才能走出那重重黑暗。"风水春来洞庭阔,白蘋愁杀白头翁。"(《清明二首》)杜甫快要为朝廷为天下愁到他生命的尽头了。

多么想多读一些杜甫欢快的诗篇,不是为了我们的阅读愉快,而是为了让伟大诗人的心轻松起来。"正是江南好风景,落花时节又逢君。"《江南逢李龟年》可算是吧;"此曲只应天上有,人间能得几回闻。"《赠花卿》也算是,即事成诗,成诗便成绝唱;"笑时花近眼,舞罢锦缠头。"《即事》也是。笑舞一回丝锦缠头的杜甫会是什么样子呢?"老妻画纸为棋局,稚子敲针作钓钩。"(《江村》)虽无欢歌,家常日子的安宁也殊为难得。"莫思身外无穷事,且尽生前有限杯。"(《绝句漫兴九首》)杜甫好像也要放纵了;其实他又哪里能够真正做到呢?"老去悲秋强自宽,兴来今日尽君欢。"(《九日蓝田崔氏庄》)杜甫的一刻快乐,只是他强作欢颜罢了。

杜甫的牵挂是这么多。他惦念着妻儿,《月夜》有怀:"遥怜小儿女,未解忆长安。"他思念着朋友,短暂相会一别不见的李白令他一再惦记,由春日忆记到冬日。"清新庾开府,俊逸鲍参军。"(《春日忆李白》)"未用乘兴去,空有鹿门期。"(《冬日有怀李白》)。白日有怀,入夜有梦,他的梦李白一写再写。文学史上,诗人作家之间,像杜甫对李白这样的情意,实不多见。

杜甫还有离散的弟弟,让他一再怀想,常常形诸诗篇。他孤身在外,便思念家乡,思念家乡的亲人,"露从今夜白,月是故乡明。"(《月夜忆舍弟》)家乡的一切都是好的。得到一封家书,便欣喜若狂,接下来却又是无边的愁苦,"别家三月一得书,避地何时免愁苦。"(《发阆中》)"妻子怪我在,惊定还拭泪。""娇儿不离膝,思我复却去。"(《羌村》)家里的情况也许比想象的更糟。"入门依旧四壁空,老妻睹我颜色同。"(《百忧集行》)这时候再来追忆自己独身在外的愁苦,似乎不合时宜了。"长安苦寒谁独悲,杜陵野老骨欲折。"(《投简成华两县诸子》)"松风涧水声合时,青兕黄熊啼向我。"(《忆昔行》)那一切毕竟是往昔了。

杜甫的诗,是一个时代的史诗,也是他自己生命历程的记录,他的心灵史。杜甫写诗,是要把自己的点点滴滴写进去的。"我之曾祖姑,尔之高祖母。"(《送重表侄王砅评事使南海》)这是叙写血缘;"子尚客荆州,我亦滞江滨。"(《寄薛三郎中据》)这是自叙现状。杜甫的送别诗，把自己摆进去，就避免了那些套话、俗话的老套子，写出了新意。"子何面黧黑，不得豁心胸。"（《赠苏四徯》）"别我舟楫去，觉君衣裳单。"（《别董颋》）注意到了友人这样的细节，点滴入微地写出来，是会令人感动的，不是套话敷衍，令人生厌了。

杜甫关心的当然不仅仅止于柴米油盐咸淡冷暖，他关心的是大千世界万事万物。"昔有佳人公孙氏，一舞剑气动四方。"（《观公孙大娘弟子舞剑器行》）"苦县光和尚骨立，书贵瘦硬方通神。"（《李潮八分小篆歌》）由舞剑而书法，杜甫都有他独到的见解。"庾信平生最萧瑟，暮年诗赋动江关。""摇落深知宋玉悲，风流儒雅亦吾师。"（《咏怀古迹五首》）诗词歌赋，自然是杜甫更为关心也更能道出真谛的。《丽人行》《骢马行》，由美人而骏马，"态浓意远淑且真，肌理细腻骨肉匀。""隅目青荧夹镜悬，肉骏碨礧连钱动。"一经杜甫着笔，就生动逼真，无以复加了。仍然是写美人，"但见新人笑，哪闻旧人哭"（《佳人》），就不是《丽人行》的明丽，又归于悲愁了。

当然，最令杜甫牵肠挂肚怎么也放不下的还是民瘼国事。"王师未报收东郡，城阙秋生画角哀。"（《野老》）垂垂野老，远离朝堂，他还是惦念着失地未能收复，生灵遭受涂炭。"东征健儿尽，羌笛暮吹哀。""警急烽常报，传闻檄屡飞。"（《秦州杂诗二十首》）战事吃紧，民生凋敝，为天下太平，生民安宁，杜甫一时也顾不得征儿牺牲了。至于收复了失地，结束了战乱，随后而来的究竟是什么样的"太平盛世"，杜甫还来不及考虑。"猛虎立我前，苍崖吼时裂"的亲身遭遇，已经让杜甫深切地感受到了战乱之苦，更别提那令人难忘的"三吏""三别"了。"东胡反未已，臣甫愤所切。"杜甫痛恨的是乱兵四起，杀戮无辜。他官卑位低，不能到朝廷上剀切启奏，然而"虽乏谏诤姿，恐君有所失"（《北征》），杜甫的忠君爱国思想至死也不会丢掉。

还不能用当代人的观点去考察杜甫忠的是哪一姓的"君"，爱的是哪一家的"国",我们已经距杜甫的时代又往前走了一千二百年,如此之长的时光,有时候仿佛是白走了。杜甫有知,会嗤笑我们的吧。杜甫,才是真正的"人民的诗人"。

2014 年 7 月 22 日

兴亡之慨

　　唐代诗人中,有些人好像是无意做诗人的;他们写诗很少,一出手却显示出了不凡的才华,留下了名诗名句,千古流传,比如王翰、张继、王之涣等。他们没有那么多的宴饮诗赋,也没有那么多的赠别唱酬,他们似乎只是偶尔为之,便成了好诗。留下了一首黄鹤楼名诗的崔颢也属这类。读他们的诗,常常遗憾其少,会为之惋惜;可他们要是作多了,会不会也平庸起来呢? 有人评宋人陆游的诗时说,陆游的近万首诗,如果砍去大半,会更好。好与差、多与少的辩证法看来并不那么简单。

　　另一类人则相反,他们是有意要做诗人的,动辄便诗,那么多的应酬赋诗,再加上奉和应制,诗是一大堆一大堆地写下了,却没有多少好诗,比如张说、钱起、韩翊等。其中张说还能稍好些。据说他"为人敦气义,重然诺,喜延纳后进"。读唐诗,常会看到张说对别人诗的评说。大约也是"看花容易绣花难"吧,张说自己作诗,却少见上乘。他在《全唐诗》中收诗五卷,前头近二卷无好诗,大都是奉和应制赠答宴酬之类。待《邺都引》出,才见好了一些。"昼携壮士破坚阵,夜接词人赋华屋。"也有了豪壮之气。"试上铜台歌舞处,唯有秋风愁煞人。"苍凉坚劲,有了风骨气韵。后世的鉴湖女侠秋瑾女士,还由此脱化出"秋风秋雨愁煞人",绝笔传世。《全唐诗》张说的小传中说,他"谪岳州后,词益凄婉,人谓得江山之助"。也许是这样吧,他的《岭南送使二首》,就有了悲凉,有了真切的感怀,不是泛泛的敷衍之作了。"诗穷而后工",

是有些道理的。张说在《酬崔光禄冬日述怀赠答》的序中说："若夫盛时、荣位、华景、胜会,此四者古难一遇,而我辈比实兼之。"张说是很得意地说这番话的。殊不知为官的得意,恰恰造成了诗的缺失。张说的诗平庸、平淡,总是平平。

　　钱起和韩翃等是号称"大历十才子"的。钱起在《全唐诗》中收诗四卷,能让人记下的诗句也就是《省试湘灵鼓瑟》的"曲终人不见,江上数峰青",有境界,有情韵;其他,不足道也。韩翃,还包括同属"大历十才子"的郎士元等,都不值得多说什么。看来,号称的"几大""几小",往往是虚张声势的,并不可信,自古而今皆然。读这类人的诗,常恨其为多。当代人读古典,也需要有自己的判断了,不可轻信,不要以为入了《全唐诗》的,就都是诗人。任何时代,都会有一些"混混儿"。比较起来,古代,尤其是唐代,文人中的"混混儿"比当今还要少许多。

　　王翰在《全唐诗》中收诗十三首,四首七绝,一首五律,其余为五古、七古。王翰是既无意完备诗体,也无意构筑他本人的诗歌世界的。《全唐诗纪事》说他少时"豪健恃才";《全唐诗》小传中介绍他为仙州别驾时,"日与才士豪侠饮乐游畋"。青春年少时"豪健恃才",他便不会营营以求。他为官时"日与才士豪侠饮乐游畋",他不像一般官员诗人那样,把日日的游猎豪饮作诗记下来,他便没有那么多敷衍之作。他偶尔写出来的,几乎篇篇可诵。他的《赋得明星玉女坛送廉察尉华阴》,也与一般赠答诗的俗滥应酬不同。"三十六梯入河汉,樵人往往见蛾眉。蛾眉婵娟又宜笑,一见樵人下灵庙。"长歌流转,却不留转换痕迹。《古蛾眉怨》,"长乐彤庭宴华寝,三千美人曳花锦。灯前含笑更罗衣,帐里承恩荐瑶枕。"流丽富赡,尽其奢华,开《长恨歌》之先。

　　王翰的才华,是值得期待的,可惜他写得太少了。他也许有望成为大诗人的,他也具备了大诗人的胸怀。《饮马长城窟行》,"壮士挥戈回白日,单于溅血染朱轮。归来饮马长城窟,长城道旁多白骨。问元者老何代人，云是秦城筑城卒。"写征战，写反战，有豪荡，又有苍凉。等到他"葡萄美酒夜光杯，欲饮琵琶马上催。醉卧沙场君莫笑，古来征战几人回"（《凉州词二首》），悲凉一唱，王翰的诗便一跃登上了唐诗名篇之列。王翰是以少胜多，以一当百了。

张继很像崔颢，崔颢因一首黄鹤楼的诗而名传千古，张继则因一首《枫桥夜泊》，让人永远记住了他的诗名。"姑苏城外寒山寺，夜半钟声到客船"的悠远意境，让人觉得有一种凄清，也有一种宁静，尽管有江枫渔火的映照，尽管有月落乌啼的苍凉，有霜天，有愁绪，那种情景还是让人有点向往，那是意欲逃离世间烦嚣的世外追求吧。高仲武说张继"其于为文，不雕不饰。及尔登第，秀发当时，诗人本清迥，有道者风"，这是卓有见地的评价。张继的诗确乎是清迥超旷，有几分仙风道骨的。

不过，张继却并没有超脱凡尘，一心向仙。他的《宿白马寺》"萧萧茅屋秋风起，一夜雨声羁思浓"，还是由寺院而想到了羁旅，由世外而想到了凡尘。他的《上清词》"春风不肯停仙驭，却向蓬莱看杏花"，清冷世外却夹进了一丝人间红艳，让人心温暖起来。至于《华清宫》写人间宫阙，"只今惟有温泉水，呜咽声中感慨多"，则是一般诗人大都会有的兴亡之感岁月之叹了。张继是个不能忘情的人。他可贵的也正在这里。他要是一心向仙，走向思玄悟道，他的诗就不会可爱了。是诗人，难得的就是这一副人间情怀。

如果作一下统计，大约不会再有比"欲穷千里目，更上一层楼"的诗句被引用的频率再高的了。这个诗句的广泛引用，不是因为它包含的通俗性，而是因为它的普遍意义。它已经成了中国文化的一个小小的分子，一个代码。中国人，只要读过几天书的，哪怕是没有读过书的，还会有人不知道这个诗句吗？谁不能在言谈中脱口而出呢？写下这首《登鹳雀楼》名诗的王之涣，天宝年间，曾与王昌龄、崔国辅等人联唱迭和，名动一时。可是他在《全唐诗》中只留下了六首诗，不知道他的诗是不是散佚了。按他与人联唱迭和名动一时的情景,他作的诗还应该有一些,可惜我们见不到其他的了。在王之涣留下的这六首诗中,除了那"欲穷千里目,更上一层楼",就是"黄河远上白云间,一片孤城万仞山。羌笛何须怨杨柳,春风不度玉门关"的《凉州词》了。黄河入诗,在王之涣这里成就了阔大的境界,他没有称颂"母亲",他只是借黄河表达了高阔荒远。

《集异记》中记过一段轶事,常常为人乐道。说是开元年间,王之涣与王昌龄、高适齐名。三人曾共诣旗亭宴饮,有梨园伶官十数人会宴,妙妓四人奏乐,所奏皆当时名部。王昌龄与高适、王之涣密约,我辈各擅诗名,每互不定甲乙,今者可密观诸伶所讴,若诗入歌词之多者为优。妓初讴王昌龄诗,次讴高适诗,又次复王昌龄诗。王之涣自以为得名已久,指妓女中最佳者道,待此子所唱,如非我诗,即终身不敢与子争衡。次至双环发声,果然是王之涣的这首"黄河远上白云间"。三人因而大笑。诸伶人诣问,明其原委,乃竞拜乞就宴席。三人从之,饮醉竟日。这样的轶事,还不是今天的"追星""粉丝"可妄加比拟。王之涣三人起初并未暴露身份,他们也未"出"过"镜",伶人们并不认得他们的。他们完全是凭诗作获得了伶人拥戴,毫无自我炒作成分。他们起初只是"避席隈映,拥炉以观焉",是躲在后边的。那是一段诗文雅事,而今很难再有了。

与王翰、张继、王之涣不同,元结没有什么传世名诗名句,在唐诗人中,他算不上多么杰出的,但他却是不该被忘记的。官员诗人,能做到元结那样的不多。元结少年时也是豪纵不羁的,"少不羁,十七乃折节向学,擢上第",国子司业苏源明荐举于肃宗。当时史思明叛军攻河阳,肃宗驾幸河东,召元结诣京师,元结上时议三篇,为肃宗所器重,"乃摄监察御史。发宛叶军屯泌阳,全十五城。"想来仿佛难以置信,一介书生,得人荐举,上三篇时议,便会得到朝廷重用。"三篇文章两首诗"在重视文化的唐代，竟然会起到这么大的作用吗？看来，过往的朝代，还不能加一顶"封建主义"的帽子便一笔封杀。重视文化的时代，自会减少许多野蛮。

元结为官，从他为文为诗中也可看出一二。他拜道州刺史时，"为民营舍给田，免徭役，流亡归者万余"，"民乐其教"。元结虽然"少不羁"，但他为官时却极其谦和，谨慎为官。他在《寄源休》中道"功劳安可问，且有忝官累"，在《与党评事》中又说"自顾无功劳，一岁官再迁"。《唐才子传》称元结"性梗僻，深憎薄俗，有忧道闵世之心"。元结"忧道闵世"，是绝对不错的。他在《舂陵行》中说，舂陵故地的百姓"朝餐是草根，暮食仍木皮"，他还在此诗的序中称"吾将守官，静以安人，待罪而已"，他的忧悯之心，于焉可见。他在《送孟校书往南海》的序中自谦"材业次山不如云卿，辞赋次山不如云卿，通和次山不如云卿"，实在是个谦和之人，不见怎么"梗僻"。他在《与瀼溪邻里》中回忆当年与邻里相处，"邻里昔赠我，许之及子孙。我尝有匮乏，邻里能相分"，眼见得是个不忘旧情知道怀恩感恩的人。这样的人为官，才会真正地"以人为本"，不会忝居官位，尸位素餐。

元结关心着百姓疾苦，他也惦记着国家的兴亡盛衰，他的《闵荒诗一首》写道："自得隋人歌，每为隋君羞。""奈何昏王心，不觉此怨尤"。短暂的隋朝，国君荒淫，为后世诗人留下了作诗的巨大空间，在隋朝的灭亡中寄托了诗人们多少兴亡之慨。诗人们借古讽今，为的是给当朝皇帝送去提醒和警示，可惜历代帝王还是不会牢牢记住前车之鉴，他们走来走去又走到前朝的老路子上去了，诗人们的讽喻，好像是不起什么作用的。

2014 年 7 月 24 日

湘灵鼓瑟今何在

在唐代诗人中,戎昱的名字大概是最难被人记住的;这与他那生僻的姓氏有关。京兆尹李銮打算把女儿嫁给他,但是要求他改姓,戎昱坚持地辞绝了, 他还作诗谢云:"千金未必能移姓, 一诺从来许杀身。"宪宗时,边烽甚炽,大臣议和亲,皇帝道,曾经听说有一位诗人姓名稍僻,那是谁? 宰相以冷朝阳、包子虚回答,都不是。皇帝吟出他的诗来,原来是戎昱。皇帝还记得戎昱的《咏史》诗"汉家青史上,拙计是和亲"。皇帝记住的不是那些平平的不痛不痒的诗,而是有关江山社稷的诗,哪怕诗含讥讽,当然,那讥讽的锋芒最好是对向前朝的,而不是刺向当今。

据《唐才子传》载,戎昱"美风度,能谈。少举进士不上,乃放游名都。虽贫士而轩昂,气不稍沮"。京兆尹李銮是因此而看上他,欲以女妻之吧。"美风度,能谈",那与天赋有关;"虽贫士而轩昂,气不稍沮",就与修养气节相涉了。戎昱举士不第时,爱湖湘山水,游至零陵。大都督于襄阳闻听有妓善歌, 即取之。戎昱以诗遣行曰:"宝钿香蛾翡翠裙,妆成掩泣欲行云。殷勤好取襄王意,莫向阳台梦使君。"于襄阳遂遣妓还。想来真是难以置信,在那个诗的时代,一首诗居然能令手握地方军政重权的大都督放弃了看中的歌妓, 那到底还是尚文雅的朝代,不像后世的崇尚权势、野蛮、财富与暴力。

戎昱没有千古流传的名诗名句,他的诗还能在浩如烟海的唐诗中凸现一二,让人一振,是因为他写的不是那种不痛不痒的诗。读《全唐诗》，会有一个突出的感受，在那个诗的时代，会写几句诗的人朝野都有，有人浸染甚深，似乎触目皆诗，提笔即诗，有人则偶尔为之，有感而发。每天都在作诗的人，往往并没有留下什么好诗，偶尔为之的人，却留下了一二好诗世代流传。有人技术圆熟，清词丽句，工对严整，无懈可击，可是一一读下来，却总觉得平平淡淡，久而便生腻了。这时候有人出来，哪怕犯一点声病，他的一二好诗句能让人一振刺得人疼痛一下也好。戎昱的《苦辛行》，"少年无事学诗赋，岂意文章复相误。东西南北少知音，终年竟岁悲行路。"虽然没有多少新意，但到底关乎痛痒，有他自己的悲辛在，由己而彼，意义广大起来了。接下来，"险巇唯有世间路，一晌令人堪白头。贵人立意不可测，等闲桃李成荆棘。"就把人生道路的艰难指向了"贵人"，那是权贵权势造成的荆天棘地，令人举步维艰。

定然是由自己的出身、经历所决定，戎昱才写出了直指权贵的诗句。就是那看中了他要把女儿嫁给他却令他改姓的京兆尹，又何尝不是在那权贵之列，以权势凌人呢？"未能开笑颊，先欲挽愁魂。"（《闺情》）由闺情写到宫怨，戎昱也是底层诗人的情怀。"远客归去来，在家贫亦好。"（《长安秋夕》）戎昱劝人，好像也是慰己了。他这样质朴地道出家常情感，等他"旌旗晓过大江西，七校前驱万队齐"（《上李常侍》）诗句一出，气象骤大，好像是换了一个戎昱似的。作为诗人，戎昱还是应该被记住的，尽管他的姓氏那么生僻，让人难以记下。

与戎昱有些相似的还有戴叔伦。《唐才子传》称戴叔伦"赋性温雅，善举止，能清淡，无贤不肖，相接尽心"。戴叔伦比戎昱幸运的是，他于贞元十六年进士了。就是这样的一个温雅之士，押运盐铁遇驰客劫时，驰客道："归我金币，可缓死。"戴叔伦道："身可杀，财不可得。"驰客乃舍之。原来，书生一怒，也能震住强盗。戴叔伦累迁抚州刺史，"民乐其治，圜扉寂然"。不要以为戴叔伦升了官获得了宠赐，他就会得意起来,他的不平之气可在《行路难》中看出:"颠倒英雄古来有,封侯却属屠沽儿。""扬雄闭门空读书,门前碧草春离离。不如拂衣且归去,世上浮名徒尔为。"戴叔伦也想"归去来兮"。

只要是好诗人,他都不会为自己的一时得意而忘形,他的痛苦往往不是由于他自己的身家性命,而来源于他处。戴叔伦写《女耕田行》,"乳燕入巢笋成竹,谁家二女种新谷。无人无牛不及犁,持刀斫地翻作泥。""头巾掩面畏人识,以刀代牛谁与同。"深深地同情着农家女子的疾苦。《屯田词》也仍然是悯农诗,在这类诗中是应该被记住的。"捕蝗归来守空屋,囊无寸帛瓶无粟。十月移屯来向城,官教去伐南山木。驱牛驾车入山去,霜重草葳牛冻死。"单单写几笔田园风光,单单写一写农家小院的诗文,在农民苍苍的脸色与大旱天的满野枯焦面前,应该深刻检讨那种肤浅和欺世。

忧国忧民的诗人,他们自身的痛苦,再加上外在的痛苦,令他们寝食难安,有一些过早地逝去了,汉代的贾谊是其中突出的一个代表。贾谊的身世,贾谊的旧居,引起了一代代诗人吟咏。诗人们是借古喻今,"借他人酒杯浇自己块垒"了,他们是安慰楚客,也劝慰自己吧。岁月,自会抹平权贵与贫寒、荣华与凄凉的界限,让一切归于空无。然而,那一切真的是不曾存在过的吗?那么万卷诗书呢?那白纸黑字的记载,那长吁短叹的咏唱,终究不是毫无意义的吧。戴叔伦在他的《少女生日感怀》中,竟挂牵着他的身后事,"还有蔡家残史籍,可能分与外人传",担心他所藏的史书典籍流入外人了。然而,再担心也是没有用的。即便藏进了公家的图书馆,不是也会流散到小摊上吗?这世上,有几人会真的"爱书如爱命"呢?

卢纶也是跟戎昱一样,数举进士不第的。宰相元载欣赏他,看重他,把他的文章进献,这才补了个阌乡尉。元载也算个重才的宰相。他帮助唐代宗杀了专权的宦官李辅国和鱼朝恩,更得皇上器重。可是这个首辅大臣后来大营私产,贪贿无度,还是被杀掉,抄没了家产。看来,封建时代的法制也是很严的,一任宰相都可以查抄斩杀,何况其他官员呢。皇权之下,不受管辖节束的大约只是皇帝一人了。卢纶的《过玉贞公主影殿》写道,"君看白发诵经者,半是宫中歌舞人。"宫中岁月,还是让诗人充满了感怀。他写《华清宫》"且说只今生草处,禁泉荒石已相和",是有感于岁月的湮灭和消泯,而对宫禁产生了那么一丝不屑吧。不错,在永恒的岁月面前,一切都将改变他最初的面目,流于平常。

唐代的边塞诗人,一提便是王昌龄、岑参、高适三大家,卢纶是提不到的。可是卢纶却有很好的边塞诗,可列入最出色的边塞诗中,他的《和张仆射塞下曲》"欲将轻骑逐,大雪满弓刀",紧张绷满,不战而寒;"平明寻白羽,没在石棱中",化用汉代名将李广射虎而箭入石中的故事,劲拔坚峭,不带宣扬而满是英雄气,自是边塞诗中难得的佳构。只是因为他写的这类诗太少,所以他不能被列入唐代边塞诗人之列了。

卢纶没有多写边塞诗,也许是因为他对征战军人的悯恤影响了他吧。他写《逢病军人》,"行多有病住无粮,万里还乡未到乡。蓬鬓哀吟古城下,不堪秋气入金疮。"好像要抚摸着病军人的战伤,哀哀流泪了,他怎么还能写出多少豪气干云的边塞征战的诗篇呢?卢纶对伤病,好像有一种天生的同情悲悯,他的《村南逢病叟》,"双膝过颐顶在肩,四邻知姓不知年。卧驱鸟雀惜禾黍,犹恐诸孙无社钱。"他忧恤的还不只是病,还有贫。贫病交加,是那时以至后世代代农夫不能摆脱的灾难,无论是"盛世",还是"衰世"。等到卢纶自己病倒,他《卧病书怀》,"旧地成孤客,全家赖钓竿。""老病今如此,无人更问看。"自怜自哀,就更加深切动人了,他完全没有了写边塞诗"大雪满弓刀"的豪气。卢纶的批评其实早就指向了时代,《长安春望》"谁念为儒逢世难,独将衰鬓客秦关",他痛悔的还不是自己读书为儒,而是痛惜遭逢了苦难人世。他哀怜的不是自身,而是世人了。

卢纶的妹夫李益也是个悲天悯人的好诗人。跟卢纶同病相怜,李益有《赠内兄卢纶》写道,"却将悲与病,来对朗陵翁",读来令人心酸。李益的不得意,也与他的内兄卢纶相似。他年将老了,门人赵宗儒年七十余,自宰相罢免。李益道,此君为东府所送进士也。李益大历四年进士,同辈皆稍进达,而李益久久不能升迁。他郁郁不得志,游于燕、赵间,幽州节度使刘济辟为从事,不久,又佐僚邠宁幕府。李益风流有辞藻,与人唱和,每一篇出,乐工即赂求之,"被于雅乐,供奉天子"。李益曾自述道:"从事十八载,五在兵间,故为文多军旅之思。或因军中酒酣,或时塞上兵寝,投剑秉笔,散怀于斯文,率皆出乎慷慨意气。武毅犷厉,本其凉国,则世将之后,乃西州之遗民欤?亦其坎坷当世,发愤之所致也。"《唐才子传》说他"从军十年,运筹决胜,尤其所长。往往鞍马间为文,横槊赋诗,故多抑扬激励悲离之作,高适、岑参之流也"。

这,显然是把李益归于边塞诗人中了。李益的边塞诗却与高适、岑参等不同。他的《从军夜次六胡北饮马磨剑石为祝殇辞》,"秦亡汉绝三十国,关山战死知何极。风飘雨洒水自流,此中有冤消不得。"没有边塞诗常见的豪气,只是满纸苍凉,反战的意味是很浓的。"秦坑赵卒四十万,未若格斗伤戎虏。圣君破胡为六州,六州又尽为胡丘。"是直指战争的本质了,除了"合久必分,分久必合"的版图划分意义,那属于皇家的孜孜以求,剩下的还有什么?不就是死伤,死伤,还是死伤吗?他自述"坎坷当世,发愤之所致",倒是深中肯綮,外人所道不中的。他《送辽阳使还军》"勉君万里去,勿使虏尘惊",也没有鼓励征战,杀敌立功,而是叮咛安顿,期待和平。

与边塞诗的犷厉苍凉不同,李益写闺情,则质朴婉曲,柔肠百转。他的《杂曲》,"嫁女莫望高,女心愿所宜。宁从贱相守,不愿贵相离。"

"不见朝生菌,易成还易衰。"自是家常的絮话,娓娓劝人了。《江南词》,"早知潮有信,嫁与弄潮儿。"寻常话语,却凝为千古名句,看似寻常却奇崛,似信手拈来,却有百炼钢化为绕指柔的功夫在。《唐才子传》说李益"少有僻疾,多猜忌,防闲妻妾,过为苛酷",假如真的如此,真不知他那些同情女性的诗是怎么写出来的。

　　不仅那些写闺情怨妇的诗,李益写得回环多致,他那些写宫怨征夫的诗,也情绪饱满,一叹而成绝唱。"似将海水添宫漏,共滴长门一夜长。"(《宫怨》)"不知何处吹芦管,一夜征人尽望乡。"(《夜上受降城闻笛》)都是唐诗中不可多得的名篇名句。李益是七绝高手,他的《塞下曲》,"莫遣只轮归海窟,仍留一箭射天山。"《隋宫燕》,"自从一闭风光后,几度飞来不见人。"都不是泛泛之作,而是意味深长,可吟可诵的。他的诗作每出,乐工即赂求之,倒也值得。唐代的那些乐工也是懂诗文的人,不可以一般伎乐视之。诗的时代,诗词歌赋,广被天下,连草木也应得到润泽,何况乐工。乐,五声八音,本天地之和也,岂可粗蛮。李益《古瑟怨》写道:"破瑟悲秋已减弦,湘灵沉怨不知年。感君拂拭遗音在,更奏新声明月天。"遗音不绝感古人,湘灵鼓瑟今何在?

2014 年 7 月 30 日

山林之恋

有了唐代的开疆拓边,也就有了版图的大幅度扩张,国土的大面积扩大,后代国人常常会以此为自豪。然而,身处征战连年的唐代诗人却不这样看。唐代的边塞诗,征夫怨妇诗,充满的并不只是征战的豪情,也有怨气冲天。

颍川人王建,大历十年及第。大和中,出为陕州司马,从军塞上,弓剑不离身,枕戈待旦。他是带兵的司马,儒将,他亲身经历了战争,他的诗却不歌颂战争,不奏战争颂歌,不写凯歌以还,他连立功回朝凌烟画像的抱负都不那么展露,他是个没有野心的将军,而只是一个悲恤生命忧愁满腹的诗人。他从军数年后归来,便卜居咸阳原上,与友人诗酒唱和,过起了他寻常诗人的日子。

王建的诗实在是并不寻常的,他的诗名是低于他的成就了。一般读诗的人,会记得他的《新嫁娘词三首》中"三日入厨下,洗手做羹汤。不谙姑食性,先遣小姑尝"的细致入微,新嫁娘的小心和聪慧尽现诗中。读这样的诗,你很难想象作者会是一位金戈铁马叱咤风云的将军。优秀诗人总会有他的丰富性,不可简单视之。

王建写征战的诗,一般读者不大留心,好多诗评家、诗选家也会忽略,选本和评论都不大涉及。王建的《古从军》,"金疮在肢节,相与拔箭镞。闻道西凉州,家家妇女哭。"写战争的残酷不在战场,而在后方,更有惨切的动人力量。他的《远征归》"但令不征戍,暗镜生重光"的祈盼,也令人怦然心动。《思远人》"岁月自有念,谁令长在边"的怨

113

妇思归,也有了新的内容,哀怨的追问有了深刻的指向,不是泛泛的怨妇思夫之作了。他的《闻故人自征戍回》,"尔弟修废栉,尔母缝新裳。恍恍恐不真,犹未苦承望。每日空出城,畏渴携壶浆。"家人盼归的忙乱中有周到,有细微,亦有恐慌,那是思盼日久而造下的心理状态,由诗人体贴入微地书写出来了。哪里只是家人盼望征人归来呢?远征的兵士望乡,也切切动人。"向前无井复无泉,放马回看垅头树。"(《垅头水》)一步三回头的征戍,这样的开疆拓边,于生民于百姓究竟有多少意义?

王建反战的态度是果决的,没有调和的余地。"年年郡县送征人,将与辽东作丘坂。宁为草木乡中生,有身不向辽东行。"(《辽东行》)这里不只是消极厌战,而是坚决反战了。也许难以想象,这会是带兵征战的将军写出来的诗;然而也正是因为有过带兵征战的经历,看到过那么多生命死伤在刀剑之下,王建才写出了这样的诗篇。

对于战争的结果,王建看到的还不只是战场死伤,也不只是国土增大,他看到的更为深远。《凉州行》写"万里征人皆已没,年年旌节发西京。多来中国收妇女,一半生男为汉语","城头山鸡鸣角角,洛阳家家学胡乐",王建是那么早地写到了民族融合了,他比后代以至于当今一些狭隘的民族主义者远为高远和深刻。"远征海稻供边食,岂如多种边头地。"(《水运行》)水运征粮,送往边地,供征戍,供争战,哪里及得上多种一点边头土地呢? 须知"去年六月无稻苗,已说水乡人饿死"了。杜甫之后,我们终于又从王建这里听到民间疾苦的声音了。

细细品味起来,王建的确好多地方很像杜甫。杜甫曾有过多首思念弟弟们的诗,不说套话,有真切的思念;王建也有《留别舍弟》,有实实在在的内容,非一般应酬送人的诗可比。"出门念衣单,草木当穷秋。""岁暮当归来,慎莫怀远游。"殷殷叮咛,不务空谈。他写《坏屋》,也像杜甫的此类生活小诗一样,质朴切实地说出生活的道理:"若当

114

君子住,一日还修饰。必使换橡楹,先须拉端直。永令雀与鼠,无处求栖息。"这样的生活小诗,实在比一些套话空话的应酬要好,也胜过了大话满篇的颂歌。王建这样的诗还有《秋千词》《戴胜词》《赛神曲》《开池得古钗》等。"回回若与高树齐,头上宝钗从堕地。"(《秋千词》)"当时堕地觅不得,暗想窗中还夜啼。"(《开池得古钗》)写风情,写女儿情状,写生活的真切面貌,自是引人心动的好诗。他的《田家留客》"丁宁回语屋中妻,有客勿令儿夜啼",细微如此;他的《伤邻家鹦鹉词》"此禽有志女有灵,定为连理相并生",由人而鸟,哀哀恳恳;他的《水夫谣》"辛苦日多乐日少,水宿沙行如海鸟",都是久违的杜甫遗韵,殊为难得。

实在可惜,长久以来,王建和他的诗被忽略了。盛唐过后,李白、杜甫那一代诗人之后,唐诗人好多流于平庸了。王建自不可与盛唐那些大诗人比肩,但他不甘平庸有内容有新意的努力,着实值得重视。读多了别人的那些应酬诗,即便技术上再娴熟,声韵再流畅和谐,不犯声病,也会生腻的,这时候多么渴望来一点变化,来一点突破,哪怕没有诗史意义上的里程碑意义,能够让人为之一振也好。王建的意义,正在于此。

司马将兵从军塞上的王建,有"重重摩挲嫁时镜,夫婿远行凭所镜""卷帷上床喜不定,与郎裁衣失翻正"(《镜听词》)的细腻;有"去愿车轮迟,回思马蹄速"(《远将行》)的体贴;有"八月小儿挟弓箭,家家畏向田头飞","报言黄口莫啾啾,长尔得成无横死"(《空城雀》)的呵护叮咛;也有"输官上顶有零落,姑未得衣身不著。当窗却羡青楼倡,十指不动衣盈箱"的不平愤激。王建的诗到达了一个时代生活的方方面面,他的丰富性绝非那些仅仅应酬唱和的风雅诗人可比,他是有民生民情在心的。

王建由边塞而水乡,由山野而庙堂,生死交替,兴衰存亡,他关心的何止一端。"武帝去来罗袖尽,野花黄蝶领春风"(《过绮岫宫》)的今昔之感,"去时留下霓裳曲,终是离宫别馆声"(《霓裳曲十首》)的兴亡之慨,"武帝自知身不死,看修玉殿号长生"(《晓望华清宫》)深刻的讽刺,"吴王别殿绕江水,后宫不开美人死"(《古宫怨》)深长的哀怨,都是这个时期难得的好诗,对当代以至于后代都有不可替代的意义。可是,"白头宫女在,闲坐说玄宗"(《故行宫》),过往的繁华连同衰败一起,还是那样令人怀念,搁置不下;那是什么道理呢?白头宫女,依依不舍的是那曾经的奢华呢,还是那逝而不再的青春呢?在她们青春大好时,她们真的有那么多值得回想的宠幸吗?看来,最让人放不下的,还是那一去不回的如水年华吧。岂止宫女,民间老妇,也会叹镜而哀,"十年不开一片铁,长向暗中梳白发"(《老妇叹镜》),那是怎样的一种生命哀叹啊。这时候再看《送衣曲》,"愿身莫著裹尸归,愿妾不死长送衣",悲切至极,又怎么还能唱出送征人出战的"壮歌"呢?《北邙行》还有"旧墓人家归葬多",生命的终极悲剧等在那里;"谁家碑石文字灭,后人重取书年月",又有什么用呢?可惜活着的人并不觉悟,仍然"朝朝车马送葬回,还起大宅与高台"。坟墓修成一座大山,一座宫殿,里面葬埋的依然是一具朽骨。皇家的大墓与百姓的坟丘都是一样的,并无二致。

也许正因为看透了生命的最终归宿,刘商才做出了另一种选择吧。徐州彭城人刘商,性好饮酒,却苦于家贫。他进士及第,贞元年间也曾出仕为官,做过比部员外郎,改虞部员外郎。数年后,还升迁为校兵部郎中,后出为汴州观察判官,但他辞疾挂印,又归旧业了。他虽贫苦,却曾"对花临月,悠然独酌,亢音长谣,放适自遂",并赋诗抒怀道:"春草秋风老此身,一瓢长醉任家贫。醒来还爱浮萍草,漂寄官河不属人。"他是看透了生命的最终归宿,又不肯"属人"看人家的脸色为官行事吧。历代官员,为宦生涯中从官家那里得到了普通百姓得不到的优渥待遇,可是他们的苦楚也只有他们亲历了才会知道。"为五斗米折腰",个中滋味,恐怕也难为外人道,要不,就不会有那么多人羡慕陶渊明了。可是,真正能挂冠而去的,还是少而又少。

辞官不做的刘商连皇家的奢华都看透了,他怎么还会孜孜以求呢?《铜雀妓》"仍令身殁后,尚纵平生欲。红颜泪纵横,调弦向空屋。举头君不在,惟见西陵木。"皇家生生死死放不下的欲望,留下的只是红粉长泪,西陵古木。难填的欲壑把如山的陵墓填进去仍不能填平。铜雀台上铜雀去,寄托了代代诗人多少感怀,多少慨叹,还是不能让世人的心醒悟起来,越是巨宦高官,越是如此。

刘商是把这一切看透了,其实也就是看淡了。"盛德高名总是空,神明福善大朦胧。"(《同诸子哭张元易》)面对了友人的逝去,觉悟得自会更加彻底。可是他在诗末仍有遗憾:"伯道共悲无后嗣,孀妻老母断根蓬。"他放不下的还是寻常人家的人间情怀。看来,他只要做了诗人,要想完全抛却人间情怀,是不大容易做到的,尽管他会把道理想得很明白。道理是一回事,实际做起来又是一回事,不能等观。齐生死的庄子,妻子死了以后,他鼓盆而歌,好像是通达解脱了,其实何尝不是故作张致?真正"齐"了生死,那也不必鼓什么盆,歌什么歌。刘商挂牵的也是生命的存在与消亡吧,那到底是难以完全放下的。

自然的死亡,刘商还要悲叹孀妻老母如断根飘蓬,无子嗣延续下生命,那人为的悲剧生命的杀戮呢?"将军夸宝剑,功在杀人多。"(《行营即事》)刘商对战争的批判,就完全离开了江山社稷国土边陲这些滥俗的主题,而只是着眼于"杀人"了。这样的将军,这样的宝剑,又遑论什么立功啊,画像凌烟啊!

"孤云更入深山去,人绝音书雁自飞。"(《移居深山谢别亲故》)刘商绝尘而去是注定的。人间烟火纵有值得留恋处,然而,只要人间还有诗人不能够容忍的杀伐、争斗和污浊,他就不会长此居留。刘商"后隐义兴胡父渚,结侣幽人,世传冲虚而去,可谓江海冥灭,山林长住者矣"(《唐才子传》)。山林,那是多少诗人向往而终难决绝而往的所在啊。山林之恋,在这个意义上,也是"苦恋"。

2014 年 8 月 7 日

诗与命

唐代诗人中的耿介之士,大有魏晋风度。朱湾就曾在他的《七贤庙》中流露过他对晋代高士的仰慕之情:"常慕晋高士,放心日沈冥。"然而江山易代,一代名士风流随着一个时代逝去了,朱湾只能空怀遗憾:"长啸或可拟,幽琴难再听。"随着嵇康一曲奏完,引颈就戮,世上就再无《广陵散》了,朱湾的遗憾无可弥补:"同心不共世,空见薛门前。"前朝高士,留下来的只是那空传的回响,废弃的薛门。"前不见古人,后不见来者",千古慨叹,又哪里只是发自今人呢? 古人又何尝不是如此。今人视古,犹后人视今,代代过往,无穷已也。

朱湾的易代之感兴亡之慨自然也不会少。"路旁樵客何须问,朝市如今不是秦。"(《寻隐者韦九山人于东溪草堂》) 过去了就是过去了,在永不停息的岁月流逝中,实在没有什么"铁打的江山"。大唐再盛,也到了中唐,不能再言初唐的气度盛唐的繁华了。白头宫女,无论怎样絮絮叨叨地说玄宗,长生殿里的宫灯也早已灭了,不灭的只剩下了天上的星辰。那是可以寄托遐思的吗? 想一想也实在令人心生怅惘。"正好南枝住,翩翩何所归。"(《送陈偃赋得白鸟翔翠微》)耿介之士如朱湾,他也有惆怅满腹的时候,看飞鸟而寄幽思了。

总的来看,朱湾不是常常流露怅怀的诗人,他多的还是耿介之气。他《秋夜宴王郎中宅赋得露中菊》,"受气何曾异,开花独自迟。"抒写的便是他不肯流俗随波逐流的情怀。他《咏双陆骰子》,"有对唯求敌,无私直任争。"也依然耿耿磊落,不流凡俗。他的《寒城晚角》,"乍似陇头戍,寒泉幽咽流不住。又如巴江头,啼猿带雨继续愁。""角声朝朝兼暮暮,平居闻之尚难度。何况天山征戍儿,云中下营雪里吹。"满纸苍凉,一片寒气,有魏晋风骨,绝无绮靡,在中唐诗中,很难得了。

朱湾自然不是唐代的大诗人,他连名诗人都够不上。他值得让人记住的是他的性情。他本西蜀人,自号沧洲子。"率履贞素,潜晖不曜,逍遥云山琴酒之间,放浪形骸绳检之外。郡国交征,不应。"耿介率性如此,怪不得他会遗憾不与晋代高士同世。他也曾谒湖州崔使君,不得志,临发以书别之。与那些不痛不痒的诗相较,此书更值得照录下来。

> 湾闻蓬莱山藏杳冥间,行可到,贵人门无媒通不可到;骊龙珠潜混濞之渊或可识,贵人颜无因而前不可识。自假道路,问津主人,一身孤云,两度圆月,载请执事,三趋戟门。信知庭之与堂,不啻千里。况寄食漂母,夜眠渔舟,门如龙而难登,食如玉而难得。食如玉之粟,登如龙之门,实无机心,翻成机事,汉阴丈人闻之,岂不大笑?属溪上风便,囊中金贵,望甘棠而叹,自引分而退。湾白。(《唐才子传》)

此书留别,朱湾遂归会稽山阴别墅,那里是古越地。千年之后,那里出了鲁迅。

于鹄也是位隐居的诗人,他隐居于汉阳间。于鹄隐居,也许是无奈的。大历年间,他"尝应荐历诸府从事。出塞入塞,驰逐风沙"。他是个有过为宦经历的人,但他终于未能得志做成高官。他"众中不敢分明语,暗掷金钱卜远人"(《江南曲》),活画了女儿情态,莫非也是他历宦的心理状态? 他要是这样小心翼翼,又怎能出塞入塞,抵得住大漠风沙呢? 不过,细想来那仿佛是肯定的。他《山中自述》"三十无名客,空山独卧秋",分明是有感于他自己的三十而未立,孤凄之状可叹。尽管他诗末又道"近来心更静,不梦世间游",那只不过是强自安慰罢了。中国的传统文人以仕宦为他们的人生目标,常在得志与失意之间游移,求官不成,便自我安慰,其实哪里是就此放下了呢?还不能就此对他们的情态作什么贬弃,修齐治平,本是传统文人用世的唯一出路,不如此又让他们怎么办?难道都去归隐林泉,或者就去出家做和尚,不问世事吗?

不能够逸世独立,便只能对世外幽静一再投去欣美的目光。张籍在他的《哭于鹄》诗中曾说,于鹄"野性疏时俗,再命乃从军。气高终不合,去如镜上尘"。出世入世,气高难合,无乃从军,纵横放逸,于鹄大概总处在矛盾之中。"幽窗闻叶坠,晴景见游丝。"(《山中寄韦钲》)他会一时心静如水。"一磬山院静,千灯溪路明。"(《宿王尊师隐居》)他也会一时暂避于世外,独享钟磬佛灯中的幽静。但是,他一《出塞》,"边人逢圣代,不见偃戈时",残酷的现实还是让他痛苦起来,诗中对所逢"圣代"充满了并不掩饰的讽刺。他偶《登古城》,见秋山惨惨,荒冢累累,想到"当时还有登城者,荒草如今知是谁",心中还是充满了苍凉,沧桑感岁月感油然而生,以往的心静被打破,道理想得再明白,也不复有用。

诗人是感性的,而不是理性的,要出世哪里会那么容易。明月当空,舟于水上,笛声传来,幽幽呜呜,在诗人听来也是别一番孤凉。"更深何处人吹笛,疑是孤吟寒水中。"(《舟中月明夜闻笛》)于鹄内心的孤独凄凉,好像不是有过出塞入塞从军生涯的人应该有的。诗人,即便他曾经驰骋沙场,心灵深处的那一片柔软易感,也还是不会被战场杀伐夺去。于鹄《泛舟入后溪》,雨后芳草,水绿沙平,他的心似乎重归于安静,没有那样凉气逼人了,有的是柔情万种。"唯有啼鹃似留客,桃花深处更无人。"于鹄好像天生属于山溪桃源的诗人。

多么希望诗人们能够安放下他们的心灵,不要委屈了自己,美人香草，得其闲哉。然而那实在是不可能的。诗人的美好心愿往往要落空，自古至今皆然。于鹄《题美人》，写秦女窥人，攀花趁蝶，到头来却还是"胸前空带宜男草，嫁得萧郎爱远游"，并不如意。于鹄是借美人的不如意，来表达他的不得志吧。等到他《灵山吟》，买得幽山，槿篱疏处"唯有猕猴来往熟，弄人抛果满书堂"，孤独却充满野趣，他才算找到了最终的归宿。于鹄的心到底还是属于山林。

唐代诗人，大诗人都未做到高官，做到高官的却都非大诗人。河南人武元衡元和二年为相，元和三年以门下侍郎平章事，出为剑南节度使，是唐代诗人做到高官的少数诗人之一；但武元衡却真的不是大诗人。他绝没有盛唐的宰相诗人张九龄"海上生明月，天涯共此时"那样的名诗。好在武元衡也有可诵的诗句，《塞下曲》"草枯马蹄轻，角弓劲如石" 的坚劲剽捷，《单于晓角》"三奏未终天便晓， 何人不起望乡愁"的辽远荒凉，都属上乘。

唐代边塞诗的传统为这个时代所独有，空前乏后，唐代诗人一涉边塞，往往就会有好的诗句出现。唐王朝的开疆拓边以万千生命的牺牲为代价，其功过是非且作别论，它让唐代的边塞诗蔚成大观，为他代所没有，倒是不幸之幸。武元衡的边塞诗自不可与王昌龄、岑参、高适相比，可是他的《度东经岭》，"暮角云中戍，残阳天际旗。更看飞白羽，胡马在封陲。"读来也觉苍茫劲烈，并不凡庸。武元衡是有提兵节度镇守边塞经历的，他的《元和癸巳余领蜀之七年奉诏征还二月二十八日清明途经百牢关因题石门洞》，"昔佩兵符去，今持相印还。""何惭班定远，辛苦玉门关。"也是踌躇满志的。这时候再看他《奉和圣制重阳日即事》"神都自蔼蔼，佳气助葱葱"的谀辞，会觉得可以理解了；他是由边塞而入皇都，边塞的荒凉与京都的繁华两相映照，而生出的心理感受吧。

武元衡回朝后的结局并不好。他虽有"春风一夜吹香梦，梦逐春风到洛城"(《春兴》)的轻松惬意,然而梦终究是梦,即便梦逐春风到了京华,又怎么样呢? 醒来后却更惨。武元衡身历德宗、顺宗、宪宗三朝,唐王朝的兴盛时代已经过去,虽然宪宗登基,欲有作为,有过"元和中兴",可是宪宗皇帝竟然也被刺杀,大臣的命运也就难测了。元和八年,武元衡自巴蜀归京辅政。时年太白犯上相,占者有言:今之三相皆不利,始轻末重。月余,相国李绛以足疾免职,明年十月,宰相李吉甫以暴疾卒。武元衡与李吉甫同岁,又同日为相,及出镇,又分领扬、益。等到李吉甫再入朝,武元衡也还朝了。李吉甫先一年于武元衡出生之月卒,武元衡后一年以李吉甫生月卒,吉凶之数,竟如此冥合。武元衡死前,京都长安有谣曰:打麦,麦打,三三三。尔后又舞袖曰:舞了也。有解者道:打麦者,打麦时也;麦打者,谓暗中突击也;三三三,谓六月三日也;舞了也,谓元衡之卒也。

武元衡死于凶杀。他早朝时,遇盗自暗中射杀而亡。武元衡《夏夜作》诗中言道:"无因驻清景,日出事还生。"诗成,翌日遇害。一诗成谶,诗与命原来竟能这样息息相关。

2014 年 8 月 8 日

123

男儿有泪

权德舆不是中唐的重要诗人,但他却是朝廷重臣,一任宰相。侍奉在皇帝左右,权德舆不能不"奉和应制"作谀诗。"锡宴朝野洽,追欢尧舜情。"(《奉和圣制九月十八日赐百寮追赏因书所怀》)"韶光雪初霁,圣藻风自薰。"(《奉和圣制中春麟德殿会百寮观新乐》)权德舆的谀诗也是常见谀诗中的套话,无所谓好些,也无所谓更坏,反正就是拍皇帝的马屁,把什么样的朝代也称为"盛世"就是了,哪怕民怨沸腾,民不聊生,皇帝赏赐的筵席上终究是山珍海味,皇宫里终究是暖风吹拂,仙袂飘飘。

看来,权德舆属于那种老成持重比较宽厚的高官。他未冠,即以文章称,德宗闻其材,召为太常博士,此后一再升迁,直到官拜礼部尚书,同平章事。适逢李吉甫再度秉政,皇帝又自用李绛。遇到朝廷上议论各异时,权德舆"从容不敢有所轻重"。权德舆是不置可否不敢明确表明态度了,因此他又被贬官,以检校吏部尚书,留守东都。他再度被起用,为刑部尚书,已经距他的生命终点不远了。皇权之下的官,原来也并不好做的,秉正直谏不行,莫衷一是也不行,一切都要取决于皇帝一个人是不是高兴。

也许是朝廷上的趋伏奔走并不舒心吧,权德舆便一再地表达他向慕静处的心愿:"静看云起灭,闲望鸟飞翻。"(《暮春闲居示同志》)"稍知名是累,日与静相观。"(《自杨子归丹阳初遂闲居聊呈惠公》)他年未满四十,却体生多病了;不过,他于病中得到的却是另一番感受:

"唯思曲肱枕,搔首掷华缨。"他《览镜见白发数茎光鲜特异》,却抒发了一种谐趣:"秋来皎洁白须光,试脱朝簪学酒狂。一曲酣歌还自乐,儿孙嬉笑牵衣裳。"朝廷重臣,居然是这般自然自适了;卸下了朝服冠冕,原来可以这般轻狂。于是,权德舆《酬赵尚书杏花园下醉后见寄》中"鹤发杏花相映好,羡君终日醉如泥"的表白,大约就不是应酬的假话了。

不过,权德舆还是不能学陶渊明挂冠而去,他没有"为五斗米折腰"的痛苦,他在仕途上虽有坎坷,却没有致命的打击,他的升迁贬谪,在官员诗人中是太寻常的,算不了什么。所以,他在《放歌行》中才会流露他那光宗耀祖的得意:"一身自乐何足言,九族为荣真可羡。"想一想庙堂之上皇宫之内的饮宴夜乐,实在是令人难忘的:"银烛煌煌夜将久,侍婢金罍泻春酒。春酒盛来琥珀光,暗闻兰麝几般香。乍看皓腕映罗袖,微听清歌发杏梁。"布衣平民,草野之间,几曾有过此等醇酒美人琥珀兰麝的享受?权德舆的沉醉迷恋远胜于儿孙牵衣的乐趣了。"罢朝鸣珮骤归鞍,今日还同昨日欢。岁岁年年恣游宴,出门满路光辉遍。"他期望着这种日子能够岁岁年年永不止息。然而,生命有限,时不我待,"夕阳不驻东流急,荣名贵在当年立。"晚了,可就没有日子了,要出名要荣贵还要趁早。权德舆的这首《放歌行》不掩饰,不吞吐,直陈胸怀,情绪饱满而热烈,词采赡丽,是权德舆的一首好诗,有涉于"权",值得好好品味。

权德舆也是性情中人,朝堂之上,冠带朝笏,把他的真性情遮盖了。他谒苏小小墓,对一代名妓寄托的情感真的不像宰相所为:"万古荒坟在,悠然我独寻。""风流有佳句,吟眺一伤心。"(《苏小小墓》)宰相的伤心,原来还是诗人的感怀,男人的伤情。他的《玉台体十二首》,"婵娟二八正娇羞,日暮相逢南陌头。试问佳期不肯道,落花深处指青楼。""破颜君莫怪,娇小不禁羞。"写女人情态,宛然可爱,却不轻薄。

权德舆其实也是个易动感情的人，并不是那种板起脸来端着架子的宰相。他《李十韶州寄途中绝句使者取板修书之际口号酬赠》，"莫言向北千行雁，别有图南六月鹏。"就不是无情的高官能够"口号"出来的。他荷衣杖第，出蓬荜而浩歌，歌的竟是"我心独何为，万虑萦中肠。履道身未泰，主家谋不臧。"原来权德舆也并不只是为官得意，他也愁肠满怀，只因为履道不成，"主家"并不是理想中的"主家"。只要是真正的诗人，他即便做了高官，他也丢不下诗人的衷肠。那是诗人的命数，注定了的。

　　然而，皇权之下，诗人，文人，似乎也只有一条路可走，进士及第，走向朝廷，由此实现他们修齐治平的理想。权德舆自然深通此理，他自己是这样走过来的，他还要引导奖掖他人走上这样的道路。贞元中，权德舆奉诏考定贤良，草泽之士升名者十七人。他为礼部侍郎时，擢进士第者七十有二。"鸾凤杞梓，举集其门，登辅相之位者前后十人"（《唐诗纪事》）。权德舆位极人臣，能够如此举贤荐能，即便他是在为皇家网罗人才，要帮助皇家引天下士子尽入彀中，也是贤良之举。

　　羊士谔没有做到权德舆那样的高官，他也与权德舆的性格不同。贞元元年六月，任宣州巡官的羊士谔被贬为汀州宁化县尉。当时，羊士谔因公事进京，正值王叔文改革，朋党相煽，羊士谔颇不能平，公言其非。王叔文闻听大怒，欲下诏斩之，宰相韦执谊以为不可，又令杖杀之，又不可，于是再贬官。羊士谔是像他的名字所昭示的那样，宁为一士之谔谔，而不为千人之唯唯了。羊士谔的选择，决定了他在仕途上不会亨通。耿介之士，为自己设置了障碍。

　　羊士谔走上仕途，是情愿，又好像是不得已的。他早年曾游女几山，有过卜隐之志，"心期欲去知何日，惆怅回车上野桥。"（《过三乡望女几山早岁有卜筑之志》）直到后来，鬓发已斑了，他的归隐之心仍未放下，"莫问华簪发已斑，归心满目是青山。"（《春望》）不过，"勋名相迫"(《唐才子传》),也就是权德舆《放歌行》所道"一身自乐何足言,九族为荣真可羡"的功名利禄太具诱惑力了,羊士谔还是没有归入林泉,而走向了庙堂。

可惜羊士谔的个性决定了,他的选择并不能令其得到他期望得到的那一切。他的一生,都要在归隐与致仕的矛盾中度过,倍受煎熬。他《郡斋读经》,"壮龄非济物,柔翰误为儒",似乎是后悔了;他《酬卢司马晚夏过永宁里弊居林亭见寄》,"自叹淮阳卧,谁知去国心",渴望着"风蝉一清暑,应喜脱朝簪";可是他《巴南郡斋雨中偶看长历是日小雪有怀昔年朝谒因成八韵》,"缅怀朝紫陌,曾是洒朱轮","明廷犹咫尺,高咏愧巴人",还是对庙堂之上寄寓了深深的期望。

羊士谔也是有济世之怀的,只是朝廷始终没有给他施展抱负的机会,他因为惹恼了王叔文而遭贬。后来受知于李志甫,又与官至刑部郎中的吕温友善,被荐为御史,曾为资州刺史,但终于没有怎么显赫过。他的政治理想在《贺州宴行营回将》中流露过一二:"元戎静镇无边事,遣向营中偃画旗。"那是边境安宁不再用兵不再征战的期待。他在野望、泛舟、看花、登楼等诗中抒写的山水明丽花笛清宁的意境,是他永远放不下而又不得居留的归隐之乡,像一个梦一样,挥之不去,可望而不可即。

相形之下,杨巨源便没有羊士谔那种勋名交迫与归隐林泉矛盾纠结的痛苦了。杨巨源仕途顺利,没有跌宕,为官吟诗,都是平和的。他《大堤曲》为二八婵娟心伤,怜惜"珍簟华灯夕阳后,当垆理瑟矜纤手",悯恤美妙女子"无端嫁与五陵少,离别烟波伤玉颜";在《杨花落》中为红英落尽而感伤,由物及人,写女儿情态,"宝环纤手捧更飞,翠羽轻裙承不着",皆是一般多情诗人都会有的伤春惜花之情,没有多少奇崛之处。他的《月宫词》,是他七言歌行中的优秀诗作,流丽明朗,"宫中月明何所似,如积如流满田地。""皎皎苍苍千里同,穿烟飘叶九门通。"是写月光的好诗句，读来只觉月华满目，隐隐有一种飒飒凉气。"复值君王事欢宴，宫女三千一时见。""若共心赏风流夜，那比高高太液前。"由月宫而及皇宫，我们便明白了那飒飒凉气来自那里了。杨巨源的心中原来也并不都是做官的志得意满，他的心底深处也有一份苍凉在。

杨巨源以"三刀梦益州，一箭取辽城"而得名，那还不是完诗，而只是散句，曾得到白居易称赏："早闻一箭取辽城，相识虽新有故情。"诗人间惺惺相惜，原也在情理之中。杨巨源的官做得平稳，他没有遭受贬谪流离，他的诗中苍凉的底子是诗人所固有的。他《长城闻笛》"夜月降羌泪，秋风老将心"的英雄暮年，《赠邻家老将》"十年依蓐食，万里带金疮"，"空余孤剑在，开匣一沾裳"的悽怆体恤，自是好诗人应有的悲悯情怀，是为诗者不可或缺的。

《唐诗纪事》曰："巨源在元和时，诗韵不为新语，体律务实，功夫颇深，旦暮吟咏不辍。年老头摇，人言吟诗所致。"旦暮吟咏不辍的诗人留下的诗作却不多，年老头摇，说是吟诗所致，恐怕也是夸张了。不过，杨巨源作诗勤苦颇下功夫，大约也是真的。他是善写女儿情态的，《名姝咏》"怕重愁拈镜，怜轻喜曳罗"，名姝丽媛的娇情娜态是不无夸张地活画出来了。他的七言绝句写得尤好，《城东早春》"诗家情景在新春，绿柳才黄半未匀。若待上林花似锦，出门俱是看花人。"众多选本都会选入，是可以吟味的好绝句。

如果不是曾经聘李商隐为幕僚，令狐楚差不多就被人遗忘了。据《全唐传》人物小传介绍，令狐楚是写得好文章的。他贞元七年及第，由太原掌书记至判官。当朝皇帝德宗好文，"每有太原奏，必能辨楚所为，数称之"。唐代设置的掌书记，为从八品官阶，掌管一路军政、民政机关的机要秘书。比七品县令还要低一级的小官写出的奏章，竟能被皇帝辨出，得到天子称赏，至少，令狐楚的文笔有他的精到之处，非一般县衙的刀笔吏可比。令狐楚为官,有升迁,也有贬谪,敬宗时,做到了户部尚书,后又召为吏部尚书,宪宗时当过宰相,是朝廷重臣了。在中唐晚期的"牛李党争"中,令狐楚属于"牛党",他把李商隐引进幕府,也许为"牛党"罗致人才的用意,不过,他到底为一代杰出诗人提供过栖息之地,不可谓无功。至于李商隐因此陷入了更为复杂的党争网罗中,深受其害,那又是问题的另一个方面了。

令狐楚似乎对时令的变化十分敏感,他伤秋而又伤春,写过《立秋日悲怀》,"又添新节恨,犹抱故年衰。"再写《立秋日》,"平日本多恨,新秋偏易悲。"到了立春,他又在《立春后言怀招汴州李匡衙推》中写道:"每听塞笳离梦断,时窥清鉴旅愁多。"时序物华,在令狐楚那里都能够触发感伤悲怀。原来在朝廷重臣的内心,也有一处柔软薄脆,会一触即发的。他作《塞下曲二首》,"平生意气今何在,把得家书泪似珠。"写《相思河》,"只应自古征人泪,洒向空洲作碧波。"都会让人忘了他的高官身份,命臣权重。他的《年少行四首》,"等闲飞鞚秋原上,独向寒云试射声。"写少年豪气,则是另一个令狐楚了。他的《游晋祠上李逢吉相公》写道,"相思临水下双泪,寄入并汾向洛川。"令狐楚如果真的如诗中所言,会相思下泪,那么,他便是可以信赖的。男儿有泪固然不可轻弹,但是,没有泪的男儿却是不可依托的,因为他心中没有温软处。

2014 年 8 月 12 日

掀雷走电的韩愈

　　唐代诗歌到中唐,有了一种叫人鼓不起劲来的感觉。过去了盛唐那一代大诗人,中唐诗人显出了平庸之势,虽然技术上挑不出什么大的毛病,但没有了凌厉之气,没有了超迈之气,盛唐的那种豪雄壮阔傲视千古的气概更是没有了。等到韩愈出来,遒力鼎革,奇崛雄伟,才有了"中兴"之象,让读唐诗的人又为之一振,从一段时间的失望中走出来,觉得唐诗毕竟还是唐诗,仍非其他朝代可比。

　　韩愈是那种真正称得上"才高八斗"的人。他少依孤嫂,刻苦为学,读书日记数千言,尽通六经百家。他有意进行文体革命,捐弃齐、梁绮艳,气势浩荡地领导了一场古文运动。唐宋散文八大家以韩愈为首,从来没有什么争议。韩愈的文名太盛,把他的诗名盖过去了,在一般读者那里,韩愈的散文名篇耳熟能详,而他的诗却不甚了解,好像韩愈是能文不能诗的。

　　其实这样想是错了。晚唐诗人、诗论家司空图就说得极好:"金之精粗,考其声皆可辨也,岂清于磬而浑于钟哉!然则作者为文、为诗,才格亦可见,岂当善于彼而不善于此耶? 愚观文人之为诗,诗人之为文,始皆系其所尚,所尚既专,则搜研愈至,故能炫其功于不朽,亦犹力巨而斗者,所持之器各异,而皆能济胜以为劲敌也。愚尝观韩吏部歌诗累百首,其驱驾气势,若掀雷抉电,撑决于天地之垠,物状其变,不得鼓舞而徇其呼吸也。"诚哉斯言,大才能文亦能诗,反之亦然。司空图还说,"又尝观杜子美《祭太尉房公》文,李太白《佛寺碑赞》,宏技

130

清历,乃其歌诗也。"由此来看韩愈的那些滔滔宏文,又何尝不是其歌诗呢?韩愈跟李白、杜甫尚有不同,李、杜是专注于诗,留下的文不多;韩愈则文、诗兼备,二者都堪称大家。文学史上,像韩愈这样的巨匠为数不多。后人数典忘祖,无知地鄙薄前贤,也正如司空图所言:"后之学者偏浅,片词只句,未能自辨,已侧目相诋訾矣。痛哉!"

后人诋訾韩愈,在当代,恐怕是会针对韩愈的"文以载道"说了。当代人以娱乐为尚,以愉悦为求,早已对"文以载道"不以为然了。可是从那些为娱乐时代增添着佐料的"诗文"中,还是能够看出它们所载的"道"来,它们所载的不过是"海淫海盗"之"道"罢了,它们所载的无非是琐屑庸常之道罢了;它们的目的性从来都没有消失,也是很明确的。它们已经远远超过了韩愈领导古文运动要力扫的齐、梁绮艳,增添了淫靡之气、浮泛之气、庸滥之气、腐朽之气了。

韩愈作诗,正如他为文一样。韩愈有感于人心不古,世道日下,他是有心继承道统,以拯颓波为己任的。韩愈诗诸体皆备,五古为多。从韩愈的诗中,能够看出杜甫的遗风。杜甫之后,只有在韩愈这里,才又一次读到了"诗史"的意义。从韩愈的诗中,可以考证中唐的历史、诗人的行迹,韩愈像杜甫一样,把个人遭际与中唐的时代风云朝野变故结合到一起,用诗来抒写了。他的《赴江陵途中寄赠王二十补阙李十一拾遗李二十六员外翰林三学士》,"传闻闾里间,赤子弃沟渠。持男易斗粟,掉臂莫肯酬。"让人想到了杜甫的《自京赴奉先县咏怀五百字》"朱门酒肉臭,路有冻死骨"的惊世揭橥。韩愈"上陈人疾苦,无令绝其喉。下陈畿甸内,根本理宜优",也与杜甫"致君尧舜上,再使风俗淳"出于同样的机杼。

韩愈做的官比杜甫大,他做到了监察御史,更有机会上奏朝廷。《旧唐史》称韩愈上章数千言,极论宫市,德宗怒,贬其为阳山令。后来,韩愈再一次上表极谏,作了他那篇义正词严的《谏迎佛骨表》上奏朝廷，差一点被处极刑，终被贬为潮州刺史，于是也就有了韩愈的那首《左迁至蓝关示侄孙湘》，"一封朝奏九重天，夕贬潮阳路八千。"上达天听是如此危机四伏，贬谪流离是如此云路迢遥，韩愈不能不思乡凄怆，心事浩茫了。"云横秦岭家何在，雪拥蓝关马不前。知汝远来应有意，好收吾骨瘴江边。"韩愈似乎有些悲观绝望了。

以韩愈的智慧和学识，他怎么会不知道皇帝的龙鳞是不可碰触的呢？在皇帝那里，本没有什么对错，只有好恶，皇帝喜欢的就是好的，皇帝讨厌的就是坏的。皇帝要喜欢，你非要让他不喜欢，你再有多少道理，哪怕关系到江山社稷，皇帝也不会听的。

可是，韩愈是"不信邪"的，他自比孟轲，辟佛老异端。他在《谢自然诗》中斥神仙道，直接指向了皇帝那里，"秦皇虽笃好，汉武洪其源。自从二主来，此祸竟连连。"他提倡知识为上，相信自我，"人生处万类，知识最为贤。奈何不自信，反欲从物迁。"历史已经证明了，神仙是没有的，求仙是无用的，秦皇汉武都没有寻到神仙，没有能够长生久视，可是后代皇帝还是一个又一个走上了求仙求佛之路，他们实在不甘心丢下做皇帝的日子，成为一具得不到人生最奢靡享受的死尸。韩愈却要明确地告诉皇帝，那是不可能的，把佛骨迎入禁中也无用，只会"伤风败俗，传笑四方"。韩愈无畏地宣称："佛如有灵，能作祸祟，凡有殃咎，宜加臣身，上天鉴临，臣不怨悔。"韩愈这样硬要逆着皇帝的心意来，不把皇帝惹恼就怪了。

然而，韩愈辟佛老异端的心志是至死不改的，他从所处时代现实出发，在《赠译经僧》中明确告诉他们："只今中国方多事，不用无端更乱华。"尽管他深知"我今罪重无归望，直去长安路八千"（《武关西逢配流吐蕃》），赦免无望了，他还是不改初衷。"天下兵又动，太平竟何时。"（《归彭城》）这就是"方多事"的中国。韩愈忧国忧民，"刳肝以为纸，沥血以书辞。"他像当年的杜甫一样，"我欲进短策，无由至彤墀"，

132

好佛好道只求长生不死的皇帝根本听不进去，韩愈即便苦口婆心地劝告皇帝"君子法天运,四时可前知"(《君子法天运》),也还是无用。

韩愈自然也有灰心的时候。"我材与世不相当,戢鳞委翅无复望。"(《赠郑兵曹》)韩愈不再抱有什么希望了。然而他还是不肯以自己的失望情绪影响世人,他在《孥骥》中仍然让人坚信"有能必有用,有德必见收",这是后世"是金子总要发光的"那种说法了。可是,金子如果总被埋没呢?有能有德如果总不被发现总不合时宜呢?韩愈是基于他积极用世的思想,才那般孜孜劝勉于人的。韩愈绝不会像陶渊明那样挂冠而去。陶渊明凭幻想构造的桃花源,引得多少后人向往颂赞,韩愈却独持异说:"神仙有无何渺茫,桃源之说诚荒唐。"桃花源像神仙一样,未曾有过,永不会有,有责任感有济世之心的人还是不能逃避现实。虽然"静思屈原沉,远忆贾谊贬。椒兰争妒忌,绛灌共谗谄",济世的道路上不仅有皇帝的龙鳞在上,不容触动,还有皇帝周围的小人构陷,进谗诬陷。唐永贞年间,王叔文等用事,制天下之命,"元臣故老不敢语,尽卧涕泣何汍澜"(《永贞行》),韩愈便深知济世不易,匡政之难了。

多遭磨难的韩愈曾作《三星行》,自况命运,自悯其生多訾毁。后世苏轼也曾为此自叹道:"吾生时与退之相似。吾命在牛斗间,其身宫亦在箕。斗牛宫为磨蝎,吾平生多得谤誉,殆同病也。"苏轼与韩愈同宫同命,再怎么豁达也免不了自叹命运淹蹇。避佛避黄老的韩愈也在星象中感叹自己的命运了。可是在赠人的诗中,韩愈仍然不消沉,还是鼓励人积极向上。唐衢应进士,久而不第。衢"能为歌诗,见人文章有所伤叹者,读讫必哭。每与人言论,既别,发声一号,音辞哀切,闻者莫不泣下,故世称唐衢善哭"。韩愈在《赠唐衢》的诗中就鼓励唐衢:"胡不上书自荐达,坐令四海如虞唐。"韩愈似乎把自己的不幸遭逢忘记了,他又是那个"事业窥皋稷,文章蔑曹谢"(《县斋有怀》),"念昔始读书,志欲干霸王"(《岳阳楼别窦司直》),年少气盛的韩愈了。

韩愈年轻时是豪气凌云壮志在胸的。只是他"才高难容",才致使"累下迁"罢了。"少小尚奇伟,平生足悲吒。"(《县斋有怀》)回首生平,他不能不感慨伤怀。"尔时心气壮,百事谓己能。"(《送侯参谋赴河中幕》)年轻的韩愈在前头为自己铺开了壮阔的道路,他以为什么样的目标都能够达到;可是,他没有想到,政治运动比他领导的古文运动复杂多了,也艰难多了。他一介文人,能撼动文坛,却动不了政坛。

岁月无情,更无情的是政事,是朝廷。韩愈过早地衰老了,他是未老先衰。"尔来曾几时,白发忽满镜。"想一想"少年气真狂,有意与春竟"(《东都遇春》),竟如昨日。韩愈对自己的未老先衰格外敏感,掉落了牙齿,便会令他上心留意。"去年落一牙,今年落一齿。俄然落六七,落势殊未已。"他不能忽视的是落齿所昭示的生命意义:"人言齿之落,寿命理难恃。"(《落齿》)这让人把他的散文名篇《祭十二郎文》记起来了:"吾年未四十,而视茫茫,而发苍苍,而齿牙动摇。"韩愈似乎预感到了他不会得以长寿,不过,他还是看到了生命的根本、寿夭大限的公平:"我言生有涯,长短俱死尔。"

不信神仙佛老,不信长生久视,在韩愈这里是始终也未曾动摇的。有河南人吕炅,元和中,弃其妻,着道士服,辞别他的母亲道,当学仙王屋山。离去数月,复出,见河南少尹李素。李素让他站在府门,命吏卒脱下他的道士服,给他俗世人的冠带,把他交送给他的母亲。韩愈为此作《谁氏子》诗曰:"神仙虽然有传说,知者尽知其妄矣","罚一劝百政之经,不从而诛未晚耳",旗帜鲜明地支持河南少尹李素的做法。可以毫不含糊地说,一个时代,学佛学道的人成伙成群,越来越多,绝不是什么好事;至少,那是对俗世生活丧失了信念,有意逃避的结果。普天下的人都去做了信众,连香火钱也无处募化了,那就真的需要道徒们吃风喝风了,不必练习,就得辟谷,道理很简单,因为没有人种地打粮食吃了。

韩愈的坚定和自信来自于信念,也来自于读书。"归还阅史书,文字浩千万。"(《秋怀诗十一首》)这是抒怀,也是纪实。韩愈尽通六经百家,是手不释卷的。在韩愈看来,读书的意义还不止在于长学问,而更其重大。"人之能为人,由腹有诗书。""人不通古今,马牛而襟裾。"(《符读书城南》)知书达理,通晓古今,是人区别于动物的根本标志。后世哲人也有此言:"人之所以不够理想,就是因为不读书。"(《孙犁全集》第十卷)在唐代诗人的诗中,像韩愈这样一再写到书的人不多。"始我来京师,止携一束书。"(《示儿》)"邺侯家多书,插架三万轴。""今子从之游,学问得所欲。"(《送诸葛觉往随州读书》)在韩愈那里,家藏万卷比金玉满柜更值得推崇。韩愈的境界,绝非千年过后的暴发户、富豪们可比的。自然,韩愈劝勉读书,自有他的用意。在他看来,由于读书,不仅把人与牛马区别开了,也使人的社会地位发生了根本的变化。"一为马前卒,鞭背生虫蛆。一为公与相,潭潭府中居。问之何因尔,学与不学欤。"(《符读书城南》)

《唐诗纪事》记述一个个诗人的简单生平,转引他们的诗作佳篇,大都是冷静的,可是写到韩愈,却一再转引别人的诗文,激情难抑地赞颂不已。其中全文转引皇甫湜作《韩先生墓志》,"先生七岁好学,言出成文。及冠,恣为书以传圣人之道。"墓志写到吴元济反,"吏兵久屯无功,国涵将疑,众惧汹汹。先生以右庶子兼御史中丞行军司马,宰相军出潼关,请先生乘遽至汴,感说都统师乘遂和,卒擒元济"。接下来,墓志又写到"王廷凑反,围牛元翼于深,救兵十万,望不敢前。诏择庭臣往谕,众慄缩,先生勇行。元稹言于上曰,韩愈可惜。穆宗悔,驰诏无径入。先生曰:止,君之仁;死,臣之义。遂至贼营,麾其众责之,贼惶汗伏地,乃出元翼。"韩愈,如此大义凛然,临危不惧,谁道书生百无一用?读书以至大家,直可以勇冠三军。皇甫湜不由叹道:"呜呼!先生真古所谓大臣者耶！"书写至此，皇甫湜意犹未尽，激情洋溢写下去："先生与人洞朗轩辟，不施畦级。族姻友旧不自立者，必待我然后衣食嫁娶丧葬。平居虽寝食未尝去书，怠以为枕，餐以饴口。讲评孜孜，以磨诸生。恐不完美，游以诙笑啸歌，使皆醉义忘归。呜呼！可谓乐易君子钜人者矣！"韩愈的行为品格，真是令千年而下的后代，遗憾不能同代者矣！

　　皇甫湜为韩愈所作的墓志，与后世那些官样的悼词截然不同，他并未溢美。由韩愈的诗文中，我们已经一再地看到了韩愈的为人、韩愈的正气、韩愈的大义、韩愈的勤勉、韩愈的慷慨直言，千年而后，仍然放射着逼人的光芒。"李杜文章在，光焰万丈长。不知群儿愚，那用故谤伤。蚍蜉撼大树，可笑不自量。"（《调张籍》）这是对前贤的推崇与捍卫。"吾友柳子厚，其人艺且贤。"（《赠别王十八协律六首》）这是对同辈文友的赞美与褒扬。比韩愈本人的命运还要不幸的柳宗元，是韩愈的好友，又是与之齐名的古文大家，两人一起领导了一场轰轰烈烈的古文运动。韩愈对柳宗元，从来没有狭隘小气文人之间的"相轻"，而只是"相重"。柳宗元先韩愈而逝，韩愈为之作《柳子厚墓志铭》，酣畅淋漓，至情至性，不是知音同道，是断然写不出的。

　　比韩愈小了三岁的孟郊仕途不达，连中进士都很困难，两次不第，清寒终身，韩愈对孟郊寄予了极大的同情慰勉，"人皆余酒肉，子独不得食"（《答孟郊》），"卞和试三献，期子在秋砧"（《孟生诗》），为孟郊打抱不平，同时鼓励孟郊切莫气馁，秋闱再试。孟郊连产三子，"不数日，辄失之"，韩愈念其无后而悲，担心孟郊伤怀不已，便推天假命作诗以喻之，"再拜谢玄夫，收悲以欢忻"，希望孟郊不要沉浸于悲伤中而难以自拔。所谓"郊瘦岛寒"与孟郊齐名的贾岛，也引起过韩愈的关注。韩愈在《赠贾岛》的诗中再一次写到孟郊，"孟郊死葬北邙山，从此风云得暂闲。天悲文章浑断绝，更生贾岛著人间。"爱才惜才，以至于如是,在人情浇漓的当下,益发令人思慕。韩愈在《醉留东野》中写道"昔年因读李白杜甫诗,长恨二人不相从","我愿身为云,东野变为龙",那不是醉语妄言,而是真挚的情感,并非写诗自娱从而用以敷衍人的。

韩愈是大才,亦具大学问大才力,他以才以学以力为诗,惯于用奇用险用僻。他的五古《南山诗》一百〇二韵,一韵到底,却不见勉力凑合痕迹,他不避生僻,尽写胸次,自是大手笔,唯韩愈方能为之。他的《荐士》诗,为荐孟郊于郑余庆而作,他却不是简单地写一封介绍信,而是写了一篇诗体评述,由"周诗三百篇"而下,经建安晋宋,齐梁陈隋,直至国朝大唐。"国朝盛文章,子昂始高蹈。勃兴得李杜,万类困陵暴。"在这样的基础上,再提出了他所荐举者,"有穷者孟郊,受材实雄鸷"。韩愈不只是简单的一个诗人,或者一个散文家,他是卓然屹立的一位文学家,有识见,又有才情,他的评述,一言九鼎,不是随便说说的。文学史上,李杜并列,成为不易之论,韩愈是极早的倡扬者。同代以至于后代论者在"扬李抑杜""扬杜抑李"之间斤斤辩白,在韩愈面前,不仅显出了识见的差别,也显出了小气。

读韩愈的诗,固然有时候会被他那些用险用僻构成障碍;但是,韩愈也有一些诗篇清丽可喜。《送桂州严大夫同用南字》"江作青罗带,山如碧玉簪",《早春呈水部张十八员外二首》"天街小雨润如酥,草色遥看近却无",细致入微,是信手拈来的好诗句,是大手笔写小诗,杀鸡用牛刀的游刃有余。《晚春》写"杨花榆荚无才思,惟解漫天作雪飞",深含寓意,却并不晦涩,与今天的一些白话诗故作晦奥令人百思不得其解自不可同日而语。韩愈写《示儿》诗,写《庭楸》诗,也让人把杜甫的同类诗作记起来了。

韩愈的《石鼓歌》是他的七古名篇,开篇慨叹"少陵无人谪仙死,才薄将奈石鼓何";但他一鼓作气歌下来,奇崛卓荦,头角峥嵘,识见与才情挥洒自如,想象奇特,抒怀深沉,中唐一代,大约只有韩愈还能作出这样的七古了。稍后的白居易那是另一种面貌,不可拿来作比的。把韩愈的《石鼓歌》跟他的《青青水中蒲三首》放到一起来读,更能够感受到古诗大家的风采。大家手笔,是长诗也作得,小诗也作得,不可以一格限之的。韩愈还有四言诗《剥啄行》。四言诗于诗三百之后,到曹操手中放射过一段异彩,也是绝响,此后少见了。诗歌大家的韩愈不拘一格,什么样的形式都会拿来一用,只要是内容表达需要。

不必说,韩愈是有那种"天将降大任于斯人"之意识的,他在《芍药歌》中曾道:"花前醉倒歌者谁,楚狂小子韩退之",年轻的韩愈定然也有过狂傲不驯的时候。他在《和李相公摄事南郊览物兴怀呈一二知旧》中写道:"为仁朝自治,用静兵以销",是与他所提倡的文以载道之"道"相一致的,他是希望朝廷以仁治天下,不必大动干戈。他的政治理想自然也像杜甫像所有良知未泯的诗人怀抱的理想一样,要成为空想,不过,他留下的英名,留下的诗文,则将千秋炳焕,比任何一个消失的朝代都为久长,不管那是衰世还是盛世。《唐才子传》评价韩愈的一段话说得极好:"公英伟间生,才名冠世,继道德之统,列明圣之心。独济狂澜,词彩灿烂,齐梁绮艳,毫发都捐。有冠冕珮玉之气,宫商金石之音,为一代文宗,使颓纲复振,岂易言也哉?固无辞足以赞述云。至若歌诗累百篇,而驱驾气势,若掀雷走电,撑决于天地之垠,词锋学浪,先有定价也。"

掀雷走电的韩愈,他撼不动一个朝代的根基,让一个走向败落的王朝复振朝纲,归于仁治,天下晏宁康乐;但他文起八代之衰,使一代诗文有了复兴之象,千年以后,仍能让人心生钦慕。韩愈,无愧于一代文坛领袖了。

2014 年 8 月 18 日

长歌当哭的柳宗元

在柳宗元那里，文章绝非等闲物事。与韩愈一起领导了唐代古文运动，并身体力行，以那么多典范名篇为世文立下楷模，"天才绝伦，文章卓伟，一时辈行，咸推仰之。"（《唐才子论》）柳宗元作为唐宋散文八大家之一，名至而实归。柳宗元是把文章看作经国大业的。

在朝为官，同时为文，柳宗元无疑属于忠臣雅士之列。柳宗元曾效周朝大雅小雅之体，撰写过平淮夷雅二篇，他还取魏晋歌功德义，写过唐铙歌鼓吹曲十二篇。这些诗作，都属于"歌功颂德"之类。柳宗元的这些诗作，其用意和实际效能，还不能跟那些奉和应制的谀诗简单地画个等号。柳宗元并非"奉和"，也非"应制"，他是自愿创作的，不是那种不情愿的应景之作。在《奉平淮夷雅表》中，柳宗元自述他作此的缘起："思报国恩，独惟文章。伏见周宣王时称中兴，其道彰大，于后罕及。然征于诗大小雅，其选徒出狩，则车攻、吉日，命官分土，则嵩高、韩奕、烝人，南征北伐，则六月、采芑，平淮夷，则江汉、常武。此无他，以雅故也。"柳宗元是把雅颂的地位推崇到无与伦比了。这样推崇诗的地位，雅的地位，无论如何，总比以野蛮粗俗为尚不知要好出了多少倍。柳宗元即便是在为皇家"歌功颂德"，也有了某些可以原谅的理由。

可惜皇家往往并不会体恤臣子的拳拳忠心。贞元十九年，柳宗元为监察御史里行。时王叔文、韦执谊用事，尤奇待柳宗元，擢拔其为尚书礼部员外郎。王叔文事败，柳宗元即被贬为永州司马。"中为吏役牵,十祀空悁劳。"(《游南亭夜还叙志七十韵》)柳宗元的赤诚忠悫,却原来都是空劳牵挂,并不能拯救他的命运于危难。"去国魂已远,怀人泪空垂。"(《南石间中题》)"孤臣泪已尽,虚作断肠声。"(《入黄溪闻猿》)"贮愁听夜雨,隔泪数残葩。"(《同刘二十八院长述旧言怀感时书事奉寄澧州张员外使君五十二韵之作因其韵增至八十通赠二君子》)这些泣泪不尽的断肠诗句,最切实地表达了贬谪去京的柳宗元凄苦的情怀。柳宗元的确不是后世苏东坡那种性格的人,他想不开,也放不下,他只能陷入悲凉的情境中,一再咏叹。"海畔尖山似剑铓,秋来处处割愁肠。若为化得身千亿,散上峰头望故乡。"(《与浩初上人同看山寄京华亲故》)谪于偏远的柳宗元思乡心切,他并不完全像他的《永州八记》名文中写的那样,每天恣情山水,优哉游哉的。他内心的苦楚哪里是永州的一丘一潭能够化解的呢?

柳宗元对他身处的那个朝代还是寄予了希望的。过去了盛世的李唐王朝,进入了中唐之后,虽然也出现过"中兴"之象,但到底是走下坡路了。柳宗元在《平准夷雅表》中提及"周宣王时称中兴",显然是有比附之意,希望他所处的中唐时的"中兴"能够与周朝的中兴相比。他的《贞符》诗序是一篇典型的"柳文"大作,不是寻常小序。他在此序中叙贞符源流,称"推古瑞物以配受命,其言类淫巫瞽史,诳乱后代,不足以知圣人立极之本,显至德,扬大功,甚失厥趣。臣为尚书郎时,尝著贞符,言唐家正德受命于生人之意,累积厚久,宜享无极之义"。柳宗元的用意很明确:假古瑞物以配受命乃无稽之谈,受命于生人之意,才不是欺人诳世。柳宗元是"以人为本"的,他不把李唐王朝说成为"受命于天",而是"受命于人",无论李唐王朝能不能当得起这样的推崇,柳宗元的用意却是进步的,值得肯定。

假如皇家能够体察臣子的良苦用心,会怎么样呢?柳宗元的命运会得以改变吗?也不见得。柳宗元自己便看得很清楚,造成他厄运的,并不全是皇家。他在《与杨诲之书》中自述道:"吾年十七,求进士,四年乃得举。二十四求博学宏词科,二年乃得仕。及为蓝田尉,走谒于大官堂下,与卒伍无别。益学老子和其光,同其尘,虽自以为得,然已得号为轻薄人矣。及为御史郎官,自以登朝廷,利害益大,虽戒砺切切,然卒不免为连累废逐。"他求进士四年得举,还无法怨天尤人,有一些天才人物,天生是不适合考试的,他们不能够顺利地通过按框子划定的考试门槛。朝廷既然立下了科举取士的法规,你就只能通过科举而进士,别无他路;像李白那样,不应科举,经人举荐而得到皇帝赏识,毕竟罕见。

柳宗元进入官场后,他虽然学老子和光同尘,但仍然被视为轻薄之人。这就要从人性之恶那里寻找原因了。"木秀于林,风必摧之",好多情况下,和光同尘是没有用的,优秀人物的杰出品质卓异才华会有掩不住的光芒,在暗处闪烁,偶尔一闪,也会令凡庸之辈不能容忍,不摧之不折之,于心不甘——那处处皆有的邪恶阴毒之心,绝不能忍受正义、善良的品格,也不能忍受优秀人物的天赋异秉。"始惊陷世议,终欲逃天刑。"(《游石角述小岭至长乌村》)"多垒非余耻,无谋终自怜。"(《北还登汉阳北原题临川驿》)柳宗元十分清楚造成他厄运的力量都来自哪里。"本期济仁义,今为众所嗤。"(《哭连州凌员外司马》)事与愿违的事自古至今永远都不会绝迹,就因为人性之恶永难灭绝。柳宗元把深刻的教训向得以放飞的鹧鸪痛切喊出:"破笼展翅当远去,同类相呼莫相顾。"(《放鹧鸪词》)

柳宗元却没有机会得以放飞,他也曾经那般凌厉之气逼人。"赤丸夜语飞电光,微巡司隶眠如羊。当街一叱百吏走,冯敬胸中逐匕首。"(《古东门街》)假以时机,让柳宗元尽展才能,他会做出什么样的事业来呢?他并不是那种"百无一用"的书生。他参与王叔文改革,王叔文尤为器重他,当为明证。他也曾浪漫高扬,神思遄飞,"方期饮甘露，更欲吸流霞。"（《同刘二十八院长述旧言怀感时书事奉寄澧州张员外使君五十二韵之作因其韵增至八十通赠二君子》）他的心中是充溢着理想光华的。他必定也有夸父逐日的雄心，所以他才在《行路难三首》中首写逐日的夸父，对夸父身后的处境加以想象，寄予深切的同情："须臾力尽道渴死，狐鼠蜂蚁争噬吞。北方逢人长九寸，开口抵掌更笑喧。"柳宗元怜人亦是自怜。"我歌诚自恸，非独为君悲。"（《哭连州凌员外司马》）多愁善感的诗人，无论他吟咏的对象是何人何物，他都会自觉或不自觉地把自己摆进去，那是诗人的天性使然。"草中狸鼠足为患，一夕十顾惊且伤。"（《笼鹰词》）曾经"云披雾裂虹蜺断，霹雳掣电捎平冈"，"爪牙吻血百鸟逝，独立四顾时激昂"的苍鹰，一旦炎风溽暑忽至，羽翼脱落，陷入笼中，它也惊夕不宁，狸鼠为患，一顾十伤了。

　　离开了柳宗元的身世遭际，孤立地看他的名诗《江雪》，"千山鸟飞绝，万径人踪灭。孤舟蓑笠翁，独钓寒江雪"，会觉得诗的主旨是写了一种逸世独立的孤傲姿态，类似于当下一些人一再自许的"孤独"。可是，联系到柳宗元一再遭贬远谪僻远的遭逢，才会感觉到诗中透出的那种彻骨的寒气，寂灭的凄清。当然了，"芳意不可传，丹心徒自渥"（《自衡阳移桂十余本植零陵所住精舍》），知音难求，也只好孤芳自赏，冰天雪地里保持那种独钓寒江的孤傲状态了。

　　天下之大，有几人能够设身处地去体察谪居僻地的柳宗元难言的苦心呢？"揽衣中夜起，感物涕盈襟。微霜众所践，谁念岁寒心。"（《感遇二首》）柳宗元不自哀自怜，又能如何？"君不思南山栋梁益稀少，爱材养育谁复论。""盛时一去贵反贱，桃笙葵扇安可当。"（《行路难三首》）由人而已，由物及人，柳宗元反复慨叹的，是他、是与他同类的人不幸的命运；这一切，在柳宗元这里是更为具体化了，具体化到了零陵的早春，早春的物候和感怀，"问春从此去，几日到秦原。凭寄还乡梦，殷勤入故园。"柳宗元的故园，不是他的出生之地河东，而是长安，他为之效力为之尽忠的王朝京都。他像先他而去了的李白、杜甫一样，长安始终是他们的午夜梦回之地。

远离了京都，远离了朝廷，先贬永州，再移柳州，"既罹窜逐，涉履蛮瘴。居闲益自刻苦，其埋厄感郁，一寓诸文，读者为之悲恻。"读柳宗元的诗文，心情总是压抑沉重的，难得舒畅轻快。柳宗元不是不能浪漫，他一时的浪漫飞扬，很快又被深重的凄苦寂冷掩抑了。他的七绝《过衡山见新花开却寄弟》，"故园名园久别离，今朝楚树发南枝。晴天归路好相逐，正是峰前回雁时。"难得的明快，写离别却无别苦。他的《登柳州城楼寄漳汀封连四州》，"城上高楼接大荒，海天愁思正茫茫。惊风乱飐芙蓉水，密雨斜侵薜荔墙。"虽然也愁思茫茫，是柳宗元固有的情怀，但到底走向了辽阔，又不失绵密，与"千山鸟飞绝"的孤寂相比，奏出了一种别调。他的《同刘二十八院长述旧言怀感时书事奉寄澧州张员外使君子五十二韵之作因其韵增至八十通赠二君子》，"秋原被兰叶，春渚涨桃花"，是多么绚烂明丽，虽然很快又被"贮愁听夜雨，隔泪数残葩"的愁苦掩过，但到底让我们看到了柳宗元的一时轻适。柳宗元最让人感到清新明快的诗句，自然是《渔翁》中"欸乃一声山水绿，回看天际下中流"了。此渔翁非彼渔翁，他不再是孤舟蓑笠独钓寒江雪的渔翁，而是撑一条小船，荡在绿波上的渔翁了。此情此景，是柳宗元难得一见的。

常常凄苦愁闷的柳宗元不得不自寻其乐，求得一时解脱，他的散文"永州八记"记下了他在山水间寻得暂时舒快的游历，他的诗也写了他种树养花的片刻闲适，《茅檐下始栽竹》《种仙灵毗》《种术》《种白蘘》《新植海石榴》等，就是这类诗作。柳宗元的莳花植草，不是闲散人的闲情逸致，而是烦闷人的消愁解闷。看他的《戏题阶前芍药》"愿致溱洧赠，悠悠南国人"，好像他悠闲自在了，可是《始见白发题所植海石榴》，"几年封植爱芳丛，韶艳朱颜竟不同。从此休论上春事，看成古木对衰翁"，又是无边无际的忧郁了。心情郁闷，未老先衰，柳宗元渴望"但愿得美酒，朋友常共斟"（《觉衰》），"永遁刀笔吏，宁期簿书曹""四友反田亩，释志东皋耕"（《游南亭夜还叙志七十韵》），柳宗元凄苦中也思归隐林泉了。可是这一切还要取决于皇家的意志，柳宗元自己是做不了主的，他还要寄希望于"皇恩浩荡"，遇赦放归，所以他殷切期盼着："皇恩若许归田去，晚岁当为邻舍翁。"（《重别梦得》）

柳宗元希望皇恩降下归田而去与之比邻而居度过晚年的，是他的好友刘禹锡梦得。刘禹锡与柳宗元一同参与了王叔文改革，王叔文事败，两人一起坐贬远谪。柳宗元先贬永州，元和十年，移柳州，而刘禹锡贬播州，更为僻远。柳宗元因播州非人所居，而刘禹锡老母年迈，即上奏请求以柳州让刘禹锡，自己去播州。大臣们也有为刘禹锡请求的，才改为刘禹锡贬连州。柳宗元对朋友的深挚情谊，千年以后，益发令人感动感慨了。当今社会，世情浇漓，古人的那种情谊，难见了。

远谪僻远的柳宗元并没有在那里只是愁苦郁闷，一味沮丧下去，他更不会消沉到不思理政。他在永州、柳州期间，多施惠政。他为人为政为诗为文，都堪称楷模。他移为柳州刺史时，江岭间为进士者，奔走数千里，从之游。他逝后，百姓追慕，立祠享祀。一介文人，能够如此，实实不易了。柳宗元去世时，年仅四十七岁，正当盛年。柳宗元如果不是那么凄苦，该不会这样早逝吧。他在《溪居》诗中写道："久为簪组累，幸此南夷谪"，"来往不逢人，长歌楚天碧"，柳宗元是苦中作乐，长歌当哭了。他像前辈诗人屈原一样，在一碧万里的楚天之下，长歌苦吟。屈原作《天问》追问茫茫宇宙，柳宗元作《天对》遥相应答，痛苦的灵魂于九天之上相会。遥隔千年，天下却原来还是同样面目的天下。

2014 年 8 月 31 日

未得到公认的"诗豪"

在《谒柱山会禅师》诗中，刘禹锡自述"我本山东人，平生多感慨"，他说的当是事实。他跟柳宗元等人参与"王叔文改革"，事败遭贬，他的感慨便更多了一些个人遭际的苍凉，不是那种不着痛痒的无病呻吟了。有一些为诗者自作多情，没有多少来由地咏物抒怀，物是寻常之物，怀也是一般心怀，诗自然也就连篇套话俗话，没有什么新意，纯粹是作诗自娱了。此类为诗者，自古至今都不乏其人。

刘禹锡作诗是真正有感而发的。他曾跟元稹等人在白居易那里，论南朝兴废，各赋金陵怀古诗抒怀。刘禹锡满斟一杯，饮罢诗成，这便是"王濬楼船下益州，金陵王气黯然收。千寻铁锁沉江底，一片降幡出石头"那首律诗了。白居易阅诗道："四人探骊龙，子先获珠，所余鳞爪何用耶！"于是罢唱。

刘禹锡的感慨好多都是关乎盛衰兴废的。他的《马嵬行》，"路边杨贵人，坟高三四尺""军家诛戚族，天子舍妖姬"，抒写过去了不远的本朝历史，他的态度是鲜明的，并不讳言李唐皇家的荒唐败国。他不是那种没有灵魂的御用文人，前代皇帝的劣迹本已有目共睹，天下共诛之了，还要摇唇鼓舌，大献谀诗，大唱颂歌。他的《平蔡州三首》，"忽听元和十二载，重见天宝承平时"，写宪宗朝李愬雪夜入蔡州平叛，看似颂扬，实寓贬责；天宝年间，不也是爆发了"安史之乱"吗？又哪里来的什么承平呢？如果刘禹锡真的是那种没心没肺的诗人，他怎么还会写出"千寻铁锁沉江底"那样的诗句呢？《踏歌词四首》中"为是襄王故宫地,至今犹至细腰多"的感慨也不会生发,《韩信庙》"遂令后代登坛者,每一寻思怕立功"的锥心之痛也不会有了。

参与王叔文改革时,王叔文极为赞赏刘禹锡的才能,曾经称其"有宰相器"。王叔文改革失败,刘禹锡与柳宗元等人一起坐贬。刘禹锡"时久落魄,郁郁不自抑,其吐辞多讽托远,意感权臣,而憾不释"(《唐才子传》)。虽然如此,刘禹锡作诗,却不像柳宗元那般凄苦。他与白居易友善,与白居易唱和酬答的诗甚多。"莫道桑榆晚,为霞尚满天。"(《酬乐天咏老见示》)这是老年诗人的互相慰勉,一出却成名句,具有了普遍性意义,是生命的不屈了。"燕子双飞故官道,春城三百七十桥。"(《乐天寄忆旧游因作报白君以答》)江南春色满眼,不得志的诗人有了一时的轻松,他把兴亡之慨失意情怀暂时放开了。"君酒何时熟,相携入醉乡。"(《闲坐忆乐天以诗问酒熟未》)命运多舛的诗人难得如此闲适,好友相聚,哪怕再触动起满腹心事,以酒浇愁也好。在唐代以至于后代诗人中,像刘禹锡和白居易之间这样唱和之频的诗人并不多。《酬乐天闲卧见寄》《酬乐天小亭寒夜有怀》《秋中暑退赠乐天》《酬乐天感秋凉见寄》《秋晚新晴夜月如练有怀乐天》《新秋对月寄乐天》《酬乐天小台晚坐见忆》《早秋雨后寄乐天》《秋晚病中乐天以诗见问力疾奉酬》《和乐天烧药不成命酒独醉》《元日乐天见过因举酒为贺》……把刘禹锡与白居易酬唱的诗题一一列下来,也是长长的一串。诗人中,有这样的知己至交,在刘在白,都是一种难得的幸福,而今罕有了。白居易确是刘禹锡的知音,他曾推崇刘禹锡为"诗豪",说"刘君诗在处,有神物护持"(《唐才子传》)。

尽管有白居易这样的大诗人作知己好友,酬唱应答,刘禹锡仍然有知音难求之叹。"裴生久在风尘里,气劲言高少知己。""人言策中说何事,掉头不答看飞鸿。"(《送裴处士应制举诗》)言裴又何尝不是自况。在诗的小引中,刘禹锡称晋人裴昌禹"性是古敢言,虽侯王不能卑下,故与世相参差"。气高敢言,不卑于侯王,总是难为世容的。你若是言有高论,关系到治世用世,"侯王"们更要掉头不顾而看飞鸿了。

刘禹锡"有宰相器",而参与王叔文改革,他必定会有一些说言直论,切中时弊,匡世有利吧,他不被用,也是必然的。他在《洛中寺北楼见贺监草书题诗》中崇敬前辈诗人贺知章,慨叹"偶因独见空惊月,恨不同时便服膺",也是他知音难求之叹了。可是,即便他与贺知章同代,得到了贺的赞赏、推举又能怎么样呢? 李白得到了贺知章"谪仙"的赞举,得到过供奉翰林的一时荣耀,到头来还不是照样恓惶悲凉?"势轧枝偏根已危,高情一见与扶持。"(《庭庭偃松诗》)刘禹锡希望能有高情之人,见危难而伸出援手,好心扶持,他也只能够借物喻人,吟咏一回罢了。他在此诗的序中说侍中后阁小松"不待年而偃",虽有"丞相晋公为赋诗,美其犹龙蛇,然植于高檐乔木间,上嵌旁轧,盘蹙倾亚,似不得天和者。公以遂物性为意,乃加怜焉,命畚土以壮其趾,使无敧,索绹以牵其干,使不仆。舆潄之余以润之,顾盼之晖以照之,发于仁心,感召和气,无复夭阏,坐能敷舒。"这就把诗人的用意说得更明白更直接了,刘禹锡是以遂物性为宗旨的。遂物性,发仁心,古往今来,诗人智者多所呼唤,可惜伐性之斤斧比诗哲的呼唤来得更无情,更残酷,那似乎是不可抵御的。

有遂物性叹知音的情怀,刘禹锡的不平之气自然也是强烈的,他的一些诗句绝不可简单地看作是发发牢骚。他的《元和十一年自朗州召至京戏赠看花诸君子》,"玄都观里桃千树,尽是刘郎去后栽",是贬连州刺史,在道又贬朗州司马,居十年召还后所作。诗句含涉讥忿,执政不悦,又贬播州。柳宗元以为播州僻远,非人所居,刘禹锡有高堂老母,愿以自己所贬柳州与刘禹锡调换;大臣们以至于宰相裴度也为刘禹锡求情,刘禹锡才改为贬连州。距前诗十四年后,刘禹锡复为主客郎中,再游玄都观,观内"荡然无复一树,唯兔葵燕麦,动摇于春风耳",

这真是人非而物亦非了。刘禹锡赋诗《再游玄都观》记慨:"种桃道士归何处,前度刘郎今又来。"权近闻者,更为鄙薄之。刘禹锡是万劫不复了。良知不泯的诗人,他是不会屈从于权要,专门献上谀诗颂词的。他纵然在诗中偶尔挟带了一己私愤,他触及的总是普遍性痼疾,朝向终极真理。玄都观里的桃树,记下的难道不是政要更替世情人性吗?

刘禹锡与柳宗元一同参与王叔文改革,一起坐贬,柳宗元还曾经行大义要与刘禹锡调换贬地,刘禹锡与柳宗元唱和的诗却极少,远远无法与白居易相比。大概,柳宗元的凄苦难以与刘禹锡较为达观的性格唱和吧。刘禹锡与柳宗元相关的诗,有几首都是写在柳宗元逝后的,《重至衡阳伤柳仪曹》,是一首吊亡诗。刘禹锡在小引中写道:"元和乙未岁,与柳子厚临湘水为别,柳浮舟适柳州,余登陆赴连州。后五年,余从故道出桂岭,至前别处,而君没入南中,故赋诗以投吊。"不读诗,只读小引,便伤怀满纸,不胜今昔了。读过这首诗,再读柳宗元在世时刘禹锡写的《再授连州至衡阳酬柳柳州赠别》,"归目并随回雁尽,愁肠正遇断猿时",时光仿佛倒流回去了,哀猿长啼,回雁目尽,愁肠无限,别意绵绵,刘禹锡不是那个与白居易酬唱的刘禹锡了,他少了闲适,多了哀愁。他的"长安陌上无穷树,唯有垂杨管别离"(《杨柳枝词九首》),不是无源之水无本之木,不是没有来由的空话了。

像他的好朋友白居易会因歌女舞姬引发情怀一样,刘禹锡也写过《泰娘歌》这样的诗。"舞学惊鸿水榭春,歌传上客兰堂暮。""低鬟缓视抱明月,纤指破拨生胡风。"华赡浏亮的诗句,让人想起白居易的《琵琶行》,但总体看却不如白居易的那首名诗。虽然诗中也有"山城少人江水碧,断雁哀猿风雨久""如何将此千行泪,更洒湘江斑竹枝"的断肠哀怨,然而总不能与"座中泣下谁为多,江州司马青衫湿"相比,是刘禹锡没有把自己的身世遭逢摆进去吗?其实,我们已经知道刘禹锡是长于把自身的感慨叹惋与兴亡盛衰之感联系起来的,他本是主观性极强的诗人。

太客观冷静的人大概是做不了诗人的。刘禹锡的《鹤叹二首》，"徐引竹间步，远含云外情"，显然是借鹤喻人，叹鹤亦即叹人了。《蜀先主庙》"凄凉蜀故妓，来舞魏宫前"，《乌衣巷》"旧时王谢堂前燕，飞入寻常百姓家"，物是人非、兴亡盛衰之叹溢于言表，谁都不会把它们当作寻常的叙事写景之作来读的。《乌衣巷》与《石头城》是刘禹锡的七绝名篇，众多绝句选本都会选入，选家的眼光往往是很敏锐的。《石头城》，"山围故国周遭在，潮打空城寂寞回。淮水东边旧时月，夜深还过女墙来。"故国夜潮，空城旧月，无限沧桑，岂一个寂寞能够了得。

刘禹锡绝不是单色调的诗人，刘禹锡的丰富性远在同代诸多诗人之上。他没有柳宗元那么多散文名篇，也不像柳宗元那样参与过唐代古文运动，他的文学史地位自不如柳宗元高。但是单单论诗，不仅数量上他远远地超过了柳宗元，他的诗篇的色彩也较柳宗元远为斑斓多彩，蓊郁葱翠。只是他与白乐天、令狐相公等人唱和应酬的诗太多，影响了他的整体浓度和分量。在他长篇累牍的唱和之后，读到《哭庞京兆》中"今朝穗帐哭君处，前日见铺歌舞筵"这样的诗句，心头便会为之一颤，那种生死契阔、人情冷暖的抒发会深深把人打动的。"晴空一鹤排云上，便引诗情到碧霄"（《秋词二首》），也令人感发，刘禹锡昂扬乐观的一面如白鹤亮羽，陡然一振。

即便在唱和应答那种极易流于庸常俗套的诗中，刘禹锡也常常会有名篇佳句，为此类诗增色不少。"旧来词客多无位，金紫同游谁得知。"（《酬乐天见贴贺金紫之什》）就不是一般的吐露不平。"芳林新叶催陈叶，流水前波让后波。"（《乐天见示伤微之敦诗晦叔三君子皆有深分因成是诗以寄》）便有了生命流程的况味。"时来未觉权为崇，贵了方知退是荣。"（《和仆射牛相公寓言二首》）则是时世艰难的觉悟。"沉舟侧畔千帆过，病树前头万木春。"（《酬乐天扬州初逢席上见赠》）

此诗一出，即成警句，道出了世间万物的更替至理，坚定而又乐观，有理想的色彩在，气势雄壮，是大胸怀大手笔才能出来的诗句。刘禹锡当得起大诗人之称了，白居易称之为"诗豪"，不为过誉。

谪居偏远时，刘禹锡认为屈原居沅、湘间作《九歌》，使楚人以迎送神，遂步先贤遗踪，倚声作《竹枝词》，武陵人悉歌之。刘禹锡的竹枝词可看作唐代的新民歌，也是极好的绝句。"请君莫奏前朝曲，听唱新翻杨柳枝。"刘禹锡是有意改革，独创此格的。"花红易衰似郎意，水流无限似侬愁。""东边日出西边雨，道是无晴却有晴。"平易清新，却不流于直白浅露。当代新诗作者走向浅直和晦奥两端，当从刘禹锡的竹枝词中取得借鉴，看新诗到底该如何发展，才会走向成熟。

刘禹锡的《浪淘沙九首》，"美人首饰侯王印，尽是沙中浪底来""千淘万漉虽辛苦，吹尽狂沙始到金"，仍然是他作竹枝词的流韵余响，看似寻常得来，却正如淘金一般，是吹尽狂沙的结果。他倚吴声，作《三阁词四首》，"贵人三阁上，日晏未梳头。不应有恨事，娇甚却成愁。"描摹少妇情态，是细致入微的体察，委婉有致；大诗人写小诗，游刃有余，愈显出了几分从容优雅。"诗豪"令人想到了"诗仙"，把李白的一些此类小诗想起来了。刘禹锡的七言歌行、七言绝句确有李白之风。他的《九华山歌》《平齐行二首》《伤秦姝行》等诗也是豪气满纸的。"奇峰一见惊魂魄，意想洪炉始开辟"（《九华山歌》），"青门大道属东尘，共待葳蕤翠华举"（《平齐行二首》），不是有李白遗韵吗？只是刘禹锡未生于盛唐，盛唐的诗歌气象已经远去了。中晚唐的诗歌像这个朝代的政体国体一样，复兴很难了。刘禹锡生得晚了，他自叹不能与贺知章同代，是因为没有被贺知章像发现"诗仙"那样发现他吗？白居易称其为"诗豪"，终未得到普遍共认，在刘在白，都是遗憾。

2014 年 9 月 7 日

心忧天下

崔护在《全唐诗》中只存诗六首,却有一首传诵下来的七言绝句《题都城南庄》:"去年今日此门中,人面桃花相映红。人面不知何处在,桃花依旧笑春风。"诗流畅明丽,过目可诵,也不费解,明白如话,却是好诗。看来,好诗并不需要晦奥难解,故作高深。

这首绝句缘于一段故事。崔护曾举进士不第,心情自然不好,清明独游都城南,近村居,见花木丛萃。崔护上前叩门久之,有女子由门缝问话。崔护答道,寻春独行,酒渴求饮。女人打开门,以盂盛水而来,独自倚着小桃树枝伫立,而属意殊厚。崔饮水辞别,女子送到门口,好像不胜其情的样子,返入门去,再就绝不回转了。等到来年清明,崔护径自去寻,门庭如故,而门紧锁,于是崔护将此诗题于左扇门上。又过了几天,崔护再往寻之,有老父出来道,我的女儿笄年,知书,尚未许配于人。自去年以来,常常恍惚若有所失,天天出去。那天回来,见左边门上有字,读后进门就病倒了,绝食数日而死。题诗者莫不是您吗?您杀了我的女儿啊!于是,老父抱住崔护大哭。崔护极感而恸,请求进家看看。进家后,见那女子端庄齐整地躺在床上。于是,崔护抬起她的头来,让她枕着自己的腿,哭着念叨着说,我在这里,我在这里。过了一会儿,女子睁开眼睛复活了。老父大喜,于是把女儿许配于崔护。

这个故事,《太平广记》《唐诗纪事》《唐才子传》都有记载。《唐诗纪事》和《唐才子传》都只记到题诗,而无后边的故事,也许那是真正的纪实。然《太平广记》又增添了女子阅诗而病殁,诗人复来而女子复生的故事，这大约是传说了。《太平广记》是宋人编的一部大书，编纂者是相信诗心可以感天动地，让人死而复生的。我们也真愿意这样相信，不忍以真实与否，毁掉那由诗而来的传说的美丽。

与诗相连的美丽传说，大都与女子相关。李翱在《全唐诗》中存诗七首。李翱任职潭州的时候，一次筵席上，有舞柘枝的女子，容颜忧郁憔悴。随李翱在潭州幕府做幕僚的诗人殷尧藩当筵赠诗曰："姑苏太守青娥女，流落长沙舞柘枝。满坐绣衣皆不识，可怜红脸泪双垂。"李翱询问缘故，原来舞柘枝的女子是已故姑苏台韦中丞爱姬所生。女子道，妾因兄弟夭折，委身于乐部，羞耻于辱没先人。言罢泪下哽咽，情不能堪。李翱闻听，为之吁叹，并且说，我是韦族老姻亲。于是，急命更换女子的舞服，饰以袿襦，引她与吏部之子韩夫人相见。看她言语清楚，宛然有冠盖风仪，便于宾座中选士而嫁之。侍郎舒之舆听说了此事，由京都写诗传来，曰："湘江舞罢忽成悲，便脱蛮靴出绛帏。谁是蔡邕琴酒客？魏公怀旧嫁文姬。"这是借曹操出于对故人蔡邕的怜惜与怀念，遣使者以金璧将蔡文姬由匈奴赎回，重嫁与陈留人董祀的典故，来喻李翱的义举了。

这个与诗与女子相关的故事，可以令人想到许多。其中最紧要的一点是，这里没有僛薄与轻佻，有的只是对女子的尊重与怜恤。女子是柔弱的，也是美丽的，怜惜女子，就是怜爱美丽，悯恤柔弱，那是文明和优雅的表现，有诗记之，更值得怀恋。那种优雅而今远去了，只剩下舞女侑酒一端，取欢作乐了。华堂之上，歌厅之内，都是这样。

李翱有《赠药山高僧惟俨二首》，是好绝句，其中之一道："选得幽居惬野情，终年无送亦无迎。有时直上孤峰顶，月下披云啸一声。"诗写幽居，可是末句直上孤峰，披云长啸，一声追月，却清凌无限，有激越之情在。看来李翱也当是不羁之人。他的《拜禹歌》道："惟天地之无穷兮，哀生人之常勤。往者吾弗及兮，来者吾弗闻。已而，已而。"自是陈子昂《登幽州台歌》的翻版。"已而,已而"之叹,比陈子昂的"独怆然而涕下",更多了些无可奈何之感。李翱所处的中唐,李唐王朝已经过去了开国时的勃勃生气,走下坡路了。诗人的情绪,不能不受一朝气象的影响。大唐气象,无可奈何地去了。

工部郎中皇甫湜的儿子皇甫松,与他的父亲在文学上齐名。他科场失意,应进士屡试不第,后期便隐居不出了,自称"檀栾子"。死后唐昭宗才追赠其为进士。皇甫松的父亲皇甫湜和李翱都是韩愈的学生,与韩愈处于师友之间。李翱发展了韩文平易的一面,皇甫湜则走向了奇崛。皇甫松跟他的父亲有异,他的诗不走向险奇,却取道寻常,而于寻常中道尽沧桑。《浪淘沙二首》,"宿鹭眠洲非旧浦,去年沙嘴是江心",极其平常的眼前景物,平平道来,却有无限沧桑寓于其中。他的七言绝句《采莲子二首》都是好诗,潋滟水波,莲子少妇,情景宛然,明丽可诵。"菡萏香连十顷陂,小姑贪戏采莲迟。晚来弄水船头湿,更脱红裙裹鸭儿。"小女子情态可掬,写来似毫不费力,是"清水出芙蓉"的韵致。"船动湖光潋滟秋,贪看年少信船流。无端隔水抛莲子,遥被人知半日羞。"是小女子情窦初开的情状了。不似调情,却是调情,因为有几分天真在,有几分羞涩在,便不会让人觉得轻佻了。写女子,一落轻佻,便露出了作者的佻薄相,为诗为文者不可不慎的。

因参与王叔文改革而坐贬的官员,有八个人被贬为偏远之州的司马,诗人柳宗元、刘禹锡是其中最著名的。吕温因与王叔文友善,曾升迁为左拾遗,以侍御史身份出使吐蕃。参与王叔文改革的人,皆因事败而贬,唯独吕温得免此难。不过,他后来得罪了宰相李吉甫,也贬均州刺史,再贬道州,又徙衡州,卒于衡州任上,死年仅四十岁。《唐诗纪事》与《全唐诗》小传简介稍稍有异,称吕温"坐王叔文,贬道州,改衡州"。看来,吕温遭贬,直接原因是得罪了宰相李吉甫,间接原因,还是与交善王叔文有关。宰相的肚子里,并不就是能撑开船的,小肚鸡肠的宰相也大有人在。

吕温的内心里自有苦楚和哀伤。他的《和恭听晓笼中山鹊》,"惊晓一闻处,伤春千里心",不是心有大哀伤,不会如此惊晓伤春,山鹊一啼,千里悲情。进士及第,本是万千举子跃登龙门梦寐以求的大喜事,吕温《及第后答潼关主人》,却郁郁不解,道出了这样的心曲:"一沾太常第,十过潼关门。志力且虚弃,功名谁复论。"这是想起了寒窗苦读的十年酸辛吧。好像付出与获得相较,不能相抵了,功名利禄与所付出的心力相比,值不得提起了。

即便进士及第,做了官又怎么样呢?吕温以侍御史出使吐蕃,也并没有作为大唐王朝"全权代表"的荣耀和快乐,他倒悒郁成病,思家思归了。"清时令节千宫会,绝域穷山一病夫。遥想满堂欢笑处,几人缘我向西隅。"在他想来,京都故国,没有人会为他的病倒番邦,而西向惦念,人家只是在华堂欢笑。这里有几分委屈,有几分自怜,还不能跟爱国不爱国的硬扯上去。有辛酸,有委屈,写写诗,真切地抒发一下,总是可以理解的。倒是那些故作的"爱国"姿态,说一些不着边际不动情感的大话,相形之下,益发显得可憎可厌了。诗,诗人,切不可故作姿态,面目可憎。

吕温可不是只有自怜自伤,他也有自矜,有自勉。他《道州城北楼观李花》而生自矜,"岂是花感人,自怜抱孤节。"这里的"自怜",有"孤节"作底子,引起的便不是哀伤,而有几分孤傲了。他《道州北池放鹅》,"能自远飞去,无念稻粱为",勉鹅自然是勉己。可惜他并不能就此远飞。这是他在道州贬所任上,他"官身不自由",还不能想做什么就做什么,他不念"稻粱为",还要念"朝廷为",无奈之下,只能曲折地表达一下他的艳羡之情罢了。

吕温是绝不甘心的。"但令毛羽在,何处不翻飞。"(《赋得失群鹅》)他是在坚定自己的信念,勉励自己了。心有不平的诗人真是矛盾重重,他要抒发不平,还要安慰自己平静下来。在道州任上,任职干政,吕温就难保自己的心能平静下来了。他不仅不能自保,朋友到他处去,他也要殷殷叮嘱。《宗礼欲往桂州苦雨因以戏赠》,"农人辛苦绿苗齐,正爱梅天水满堤。知汝使车行意速,但令骢马著鄣泥。"题为戏赠,其实是极为认真的。农人种田,与达官贵人乘车骑马,对雨天的心情决然不同,农人喜雨,亟盼苗齐,官宦意速,厌嫌雨水泥泞,只会挂牵着马鞍下著好马鞯(鄣泥)遮挡。吕温的戏赠,实际切中的是极为严肃的主题。有的官员任职,好施酷政,江华毛令"好书破百姓布绢头及妄行杖",吕温《道州将赴衡州酬别江华毛令》,便叮嘱毛令:"明朝别后无他嘱,虽是蒲鞭也莫施。"以蒲草为鞭施刑,只是示辱,即便如此,也不要施行。吕温是主张仁政的。

对于吕温的评价,《唐才子传》与《唐诗纪事》有异。《唐才子传》称吕温"性险躁,谲怪而好利"。《唐诗纪事》引柳宗元为吕温所作诔文,称颂吕温之德行:"君由道州以陟为衡州,君之卒,二州之人哭者逾月。湖南人重社饮酒,是月上戌,不酒去乐,会哭于神所而归。"两者评价,是如此大相径庭。柳宗元分析其原因:"君之志与能,不施于生人,知之者又不过十人;世徒读君之文章,歌君之理行,不知二者之于君其末也。"这是说知吕温志与能者少,而读吕温诗文者多,而诗文在吕温,并不为根本。不过,吕温为官一任,还是以所施仁政,而感动了当地民人吧;否则,他逝后二州之人就不会那般悲痛了。《唐才子传》说的是吕温的性格,他大概生性有些古怪,难于为不熟悉不理解的人所接受。其实,这并不能作为他当一任好官广施仁政的障碍。有的人看上去面目温蔼,见了人就会露出笑脸,声音平和地说话,可是,他恰恰内心阴毒,是小人披上了君子的外衣。当一个小官,只管七八个人,也会苛待下属,阴阴地摆出他那官样子来。为此,孔子的话倒应该记取了,"巧言令色,鲜矣仁。"

吕温是爱书爱文的人。他在《道州酬送何山人之客州》中道："匣有青萍笥有书，何门不可曳长裾。"在《衡州送李十一兵曹赴浙东》中曰："文字久已废，循良非所在。"在《同恭夏日题寻真观李宽中秀才书院》中题写："愿君此地攻文字，如炼仙家九转丹。"都表现了吕温对书翰文墨的崇尚，那是他为官施仁的基础。一个不尚文的官吏或政府，以粗俗野蛮为荣，是不可能广施仁政的。因为推崇书文，吕温在寻真观李宽中秀才书院的感受便轩朗葱茏了："闭院开轩笑语兰，江山并入一壶宽。"书是会开拓胸怀的，而且也会使人持重起来。"欲问含彩意，恐惊轻薄儿。"(《衡州岁前游合江亭见山樱蕊未折因赋含彩含惊春》)吕温要说的自然不只是未折的山樱蕊，而别有他托。

　　生当中唐，眼见得唐王朝国势衰落，藩镇割据，虽有"元和中兴"，大唐气象也一去难再了。吕温的江山社稷之忧兴废盛衰之感也是很强烈的。"谁将一女轻天下，欲换刘郎鼎峙心。"(《刘郎浦口号》)长江北岸，刘备屯兵纳婚的浦口触动吕温的江山情怀，从而口号成诗，可见吕温也是性情中人，那诗心诗情是一触即发的。漫漫冬夜，风吹雪飘，月照冰文，吕温"百忧攒心起复卧，夜长耿耿不可过"，他辗转不眠，忧肠百转，思虑的定然不只是个人身家，而是更为广大的世界，否则，他那读书爱文，写诗抒怀，便没有了意义。

　　人类世界自从有了诗文，还没有哪一个只惦念一己忧患的人，会成为真正的诗人。是诗人，就会心忧天下。吕温有《偶然作》诗云："悽悽复汲汲，忽觉年四十。今朝满衣泪，不是伤春泣。"又道："中夜兀然坐，无言空涕洟。丈夫志气事，儿女安得知。"那满腹愁肠，都应作是解。《唐才子传》说吕温"性险躁，谲怪而好利"，大可怀疑了了；至少，不应该简单地理解。

2014 年 9 月 9 日

游子的心怀

　　孟郊的名字是跟《游子吟》连在一起的。"慈母手中线,游子身上衣,临行密密缝,意恐迟迟归。谁言寸草心,报得三春晖。"写母恩写母爱,自古至今,没有哪一首诗会比孟郊的这一首再深入人心了。做儿子的,无论他是否远游,走向远方,还有谁不能张口吟诵出这首诗呢?因为这首诗,我们便对孟郊怀了永久的感激,他把我们想说而未说出的话以极其质朴极其细致的方式传达了。对于母亲的怀恩,是不需要放大了声音"啊呀"呼叫的;母亲对于我们,又何尝不是最实在最细腻的呵护呢? 母亲也不会夸张表达的。

　　一首《游子吟》,为孟郊诗打上了独有的印记,写游子,写远游,写游子思归,似乎成了孟郊的专利。"南山风雪在,游子衣裳单。"(《商州客舍》)"慈鸟不远飞,孝子念先归。"(《远游》)"后路起夜色,前山闻虎声。此时游子心,百尺风中旌。"(《京山行》)"杵声不为衣,欲令游子归。"(《闻砧》)游子的心怀,游子的孤苦,密集地汇于孟郊的诗中。在孟郊的笔下,游子的心总是在敏感地抖动着,闻砧声而颤抖,见飞鸟而颤抖,迎飘雪而颤抖,夜色中听见虎吼虎啸,便更加摇颤不止,有如风中的旌角,不得平静了。孟郊的诗心无疑正是一颗游子之心,他是诗人中的游子,孤独远游,把他怀恩思归的心曲丝丝缕缕记录下来,代代相传。

　　游子诗为孟郊诗定下了孤苦的基调,不写游子,他也轻松不起来,快乐不起来,孟郊是一位皱着眉头的诗人,苦苦吟唱。"万物皆及时，独余不觉春。"(《长安羁旅行》)春光明媚，万物萌发，欣欣向荣，别的诗人会春兴大发，咏春颂春，在孟郊那里，引起的却是加倍的凄苦，春风骀荡，唯独吹不进孟郊苦寒的心里。"弃置今日悲，即是昨日欢。"(《古薄命妾》)不幸遭弃的薄命女子，又何尝不是孟郊的自况呢？其实他连弃妇都不如，弃妇今日之悲，恰是昨日之欢；而孟郊连昨日之欢都没有，他什么时候有过欢乐呢？"承颜自俯仰，有泪不敢流。"(《卧病》)病中卧床的孟郊，竟不能让病苦随着眼泪流淌出去，只能把眼泪和着苦楚独自吞回肚子里；他是怕慈母知道了他病苦流泪而加倍伤情吗？在孟郊看来，气冲霄汉的壮士也并不像别人看上去只是体魄雄健，"壮士心是剑，为君射斗牛"固然是不错的，可是"智士日千虑，愚夫唯四愁"(《百忧》)，智慧的壮士也会心怀忧愁，"计尽山河画，意穷草木筹"，他们想到的更多，更会忧思满怀。

郁郁愁苦的孟郊是由母亲那里承继而来的性体吗？"临行密密缝，意恐迟迟归"的慈母手中线，系联的不只是孟郊一人之心，孟郊的凄苦显然还来自其他方面。他屡试不第，年五十才得进士，科场失意对他的心理影响必定很大。他有诗记载落第的心理创伤，而且连连抒写。"弃置复弃置，情如刀剑伤。"(《落第》)"两度长安陌，空将泪见花。"(《再下第》)"共照日月影，独为愁思人。"(《下第东归离别长安知己》)"自念西上身，忽随东归风。"(《失意归吴因寄东台刘复侍御》)"江篱伴我泣，海月投人惊。""时闻丧侣猿，一叫千愁并。"(《下第东南行》)万千举子，争跃龙门，跳不过去的每一科都不在少数，落第失意的心情大家都会有的，可是像孟郊这样耿耿于怀念念不忘难以丢下的却不多，至少，他们没有留下连篇累牍的诗篇记写。等到一旦跃登龙门，孟郊的兴奋欣快也是溢于言表，无与伦比："春风得意马蹄疾，一日看尽长安花。"(《登科后》)孟郊的七言诗极少，少而又少的七言诗中有这样节奏畅快的诗句，抒发他进士及第的快乐得意，哪怕其中有几分轻狂,想到他曾经那般凄苦失落,也可以给予理解了。

是孟郊的个性形成了他的诗风,也令他际遇窘困,少有知音吧。他本湖州武康人,"少隐嵩山,性介,少谐合"。所幸韩愈与他一见即为忘年交,诗文中屡加称赏,予以荐举。《唐诗纪事》为之而议曰:"凡贤人奇士,皆自有所负,不苟合于世,是以虽见之,难得而知也。见而不能知其贤,如勿见而已矣。知其贤而不能用,如勿知其贤而已矣。用而不能尽其才,如勿用而已矣。尽其才而容谗人之所间者,如勿尽其才而已矣。"知贤知才任贤用才的道理讲得如此透彻,可惜天下之才还是不能尽其所用,尤其是那些大才奇才,耿介人士。

孟郊又何尝不懂得其中道理呢?他只是不愿意扭曲自己的个性,顺从世俗。他在《隐士》中便表达了他遵从个性的观念:"草木择地生,禽鸟顺性飞。"草木禽鸟都要尊重自己的个性,何况为万物之灵长的人呢?孟郊年五十及第,调溧阳尉。溧阳有投金濑、平陵城,林薄翳翳,下有积水。孟郊常去坐到水旁,饮酒抚琴,徘徊赋诗终日,而曹务多废。他这样为官,自然不会得上峰满意;孟郊是用这样的方式表达他怀才不遇的不满吧。"春风得意马蹄疾",进士及第,随之而来的却不是预想中的高官厚禄光宗耀祖,一个县尉小官,对孟郊来说,是有些屈才了。

孟郊不能不心怀不平。"家家朱门开,得得不可入。"(《长安道》)"如何织纨素,自著蓝缕衣。"(《织妇辞》)"乃知田家春,不入五侯宅。"(《长安早春》)"无火炙地眠,半夜皆立号。"(《寒地百姓吟》)"出门即有碍,谁言天地宽。"(《赠别崔纯亮》)"志士不得老,多为直气伤。"(《哭李观》)"饿虎不食子,人无骨肉亲。"(《吊比干墓》)"恶诗皆得官,好诗空抱山。""好诗更相嫉,剑戟生牙关。"(《懊恼》)孟郊的不平关涉着方方面面,实在不只是一己牵念。"三年失意归,四向相识疏。"(《北郭贫居》)好像又是他的个人心境了;可是"下有千朱门,何门荐孤士"

159

（《长安旅情》），又不仅仅是他的自哀自怜，而走向了广大和普遍。天下之大，朱门千户，又有哪一座朱门会荐举孤苦之士呢？读着孟郊的这些思苦奇涩的诗句，令人不能不随着他愁苦悲观起来。我们心头郁积的不只是不平，也有愤懑了。

现实遭际的失意，往往会让人怀念往古。虽然孟郊有韩愈那样的知己称赏荐举，欣赏他的还有李翱、李观等人。李翱称孟郊曰："平昌孟郊，贞士也。"李观赞孟郊道："郊之五言诗，其有高处，在古无上；其有平处，下顾两谢。"孟郊还是不满于当下，而频频回首，生出如许人心不古之叹。他在《伤时》诗中道："古人结交而重义，今人结交而重利。"他大概忘记了，古人中，也有重利轻义之徒，今人中也有重义而轻利的，君子与小人之辨，是自古至今乃至未来，都将存在的。此中的悖论恰恰在于，二十一世纪的人视唐代为古，唐代的孟郊却有他心目中的古；到底古到哪里，才是值得我们怀念的古呢？是孔子的时代吗？可是那时候也已经礼崩乐坏，人心不古了，孔子终其一生要努力恢复的也是失去的古礼。看来，人心不古之叹，就要这样一代又一代长叹下去了。有一个事实当令我们警醒，二十一世纪的人心是更加坏透了。至少，在产生了孔子、屈原、李白、杜甫，在产生了儒学、楚辞、唐诗的这块土地上，如今的人是什么害人的坏事都能做出来了，只要他能够获利；所以，孟郊"古人形似兽，皆有大圣德。今人表似人，兽心安可测"（《择友》）的诗句，好像就指向今天。他在《审交》中的君子与小人之辨仍然值得今人记取："君子芳桂性，春荣冬更繁。小人槿花心，朝在夕不存。"识人要准，交友要慎。危险在于小人往往会披上君子的外衣，这就要严格审慎地透过那君子的外衣，看透他的小人之心，切不可被他装来的笑脸所迷惑，更不能被他装出来的温和话语乱了方寸。"巧言令色，鲜矣仁。"孔子的话是亘古不变的真理。

像孟郊这样性情耿介的人，他于孤苦中静观默察，他怎么会看不透小人的嘴脸呢?哪怕他一时会上当,有一天他终究会幡然猛醒,疾恶如仇。想让孟郊这样的人宽恕小人,是不大可能的;可是,他却最懂得怀恩感恩,否则,他就决然写不出《游子吟》那样的诗。"人生穷达感知己,明日投君申片言。"(《往河阳宿峡陵寄李侍御》)对慈母"谁言寸草心,报得三春晖"的孟郊,对知己也会投言感激,以心相报。

只看孟郊那些孤苦不平的诗,觉得孟郊会是极难相处的一个人,读了他感报知己的诗,便觉得孟郊的心底是极其温软的,他是懂得感恩的好儿子,也是懂得报恩的好朋友,他还是懂得慈爱的好父亲。看看孟郊悼念早殇幼子的诗吧,那真是字字血泪,从心尖上滴落下来的。"负我十年恩,欠尔千行泪。"(《悼幼子》)幼子夭亡,孟郊的悲痛是椎心泣血的。他作《杏殇》九首,杏殇实为子殇,他在诗的小序中写得很明确:"杏殇,花乳也。霜翦而落,因悲昔婴,故作是诗。"在孟郊眼中,"零落小花乳,斓斑昔婴衣",花乳触目,婴衣伤情,孟郊的心亦如零落花乳,碎落满地。"儿生月不明,儿死月始光。儿月两相夺,儿命果不长。如何此英英,亦为吊苍苍。甘为堕地尘,不为末世芳。"月光明暗,落英堕地,在孟郊看来,都与小儿的生命相关。落英在地,孟郊竟不忍举步了:"踏地恐土痛,损彼芳树根。"很少读到如此痛彻心扉悼念亡子的诗。它实在可与孟郊写慈母的诗相并列;只是我们不愿意像吟诵"慈母手中线"那样诵念"踏地恐土痛",它实在令人的心痛极了。

孟郊太不幸了,他那些苦愁之极的诗益发变得让人能够理解了。他连连落第,仕途不顺,又有幼子夭亡,你让他怎么能写出欢快的诗来呢?"愁人独有夜灯见,一纸乡书泪滴穿。"(《闻夜啼赠刘正元》)愁绪满怀,泪滴书穿,才是正常的孟郊;欢天喜地,不痛不痒,倒不是孟郊了。孟郊由他的心怀出发写游侠,也写出了与别人笔下迥然不同的游侠。"杀人不回头,轻生如暂别",别人笔下的游侠也是这个样子的;"岂知眼有泪,肯白头上发"(《游侠行》),这就是孟郊的游侠了。游侠眼中的泪,不正是孟郊眼中的泪吗? 尽管孟郊也会像游侠一样,仗剑而行,他到底是游子心肠,而不是屠夫心理,他不会专以杀人为乐的。尽管他心头也会有难消之恨,《泛黄河》而痛感"有恨不可洗,虚此来经过",尽管他也慨叹"人心既不类,天道亦反常。自杀与彼杀,未知何者臧"(《汴州离乱后忆韩愈李翱》),他还是没有成为职业杀手,为天道无常再增一个筹码,让人判断失衡,价值标准更加混乱。

天宝十年(751)孟郊出生的时候,四十岁的杜甫正在长安,向朝廷献《三大礼赋》,为进身铺下一阶。孟郊像他的前辈诗人一样,也渴望得到皇家赏识,步上仕途,建功立业。"未见天子面,不如双盲人。"孟郊把面见天子看得如此重要,似乎不像那个投金濑、平陵城傍水而坐饮酒抚琴赋诗终日的孟郊了;不过,就在这同一首《寄张籍》的诗中,孟郊也表现了独特的孤傲姿态:"天子咫尺不得见,不如闭眼且养真。"他并没有失去诗人的自尊,刻意趋走,卑躬屈膝。他比好多奔走皇门的诗人的气节高得多。

孟郊是看重气节的。"镜破不改光,兰死不改香。"(《赠别崔纯亮》)"破松见贞心,裂竹见直文。"(《崔从事郧以直隳职》)宁为玉碎,不为瓦全,孟郊秉持的是古代仁人君子的处世为人标准,尽管他为此也会心有戚戚,"常恐百虫秋,使我芳草歇"(《赠韩郎中愈》)。孟郊忧虑的不只是秋风肃杀,芳草凋零,时序递嬗,他也想到了生命的终极,垂垂老去。"无子抄文字,老吟多飘零。"(《老眼》)孟郊在为他的身后忧戚了。幼子夭亡,是他永远的痛,难以消解。他失去了生命的有形传递,要寄希望于诗文传世,可是无子抄写,吟诵飘零,纵然他"一卷冰雪文,避俗常自携"(《送豆卢策归别墅》),又能怎么样呢? 天下之大,俗世扰扰,有几人会是孟郊的知音呢?

"文章者,贤人之心气也。"孟郊在《送任载齐古二秀才自洞庭游宣城》的序中这样宣称。孟郊是把文章与作者的心气相连的,"贤与伪,见于文章",这也是"从喷泉里流出来的都是水,从血管里喷出来的都是血"的意思。"意劝莫笑雪,笑雪贫为灾。"(《雪》)富豪的乐事正是贫寒的痛苦,赏雪与苦雪,还要看是穿了貂皮大衣,还是穿了破衣服瑟缩在桥洞里将要冻馁而死。诗人的心气关系着他的诗文品格,也关系着他的为诗为文立场。"君看土中宅,富贵无偏颇。"(《达士》)孟郊的一时达观,是由生命的终极出发的;那常常会成为一些人"安贫乐道"的理由,却也是一味麻醉剂,安顿下人的心气,从而"不争"的。不过,"天地莫生金,生金人竞争"(《吊国殇》),孟郊这里的戒争却是有感于人的贪欲,而痛心疾首祈祷上苍的。那是关乎战争了,是孟郊诗中的大题目。游子的心怀,自然也牵念着江山社稷,牵念着千千万万战争中失去儿子的慈母——她们的儿子,永无归日了。

2014 年 9 月 17 日

悲悯苍生

在诗史上,像杜甫那样的伟大诗人,会诸体兼备,诸体皆善;有一些诗人,却只在一体中称善,不能够诸体皆能了,张籍就是这样的诗人。张籍尤长乐府,他的乐府诗清丽深婉,多有好诗,五律尚有魏晋之风,淡约可喜,其他各体就差强人意了。其实,能有一体见长,出类拔萃,有好诗好句可诵可传,也难能可贵了,怕的倒是诸体皆涉,却无一优长,"样样通,样样松",那才是平庸可厌了。

乐府自汉武帝时设立,原本是为了采集民间歌谣兼及文人诗歌来配乐,以备祭祀饮宴时演奏的。民间文学,民间艺术,一旦有了文人参与,面貌就会为之一变,有了个人化色彩。乐府诗名篇《陌上桑》《孔雀东南飞》《木兰辞》等,还充分地保留着民间特色,到了李白的一些乐府诗,那就完全是李白的个人风格了,虽然他用的还是乐府旧题。

张籍的乐府诗也是如此。"万里无人收白骨,家家城下招魂葬。""夫死战场子在腹,妾身虽在如昼烛。"(《征妇怨》)便是张籍由他的情怀出发,声讨征战之罪。在张籍这里,已经没有了《木兰辞》女儿代父从军的豪迈。对战争的讨伐是张籍乐府诗的重要主题。"殷勤为看初著时,征夫身上宜不宜。"(《寄衣曲》)"家家养男当门户,今日作君城下土。"(《筑城词》)"不如逐君征战死,谁能独老空闺里。"(《别离曲》)无论是对征夫的殷殷牵挂,对筑城的深切怨恨,还是空闺中的愤激之语,其情感底处都是对战争的切齿诅咒,这是一个善良诗人最可贵的人性品质。单单凭此一点,张籍也够得上一个好诗人。

有人会片面地理解了诗人的品质,也会简单化地解释诗的本质。"豪放"并不是诗的全部,"豪放"也不是诗的唯一标准。即便豪放的李白,又哪里只是单色调的豪纵呢?李白也有"白发三千丈"满腹愁肠。从某种意义上来说,对于一个诗人,哀情愁绪比豪情乐观更重要,更能够透示出诗的本质。张籍也是会伤感会哀怨的诗人。会客宴饮,本是欢乐事,可是张籍的《宴客词》却以伤感作结:"明朝花尽人已去,此地独来空绕树。"正所谓"天下没有不散的宴席",客散人去,只剩下寂寞花树,尽管此前也有过"上客不用顾金羁,主人有酒君莫违"的殷勤劝酒,也有过"人人齐醉起舞时,谁觉翻衣与倒帻"的忘情颠倒,独绕花树时,还是免不了凄寂伤感,而且,想一想宴客时的喝呼歌舞,那伤感自会来得更加难以抵挡。至于《洛阳行》中"陌上老翁双泪垂,共说武皇巡幸时"的伤情怀旧,那是怀念逝去的时光了。到底武皇巡幸能给老翁带来多少荣光,那是不必深究的。谁说老翁怀念的只是皇家的威赫,而没有他自己青春不再的伤感呢?人世间的伤感,怀念过去了的一场会客饮宴也罢,怀念过去了的一次皇帝巡幸也罢,情感深处,都会通向时光难再的怀旧心绪,那是永恒的伤感,一千年一万年都不会改变的。

　　"愿君到处自题名,他日知君从此去。"张籍在《送远曲》中这样向远行的人发出祈愿,也是出于那种怀旧的情感吧,他可不是要让人到处题下"到此一游"的野蛮行迹,他是要让人在世上走过一趟,留下踪迹,不要白走一遭的。尽管他《北邙行》中也写道:"千金立碑高百尺,终作谁家柱下石",殷殷规劝,"人居朝市未解愁,请君暂向北邙游",让人看透生死;然而稍稍往深处一想,便可明白,张籍并不矛盾,北邙的百尺高碑花费千金立下,终究会作了不知谁家的柱下石,并不能千古永存,可是能够在世上长久存留的倒是无形的高碑,那是人的精神品格,不朽的诗文。张籍本人的《吴宫怨》"宫中千门复万户,君恩反复谁能数",写宫怨;《贾客乐》"农夫税多长辛苦,弃业长为贩宝翁",写伤农悯农;《离妇》"为人莫作女,作女实难为",写离妇;虽然不能与同类诗中的名篇相比,可是千年过后,再来品读,仍然能读到诗人的拳拳之心,张籍因之而活着,他的诗心在怦怦跳动。

张籍贞元十五年进士及第,初到长安时,谒韩愈,韩愈推重张籍的才华,力荐其为国子博士。然而张籍性情狷直,对韩愈多所责讽,韩愈也不为忌。韩愈到底是一代文坛领袖,大度而且宽容。韩愈在《送东野序》中把孟郊、李翱、张籍并提,"三子者之鸣信善矣,抑不知天将和其声,使鸣国家之盛耶?抑将穷饿其身,思愁其心肠,而使其自鸣不幸耶?三子者之命,则存乎天矣。其在上也,奚以喜,其在下也,奚以悲。"韩愈是有感于孟、李、张三子的遭际而发出这番感叹的,其实韩吏部又何尝不是自叹呢?细论起来,张籍虽未声名显赫,官位显要,他也没有过好多文人为官的贬谪之苦流放牢狱之灾,他还算平稳的。他在《书怀》诗中写道:"别从仙客求方法,时到僧家问苦空。老大登朝如梦里,贫安作活似村中。未能即便休官去,惭愧南山采药翁。"表达了向往世外仙家的情绪;可是躬逢过皇宫内宴,他也会倍感荣宠,得意之状由诗中透露出来:"共喜拜恩侵夜出,金吾不敢问行由。"(《寒食内宴二首》)等到宫廷饮宴的荣宠过去,反观自身行状,他又自哀自怜,感慨不已了:"自叹独为折腰吏,可怜骢马路旁行。"(《赠王侍御》)

这种矛盾复杂的心理,不是张籍独有的;诗人为官者,大都是这样的情状。当今时代,诗人文人为官的少了,如果也是像前代那样,诗人文人们进士及第,走上仕途,坐上官位,又有几人会保持好诗人文人的独立气节,不诚惶诚恐地被御用呢?张籍有一首诗《朝日敕赠百官樱桃》,"仙果人间都未有,今朝忽见下天门。捧盘小吏初宣勅,掌殿群臣共拜恩。"皇帝赐群臣几颗樱桃吃,诗人都要这样感恩戴德称颂不已了。"每年重此先偏待,愿得千春奉至尊",张籍自然是要恭祝皇帝春秋永驻,万寿无疆了。

张籍到底是有良心的诗人,他即便有过皇赐樱桃这样的诗令人生厌,不过,他到底还有那么多反对皇帝征战拓边征夫怨妇的诗,本质上他并不是御用诗人。对提携过他的韩愈,他"多所责讽",但韩愈逝后,他却写了五言长诗《祭退之》,叙韩愈为人为文,叙二人交往,叙韩愈临终情形,言辞恳切,不是一般悼亡诗的敷衍成篇。"呜呼吏部公,其道诚巍昂。生为大贤姿,天使光我唐。""有花必同寻,有月必同望。""公文为时师,我亦有微声。而后之学者,或号为韩张。""及当临终晨,意色亦不荒。赠我珍重言,傲然委衾裳。"韩愈有张籍这样的知己,也算有幸了。当时与张籍同游的诗人,"如王建、贾岛、于鹄、孟郊诸公集中,多所赠答,情爱深厚。皆别家千里,游宦四方,瘦马羸童,青衫乌帽,故每邂逅于风尘,必多殷勤之思,衔杯命素,又况于同志者乎。"《唐才子传》中的"同志",与后世的"同志",有同,亦当有别吧。

生当韩愈同代的诗人是有幸了,尤其是那些性情奇异特立独行难为世容的诗人,大都能得到韩愈的赏识,得到荐举提携。范阳人卢仝,初隐少室山,号玉川子。家甚贫,唯图书堆积。朝廷知其清介之节,两番备礼征其为谏议大夫,卢仝皆不出山。当时韩愈为河南令,爱其节操,敬待有加。卢仝曾被恶少所恐吓,诉讼到韩愈那里,正待申理,卢仝又顾虑盗贼因而迁怒憎恨主人,情愿罢讼,韩愈更加钦服卢仝的度量。

元和年间,唐王朝曾一度出现了中兴之象;但是,中唐以后国势衰落藩镇割据的背景仍然在诗人心中留下了难消的阴影。时恰逢月蚀,卢仝即作《月蚀诗》,讥切当时逆党,韩愈极赏此诗,其他人则恨之。《月蚀诗》是一长诗,卢仝不掩自己的激切之情:"玉川子,涕泗下,中庭独自行。念此日月者,太阴太阳精。皇天要识物,日月乃化生。走天汲汲劳四体,与天作眼行光明。此眼不自保,天公行道何由行。"卢全由自己的情感出发,着眼的仍是天道世情。"传闻古传说,蚀月哈蟆精。"卢全引入传说,指向却是明确的:蛤蟆精蚀月,逆党祸乱朝廷,危害天下。要紧的是引起警惕:"人养虎,被虎啮,天媚蟆,被蟆瞎。"卢全幻想神力相助:"安得常娥氏,来习扁鹊术。手操春喉戈,去此晴上物。"然而卢全依然不能释怀:"臣心有铁一寸,可剖妖蟆痴肠。上天不为臣立梯磴,臣血肉身,无由飞上天,扬天光。"卢全痛心疾首,热切祝祷,妖孽除掉,天光耀耀:"请留北斗一星相北极,指麾万国悬中央。此外尽扫除,堆积如山冈,赎我父母光。"卢全的耿耿赤心,苍天可鉴。

月蚀的意象在卢全心中久久难去,他还有一首《月蚀诗》是短诗,较长诗《月蚀诗》算是平和了许多,他只是叹息不已:"如何万里光,遭尔小物欺""日月尚如此,人情良可知"。卢全有些无可奈何了。他深知他的无奈并非他独有,"自古圣贤无奈何,道行不得皆白骨""贤名圣行甚辛苦,周公孔子徒自欺"(《叹昨日三首》)。卢全的无奈几乎倒向绝望了,他怀疑到了圣贤的根本。不过,卢全并没有因此而自暴自弃;怀疑绝望,并不意味着要丢掉立身之本,"唯有一片心脾骨,巉岩崒硉兀郁律。"(《与马异结交诗》)卢全秉持的依然是古来圣贤所须臾不肯丢掉的品行节操。世道混乱,人情污浊,我自我行我素,清白行世。卢全所写《门笺》表明的正是这样的坚持:"贪残奸酗,狡佞讦愎,身之八杀。背惠,恃己,狎不肖,妒贤能,命之四孽。有是有此予敢辞,无是无此予之师。一日不见予心思,思其人,惧其人,其交其难,敢告于门。"

卢全对世道人情看得太透了。他的怀疑绝望导向了两个方面。他写《门笺》向人敞开心扉,他也掩关,遗世独立。他写《掩关铭》,愤世决绝:"蛇毒毒有形,药毒毒有名。人毒毒在心,对面如弟兄。美言不可听,浑于千丈坑。不如掩关坐,幽鸟时一声。"可是,要真正做到掩关独立,谈何容易。时宰相王涯秉政,为政刻急,结怨于人。等到"甘露事变",卢全与王涯的几位幕僚在相府的书馆中吃饭,留宿于此。祸起后吏卒秘密行捕。卢仝道:"我卢山人也,于众无怨,何罪之有?"吏卒道:"既云山人,来宰相宅,容非罪乎?"苍忙中卢仝竟不能辩白清楚,竟同罹甘露之祸。卢仝老来无发,太监在他脑后钉入钉子行刑。卢仝有子,取名"添丁",人以为谶。卢仝尚有《示添丁》一诗,内中有句道:"数日不食强强行,何忍索我抱看满树花。"卢仝罹祸,其子添丁读此诗句,能不凄然泪下吗?

卢仝有绝句《逢病军人》,常为各家选本选入,诗曰:"行多有病住无粮,万里还乡未到乡。蓬鬓哀吟古城下,不堪秋气入金疮。"哀悯之情殷殷恳切,好像不是那个写《门篓》《月蚀诗》的耿介狷切的卢仝了。其实,那正是好诗人矛盾的统一,有刻骨的恨,才会有深切的爱,有疾恶如仇,才会有悲悯苍生。

2014 年 9 月 27 日

一唱雄鸡天下白

仍然与一代文坛宗师韩愈有关,李贺七岁能辞章,名动京邑。韩愈、皇甫湜览其作,"奇之而未信,曰:'若是古人,吾曹或不知,是今人,岂有不识之理。'"于是,韩愈、皇甫湜去李贺家访之,让李贺赋诗。李贺"总角荷衣而出,欣然承命,旁若无人,援笔题曰《高轩过》。二公大惊,以所乘马命联镳而还,亲为束发。"《唐才子传》中关于七岁孩童李贺的这段记叙,既让我们看到了一个"总角荷衣"的天才神童,也让我们看到了"亲为束发"爱惜天才的文坛领袖,这也是令人神往的大唐气象。虽然盛唐已过,进入中唐,国政衰落,复兴无望,但文坛气象,仍然是其他朝代追随不及的。

李贺成年后,还曾以诗谒韩愈,首篇就是那起句"黑云压城城欲摧,甲光向日金鳞开"的《雁门太守行》了。此诗开首便气势逼人,有千钧之力。以下写角声满天,燕脂凝夜,红旗半卷,霜重鼓寒,色彩浓烈,意象瑰丽,凝重沉郁,是真正的诗,绝非直白如水的诗可比。难怪当时韩愈正送客归,极困,解带读之,读过此篇"即束带见之"了。

读童年李贺的《高轩过》,韩愈"亲为束发",读成年李贺的《雁门太守行》,韩愈又"束带见之",李贺的天才如此惊动了一代文坛领袖。可惜,文坛领袖还不是政坛领袖,即便韩愈在朝中为官,他还是不能扭转李贺的命运。李贺父名晋肃,"晋肃""进士"谐音为讳,李贺便不能科举了。韩愈曾专著《讳辨》一文为李贺辩道:"父名晋肃,子不得举进士,若父名仁,子不得为人乎?"韩愈的辨析有理有力,却不能改变李贺不得举进士的命运，李贺便要终生困顿于山野，不得入庙堂了。

李贺当然也是怀有建功立业之志的。他的"男儿何不带吴钩，收取关山五十州。请君暂上凌烟阁，若个书生万户侯"（《南园十三首》），把他的抱负志向抒发得淋漓尽致。他写《昌谷北园新笋四首》，"更容一夜抽千尺，别却池园数寸泥。"志存高远，是一望可知的。韩愈、皇甫湜过访，他小小年纪，还是个孩子，他写《高轩过》，就毫不掩饰他的内心志向了："我今垂翅附冥鸿，他日不羞蛇作龙。"居乡野之低，却看向庙堂之高，李贺并不认为那身居高位者就是高不可攀的。"不须浪作丁都护，世上英雄本无主。买丝绣作平原君，有酒惟浇赵州土。"这首《浩歌》中的英雄豪气，让人把李白想起来了。就连李贺诗的风格，"南风吹山作平地，帝遣天吴移海水。王母桃花千遍红，彭祖巫咸几回死"，不是也很像李白吗？建功立业的志向太过远大，李贺甚至瞧不起文章之事了："寻章摘句老雕虫，晓月当帘挂玉弓。不见年年辽海上，文章何处哭秋风。"（《南园十三首》）在此还需加以辨析，李贺鄙弃的是"寻章摘句"的"老雕虫"，他并没有否定全部诗文；否则，他就不会那样苦苦作诗了。

李商隐为李贺写的小传中说，李贺"细瘦，通眉，长指甲"。通眉，就是连心眉，眉毛的中间长到了一起。相书上说长了这种眉毛的人有性格有脾气，大概属于比较古怪与常人有异的那种性体。细瘦又长了这样眉毛的李贺还长了长指甲，"能疾书。且日出，骑弱马，从平头小奴子，背古锦囊，遇有所得，书置囊里。凡诗不先命题，及暮归，太夫人使婢探囊中，见书多，即怒曰：'是儿要呕出心乃已耳！'"（《唐才子传》）李贺作诗的这个故事，被好多文章转述过，有时候还被用来当作教育青少年刻苦用功的典范；可是，好多人并不知道李贺的内心之苦。后世领袖曾经在抒发得胜情感的时候，把李贺的"天若有情天亦老"诗句引用到自己的诗里，倒的确是"反其意而用之"了；李贺的原诗中是铅泪滴落,衰兰古道的。那是《金铜仙人辞汉歌》。李贺在序中写道:"魏明帝青龙元年八月,诏宫官牵车西取汉孝武捧露盘仙人,欲立置前殿。宫官既拆盘,仙人临载,乃潸然泪下。"

"茂陵刘郎秋风客,夜闻马嘶晓无迹。"一代帝王汉武刘彻,当年他铸捧盘仙人,而承夜露,以求饮甘露得长生,他能够想到,百年之后,他葬于茂陵之下,秋风马嘶,他的承露仙人会被人拆卸移走吗?刘郎无知,仙人有灵:"空将汉月出宫门,忆君清泪铅如水。衰兰送客咸阳道,天若有情天亦老。"

一代去了,一代又来,无论多么雄才大略,无论怎样威势煊赫,都将成为过去,山一样的大墓一埋,也不会再闻霜晨马嘶,也不会看到仙人铅泪了。谈什么千秋永固?又谈什么永垂不朽呢?茂陵下的刘郎也化为泥土了吧,墓大墓小,都是同样的一抔。

茂陵汉武帝像前朝帝王秦始皇一样,也曾渴望过长生不老,要去求仙的;可是"武帝爱神仙,烧金得紫烟。厩中皆肉马,不解上青天"(《马诗二十三首》)。在李贺的诗中,汉武帝只是埋在茂陵下的刘郎罢了,他不是后世影视剧制作者心目中的"汉武大帝"。在李贺那里,有的是讥讽嘲蔑;在后世影视剧编导这里,有的是仰慕崇拜,他们崇拜的还不是具体的一个肉身皇帝,而是铁一样的皇权。不仅汉武大帝,在后世写手这里的秦皇大帝,在李贺笔下也归于一般平常了。"秦王骑虎游八极,剑光照空天自碧",固然威势赫赫;可是时光流转,日月更替,"羲和敲日玻璃声",到头来也还是"劫灰飞尽古今平"。起始豪气,结局仍不免悲哀。"仙人烛树蜡烟轻,清琴醉眼泪泓泓。"(《秦王饮酒》)一切都逃脱不掉最终的悲剧。本朝先皇唐玄宗,华清宫赐浴,与杨贵妃上演了那段在后世舞台上一再搬演的活剧,虽然也会美轮美奂;但是,李贺《过华清宫》,却是别一番景象,"蜀王无近信,泉上有芹芽",荒凉得不堪收拾,所有的奢华侈靡都成为过去,往昔不再了。

年纪轻轻的李贺,他的苍凉悲观不太像他的年龄;那是与生俱来的吧,有的人生命特质就是那样的。三月里本是满目春光,可是在年轻的李贺眼里,春光中却潜隐了秋风肃杀。"东方风来满眼春,花城柳暗愁煞人。""曲水漂香去不归,梨花落尽成秋苑。"(《泪》)巫山云雨,是好多诗人一再吟诵的胜景佳会,在李贺笔下却是哀猿寒桂,不胜荒凉。"瑶姬一去一千年,丁香筇竹啼老猿。古祠近月蟾桂寒,椒花坠红湿云间。"(《巫山高》)在李贺这里,哪里还有仙女会襄王,且为朝云,暮为行雨呢?巫山上朝云暮雨只是空的,神仙居住的昆仑山上也不会让人的期望成为现实。"昆仑使者无消息,茂陵烟树生愁色。金盘玉露自淋漓,元气茫茫收不得。"(《昆仑使者》)李贺要将人的所有幻想全部击得粉碎,他自己也在这种粉碎中走向绝望。虽然他"忧眠枕剑匣,客帐梦封侯",落寞中并没有丢掉他的建功立业理想;可是,"瘦马秣败草,雨沫飘寒沟"(《崇义里滞雨》),落拓衰败如此,又怎能让那封侯拜将的理想成为现实呢?

　　读李贺的这些诗,简直要让人的心瑟缩寂冷抖成一团了。李贺写诗,又是愿用绝笔肯下狠语的。"竹黄池冷芙蓉死"(《九月》),"筇竹千年老不死"(《湘妃》),李贺狠用"死"字,便把诗写到了绝处,让彻骨凉意从人的心底生起来,不复回暖。《老夫采玉歌》是李贺的名篇。"蓝溪之水厌生人,身死千年恨溪水",有了这身死千年的痛恨,那么,"采玉采玉须水碧,琢作步摇徒好色"的本质就可以理解了。插在美人乌发上的步摇,原来是联结着如此痛恨的,李贺的苍凉便导向了更为广大的方面,与刘禹锡"美人首饰侯王印,尽是沙底浪中来"异曲而同工;不过,刘禹锡还算温和,李贺是激烈到不容调和了。

　　李贺因父名讳而被剥夺了举士进身的资格,在他心里造成的创痛不可低估,他悲观苍凉乃至绝望,都能够在这里找到渊源。他在《致酒行》中写道:"吾闻马周昔作新丰客,天荒地老无人识。空将笺上两

行书,直犯龙颜请恩泽。我有迷魂招不得,一唱雄鸡天下白。"他真真
是借他人酒杯浇自己块垒了。本朝前臣马周终于还有机会犯颜上书,
终得恩泽,李贺却永远没有这样的机会,一唱雄鸡天下白,只能是梦
里了。清醒时,李贺也会认清自己的最终命运,"惟留一简书,金泥泰
山顶"(《咏怀三首》),"舍南有竹堪书字,老去溪头作钓翁"(《南园十
三首》),李贺连他老来的去处都想好了;可是他却等不到老去,天帝
就要收他去了。

　　大概李贺有时候也会隐隐地感觉到他会不久于人世吧,否则,他
就不会年纪轻轻的,就在诗中写到病。"緗帙去时书,病骨犹能在。"
(《示弟》)忘病才能久生,念念于病,至少应该到了老年时。李商隐为
李贺作小传,曾引李贺嫁于王氏的姐姐所述,记下了李贺临终的情
状。李贺将死时,忽然于白天见一穿红袍的人,驾赤虬,持一版书,好
像太古篆书,或霹雳石文,说来召李贺。李贺根本读不出,急忙下床叩
头,说阿奶(李贺学语时呼太夫人)老且病,贺不愿去。穿红袍的人笑
道,天帝建成白玉楼,立召君为记,天上差乐,不苦也。李贺独自哭泣,
旁边的人都看到了。过了一会儿,李贺气绝。他平日所居的窗中,悖悖
有烟气,能听到行车之声甚速。太夫人急忙止住人哭,等到过了做五
斗黍饭的时候,李贺真死了。李商隐相信李贺的姐姐所述必是事实,
于是他感叹道:"呜呼!天苍苍而高也,上果有帝耶!帝果有苑囿宫室
观阁之玩耶!苟信然,则天之高邈,帝之尊严,亦宜有人物文采逾此世
者,何独眷眷于长吉,而使其不寿耶!噫!又岂世所谓才而奇者,不独
地上少,即天上亦不多耶!长吉生二十七年,位不过奉礼之常,当时人
亦多排摈毁斥之,又岂才而奇者,帝独重之,而人反不重耶!又岂人见
会胜帝耶!"李商隐是在为李贺大鸣不平了。李商隐所鸣之不平,又岂
止李贺一人之不平耶!李商隐本人,还有许多才而奇者,在人世间不
都是这般遭遇吗?

天帝召李贺去为白玉楼作记,李贺会写出什么样的诗文呢?他留给人世间的诗是奇诡和瑰丽,无以替代的。李贺的《李凭箜篌引》是他的名篇,也是最能够代表李贺诗风的一首诗。"昆山玉碎凤凰叫,芙蓉泣露香兰笑。十二门前融冷光,二十三丝动紫皇。女娲炼石补天处,石破天惊逗秋雨。梦入坤山教神妪,老鱼跳波瘦蛟舞。"箜篌乐音,在李贺这里,与琵琶曲在白居易那里,有了明显的区别。李贺尚奇尚冷,想象特异,兀立而劲突;白居易虽有哀凄,到底还是平和了许多。

李贺有一首《申胡子觱篥歌》,他在序中说,他曾与申对饮,气热杯阑时,申对贺道,李长吉,尔徒能长调,不能作五言诗。其实李贺也有五言诗,《马诗二十三首》《恼公》《客游》等等,都是。李贺只是少作律诗;他像李白一样,也是不能被格律束缚的。与李白相比,只是他的诗过于用力,能看出用力痕迹,不像李白那样不着行迹。他的诗在形式上也多有变化,七言中杂以三言、四言、六言,气势浩荡,节奏顿挫,非庸常之辈能比。他的《相劝酒》起首五言,中转七言,再四言、三言,结末"来长安,车骈骈。中有梁冀旧宅,石崇故园",有词的韵味了。

还是杜牧序李贺文集时说得好:"贺字长吉,元和中,韩吏部亦颇道其歌诗。云烟连绵,不足为其态也。水之迢迢,不足为其情也。春之盎然,不足为其和也。秋之明洁,不足为其格也。风樯阵马,不足为其勇也。瓦罐篆鼎,不足为其古也。时花美女,不足为其色也。荒国陊殿,梗莽丘垅,不足为其恨怨悲愁也。鲸呿鳌掷,牛鬼蛇神,不足为其虚荒诞幻也。"有了这样的评价,李贺因父讳而未举进士的遗憾可以得到补偿了。有多少进士,只是登上了进身之阶,当了一任官员而已。官员千千万万,李贺只有一个。"一唱雄鸡天下白",李贺在天帝那里,应该听到了雄鸡高唱,那里的天,亮得也该早些吧。

2014 年 9 月 28 日

先达与晚成

在《答姨兄胡灵之见寄五十韵》的序中，元稹自述其前半生平曰："九岁解赋诗，饮酒至斗余乃醉。时方依倚舅族。舅怜，不以礼数检，故得与姨兄胡灵之之辈十数人，为昼夜游。日月跳掷，于今余二十年矣。"从此序中可以想见元稹的青少年生活：他幼孤，但过的仍然是公子哥的日子，并没有吃多少苦楚。舅舅怜他少孤，不以礼数严苛检束，他也就过了一段秉烛夜游饮酒作乐的日子。他在《兔丝》诗中曰，"人生莫依倚，依倚事不成"，又在《松树》中道，"不肯作行伍，俱在尘土中"，抒写他的独立孤傲之志，也许，他依倚舅族时也并非全都是无忧无虑的日子吧，谁知道他是不是也遭过白眼呢？那似乎是肯定的，舅族家里到底不是他的父母之家，他还不能有恃无恐吧。当然，他那"莫依倚"的独立向往，也指向更为广泛的人生，行世乃至仕宦生涯。

元稹自是少年才俊无疑。他也以此颇为自得，在诗文中一再提及。他在《序诗寄乐天》中又一次提到了九岁赋诗："仆九岁学赋诗，长者往往惊奇可教。年十五六，粗识声病。"元稹并非自诩，看他十六七岁时所作的《清都夜境》《秋夕远怀》等诗，看他十六岁时作的《代曲江老人百韵》五言排律，已经头角峥嵘，才华难掩了。他"十五擢明经，书判入等，补校书郎。元和初，对策第一，拜左拾遗。数上书言利害，当路恶之，出为河南尉。"（《唐才子传》）

还不能用"恃才傲物"来评判元稹为宦之初的做法。他既为"拾遗"，做了"言官"，他上书言利害，实为本分尽责；在职而不尽责，做

"言官"却当"扎嘴葫芦",才是尸位素餐。元稹官拜监察御史,按狱东川,回程中住敷水驿,宦官权臣仇士良夜至,元稹不让邸所,仇士良恼怒,击元稹败面,也不就是元稹的错。唐代中晚期,朋党争斗,宦官专权,仇士良由一个侍候太子的一般太监,乘皇帝昏庸朋党相争之机,玩弄权术,稳步高升,直至大权在握,擅权揽政二十余年,欺上瞒下,横行不法,致使朝政变得更加昏暗和混乱,元稹敢于跟这样的宦官抗衡,不肯让邸,至少也能够看出元稹不为权要所屈的骨气。可是,当时的宰相却以元稹年少轻威,失宪臣体,而贬元稹为江陵士曹参军。"宁爱寒切烈,不爱旸温暾。"(《酬独孤二十六送归通州》)元稹是宁走极端,而不尚中庸的。

贬出京都,到地方上为官,元稹离开了"言官"的位置,不能够直接上书朝廷向皇上进言陈说利害,他的治国为政理念只能曲折地用诗表达出来,以达讽喻。贞元丙子岁,南海贡来驯犀,至十三年冬,苦于北地寒冷,死于苑中。元稹作《驯犀》诗道:"乃知养兽如养人,不必人人自敦奖。不扰则得之于理,不夺有以多于赏。"这是倡导顺性而治,不夺天理,也就是无为而治了。"尧民不自知有尧,但见安闲聊击壤。前现驯象后驯犀,理国其如指诸掌。"

尧舜时代,也许才真正是"太平盛世"吧,那时候的太平盛世,不是靠严刑峻法来实现,而是民不知有尧,民众并不知道有一个至高无上的皇帝用威权压制管束,那才能安闲击壤,太平度日。朝廷颁布下条条法令制约民众,谁知道朝廷上高坐龙墩的是个什么样的皇帝呢?即便看上去好像是一个"太平盛世"了,可是皇帝的骄奢淫逸昏庸无道,终将会把天下引向昏暗混乱,不堪收拾。过去了不远的贞元、天宝朝,便是如此。皇宫里的笙歌燕舞可不是寻常乐舞,它是兴亡之声丧乱之征,不能不辨。唐明皇雅好度曲,最初还未尝使番汉杂奏。天宝十三载,始诏道调法曲与胡部新声合作。识者为之惊异,第二年便爆发了"安史之乱"。元稹在《吏部使》诗中便写道:"明年十月燕寇来,九庙千门虏尘浣。""奸声入耳佞人心,侏儒饱饭夷齐饿。"

也许,胡乐与汉乐杂奏,奏出一种新的乐声,并不能直接颠覆一个王朝的政权;可是,朝廷上提倡什么,皇帝喜欢什么,却能够深深地影响民风国事,不然,就不会有"玉树后庭花"的亡国之音一代代成为警示,又一再被漠视了。唐天宝中,西国来献胡旋女,元稹便在《胡旋女》诗中写道:"天宝欲末胡欲乱,胡人献女能胡旋。旋得明王不觉迷,妖胡奄到长生殿。"元稹写的是并不久远的历史,教训深在其中,不言自明,元稹还是殷切诚勉:"寄言旋目与旋心,有国有家当共谴。"胡旋胡旋,那是能旋目也能旋心,把人心旋得糊里糊涂的。

元稹并不是危言耸听,他也并不是只说给别人听一听,自己却放纵胡为。他为官通州时,当地遭遇旱灾,元稹便深刻自谴,写《旱灾自咎贻七县宰》诗曰:"臣稹苟有罪,胡不灾我身。胡为旱一州,祸此千万人。"他严格检讨,想到了"团团囹圄中,无乃冤不申。扰扰食廪内,无乃奸有因。"他还想到了"村胥与里吏,无乃求取繁。符下敛钱急,值官因酒嗔。"这一些大概都是上帝降旱灾于本地的原因吧。可是,这些罪孽,要归咎责罚,也应该"灾我身",而不应该让千万民众得咎。

元稹是在苛责自己了;天灾降下,岂能由一任地方官负责。不过,如果"天怒人怨",一代王朝,自上而下,皇帝昏庸,贪官污吏横行,那么,天降大灾,就不能不追究一下为政者的责任了。"引咎辞职",应该成为文明社会的一个制度,一个通例。可惜,太多太多的官员并没有自责意识,他们连应有的谦疚之心都没有。

也是像太多太多有志向有抱负又有才能的诗人官员一样,元稹的治世才能无法得以施展。他本来是崇尚义烈的。"昌平人刘颇,其上三世有义烈,颇少落行阵,二十解属文。举进士科试不就,负气,狭路间病罴车蔽枢,尽碎之,罄囊售值而去。南归唐州,为吏所轧,势不支,气屈,自火其居,出契书投火中。"这样的一个刘颇,也许可以说他负气太盛,易走极端;元稹还是欣赏他的义烈,作诗称道:"倘使权由我,还君白马津。"(《刘颇诗并序》)

元稹是因自己的义烈不为所重,才在一个刘颇身上寄寓他的不平之气以抒怀抱吧。他不得志,失意落拓,便以诗安慰自己。"德宗皇帝以八马幸蜀,七马道毙,唯望云骓来往不顿。贞元中,老死天厩。"元稹作诗道:"当时项王乘尔祖,分配英豪称霸主。尔身今日逢圣人,从幸巴渝归入秦。功成事遂身退天之道,何必随群逐队到死蹋红尘。望云骓,用与不与各有时,尔勿悲。"元稹安慰的真的不是一匹马,而是他自己,是众多像他一样的失意士子。九岁解赋诗,经过了宦海风波的元稹,自然不会糊涂到看不透世事,他实在是把朝廷把国政看得透透的。他在《有所教》中教导别人"人人总解争时势,都大须看各自宜",在《遣病十首》中"寄言娇小弟,莫作官家官";元稹劝人却劝不了自己,尽管他对自己所尽忠效力的那个朝廷已经失望之极了。

元稹的好朋友白居易能够欣赏元稹,也是最能够理解元稹的。白居易在《赠樊著作》诗中曰:"元稹为御史,以直立其身。其心如肺石,动必达穷民。"可惜,朝野上下,能像白居易这样赏识元稹的人并不多。白居易还曾赠元稹诗云,"无波古井水,有节秋竹竿",那是赞美元稹气节如竹的。元稹秋来植竹,凄然有怀,颇为自伤:"可怜亭亭幹,一一青琅玕。孤凤竟不至,坐伤时节阑。"(《秋竹》)看来,要做到古井无波,心如止水,还不是那么容易,孤凤不至,清节自立,元稹还是感到凄冷孤寂了。

元稹也曾想过归隐田园,吟啸林泉,在《归田》诗中吐露过他的心曲,那时他才三十七岁,正当壮年,他已经渴慕闲适了:"冬修方丈崖,春种桔橰园。千万人间事,从兹不复言。"能不能真正做到,那是另一回事,兹心向往,便可得到一刻慰藉,有一些美好的远景,想一想也好，哪怕永远也实现不了。元稹自然也想闲适，他写过不少闲适诗，比如《生春二十首》，每首皆以"何处生春早"起首，接下来都是"春生……中"，闲适是闲适了，却没有多大意思，并没有多少诗情。元稹在心情好的时候，偶尔狂放一下，倒有好诗，其诗兴豪情，有一点李白遗风了："近来逢酒便高歌，醉舞诗狂斩欲魔。五斗解醒犹恨少，十分飞盏未嫌多。眼前谗敌都休问，身外功名一任他。死是等闲生也得，拟将何事奈吾何。"（《放言五首》）

由于一篇《会真记》，而后据此改编为戏曲《西厢记》，元稹的名声被搞得不那么好了。鲁迅也曾说过，"元稹以张生自寓，述其亲历之境"，看来，《西厢记》中"待月西厢下"的张君瑞是以元稹为原型无疑。戏曲的普及性力量确实不可低估，一经舞台上粉墨演唱过，再有什么手段也难以翻案了；戏曲上的一张大白脸，让真正的英雄、诗人曹操永远贴上了"奸臣"的标签，而没有多少本事视女人如衣服的刘备，倒被美化起来。由于一出《西厢记》，元稹也就成了"始乱之终弃之"的人物，招致了不少骂名。

元稹的感情生活究竟如何，还需要好好探究。据《唐诗纪事》载，元稹先娶京兆韦氏，字蕙丛。韦逝，元稹便写下了那悼诗名句，"曾经沧海难为水，除却巫山不是云。"元稹大约并不是轻薄儿，不能用一个"负心郎"遽下评断的。他的情感诗《赠双文》"艳极翻含怨，怜多转自娇"，自是对女性细致的观察和表达。他的《杂忆五首》，每一首都"忆得双文""玉枕深处暗闻香""满头花草倚新簾""钿头雪映褪红酥"，有一些香艳，却没有多少轻佻偎薄，不能作一般艳诗来看的。他有一首《莺莺诗》，可以证明他与崔莺莺者确有关系。此诗一作《离思诗》首篇，"低迷隐笑原非笑，散漫清香不似香"，有待月西厢玉人来袭的意韵了，却不能说就是《西厢记》中崔莺莺的原版；诗，不该那样一一对应的。《全唐诗》中有崔莺莺的《答张生》诗，那"待月西厢下，迎风户半开。拂墙花影动,疑是玉人来"的名句,就是此诗。诗题下注曰:"崔莺莺,贞元中,随母郑氏居蒲东佛寺。有张生者,与之赋诗赠答,情好甚暱。"此注与《西厢记》戏曲相合,显非崔莺莺所为,系编者所注。《全唐诗》乃清人所编,不知注者是不是把已成戏曲青衣的崔莺莺附会到作诗的崔莺莺身上了。崔莺莺还有一首《告绝诗》写道:"弃置今何道,当时且自亲。还将旧来意,怜取眼前人。"诗写得决绝,又不无哀怨。不知是写给"张生"的,还是写给元稹的,不知崔莺莺与"张生"、与元稹究竟是怎样纠结的关系。

元稹与女人的关系复杂起来,源于他的那篇《会真记》。他本人真实的感情生活究竟如何,的确需要好好研究,需要考据家由元稹的诗、崔莺莺的诗、《会真记》《西厢记》之间现实与艺术之间交错复杂的关系中认真考证,得出更加接近真实的结论,简单地从女权主义或男权主义出发,一语断倒,都不是公正科学的态度。元稹的《暮秋》诗,"栖乌满树声声绝,小玉上床铺夜衾",像白居易的"樱桃小素口,杨柳小蛮腰"一样,确有那个时代的文人自得于妻妾舞伎之间的意味;可是,他的《初除浙东妻有沮色因以四韵晓之》,"海楼翡翠闲相逐,镜水鸳鸯煖共游。我有主恩羞未报,君于此外更何求。"却是切切实实对妻子的感情,情意绵绵,不是一走了之的粗暴横蛮。"我自顾悠悠而若云,又安能保君皑皑之如雪""幸他人之既不我先,又安能使他人之终不我夺",元稹《古决绝词》中这样的诗句,其矛盾的情怀,决绝的口气,又实在不是轻薄儿能够发出来的。感情的事是如此千丝万缕,纠结难断,实在不能以一篇《会真记》以及由此演义为一出《西厢记》的戏,而把元稹骂倒。元稹《遣悲怀三首》道,"诚知此恨人人有,贫贱夫妻百事哀",他以官宦之家的夫妻生活,却能体会贫寒之家的夫妻情感,也殊为难得了。太多的富宦之人并没有这种情怀的,包括那些要骂倒元稹的人。

元稹的个人生活也实在是不幸的，他的原配妻子早亡，他的女儿、儿子也早夭，他有《哭小女降真》《哭女樊》《哭女樊四十韵》《哭子十首》等诗，抒写他的不幸和伤痛。他的《感逝》诗，"头白夫妻分无子，谁令兰梦感衰翁。三声啼妇卧床上，一寸断肠埋土中。"肝肠寸断，哀痛满纸，读来令人下泪。悲痛满怀的元稹对自己的老病已不那么在意了："万龄龟菌等，一死天地平。以此方我病，我病何足惊。"（《遣病》）他在写给白居易的诗《赠乐天》中，似乎预见到自己来日无多了："垂老相逢渐难别，白头期限各无多。"他《过东都别乐天二首》写道："白头徒侣渐稀少，明日恐君无此欢。""恋君不去君须会，知得后回相见无。"二诗竟成诀别，诗成不久，即卒于鄂。白居易哭之曰："始以诗交，终以诗诀。兹笔相绝，其今日乎。"（《唐诗纪事》）

　　元稹与白居易相知甚深，交情甚厚。《唐才子传》称道二人的交谊曰："虽骨肉未至，爱慕之情，可欺金石，千里神交，若合符契，唱和之多，无逾二公者。"确然，元稹与白居易，诗酒酬唱，往来始终，悲也唱得，愁也唱得，喜也唱得，愤也唱得。在元稹的诗集中，"酬乐天"的题目极多；白居易也有不少诗"寄元九""寄微之"。元稹《闻乐天授江州司马》曰："残灯无焰影幢幢，此夕闻君谪九江。垂死病中惊坐起，暗风吹雨入寒窗。"病中的元稹，得到了朋友遭谪远贬的消息而惊愕神伤，此情此谊，是深切感人的。高兴时，元稹《以州宅夸于乐天》，"我是玉皇香案吏，谪居犹得住蓬莱"，《重夸州宅旦暮景色兼酬前篇末句》"为问而州罗刹岸，涛头冲突近何如"，自然不能简单地以"夸"理解，那是要让好朋友与之分享其快乐。好朋友并不只是倾诉苦闷忧愁的对象，休戚与共，才是真正的知心好友。

　　元稹在世时，名气也曾很大，与白居易并称"元白"，后来才日渐式微了。元稹在《上令狐文公书》中称"江湖间多有新进小生，不知天下文有宗主，妄相仿效，而又从而失之，遂至于支离褊浅之调，皆目为元和诗体。某又与同门生白居易友善,居易雅能为诗,就中爱驱驾文字,穷极声韵,或为千言,或为五言律诗,以相投寄。小生自审不能有以过之,往往戏排旧韵,另创新词,名为次韵相酬,盖欲以相挑耳。"元稹的自述是客观的,他并未因与白居易交好酬唱往来,就认为自己可以与白居易并驾齐驱,"元白"还不能称为中晚期唐诗的"双璧",元稹与白居易相比,是大为逊色的,逊色的不仅在量,更在质。元稹有《连昌宫》词,也写杨贵妃与唐明皇,却无法与白居易的《长恨歌》相比。元稹也有《琵琶歌》,也不能与白居易的《琵琶行》比肩。

元稹是杨杜抑李,极其推崇杜甫的。他的《酬孝甫见赠十首》道:"杜甫天才颇绝伦,每寻诗卷似亲情。"仰慕杜甫,自然是好诗人的追求,因此而贬抑李白,却不是那么公允了。后世"扬杜抑李派"大都愿引元稹的评断为依据,足见元稹的影响还是很大的。

元稹对于后世,岂止"扬杜抑李派"的影响很大,即使在唐代,也有人模仿元稹的诗,有人竟然作诗伪称是元稹所作。元稹在《酬乐天余思不尽加为六韵之作》的注中说:"后辈好伪作予诗,传流诸处。自到会稽,已有人写宫词百篇及杂诗两卷,皆云是予所撰。及乎勘验,无一篇是者。"元稹的确是名重一时了。不过,他越到后来,名气越小了。如果不是一出由《会真记》而来的《西厢记》为他招来一些骂名,元稹几乎很少被人提起了,尽管他的三二名句,还会被人引用;这,当然也是不公平的。不过,时间的淘洗如此残酷,谁也没有办法扭转时间的神秘力量。也许,还是《唐才子传》中说得有些道理吧:"誉早必气锐,气锐则志骄,志骄则敛怨。先达者未足喜,晚成者或可贺。"

先达与晚成,都不必因而自喜或自馁的。

2014 年 10 月 5 日

此恨绵绵无绝期

说到白居易，首先会想到的自然是他的《长恨歌》《琵琶行》，二者皆千古绝唱。有了《长恨歌》，此后再写杨贵妃与唐明皇，就难乎其难了，有了《琵琶行》，也很难再进一步，比司马青衫更湿。

白居易是在这两首长歌中尽显他的才情了。"回眸一笑百媚生""三千宠爱在一身"的杨贵妃，也让代代文人在她身上寄托了那么多的钟爱，诗文中，舞台上，很少有哪一个女人会像杨贵妃那样，展现得那么美轮美奂。可是，"此恨绵绵无绝期"之"恨"，真的只是皇帝与妃子的爱情不能如天长地久那么久长的遗恨吗？那么，"渔阳鼙鼓动地来，惊破霓裳羽衣曲"呢？当然了，一个朝代的衰亡，不能由一个女人、一个妃子来承担责任，不过，致唐王朝由盛而衰的"安史之乱"，倒的确与唐玄宗对杨贵妃的宠爱、对杨家兄妹的宠用不无关系。白居易在《长恨歌》的序中写道，他与王质夫暇日相携游仙游寺，话及唐明皇与杨贵妃事，"质夫举酒于乐天前曰，夫希代之事，非遇出世之才润色之，则与时消没，不闻于世。乐天深于诗，多于情者也，试为歌之，如何？乐天因为长恨歌，意者不但感其事，亦欲惩尤物，窒乱阶，垂于将来也。"白居易把他写作《长恨歌》的缘起与目的交代得很明白了，他也是想"惩尤物，窒乱阶"的。至于所谓"尤物惑人""红颜祸水"，让女人承担王朝衰亡的责任究竟是否合理，那要另说另讲了。

白居易是主张"文章合为时而著，歌诗合为事而作"的。他把自己的诗分为"讽喻诗""闲适诗""感伤诗""杂律诗"，像《长恨歌》，应该兼有"讽喻"和"感伤"二义。按白居易自己的划分,他的《贺雨》诗《秦中吟》,是归于"讽喻诗"的。他的好朋友元稹为他作《白氏长庆集序》亦道:"比上书言得失,因为《贺雨》诗《秦中吟》数十章,指言天下事,时人比之风骚焉。"白居易也是很看重这些讽喻诗的,那正是他"合为时而著合为事而作"之文学主张的具体实践。《贺雨》诗,"君以明为圣,臣以直为忠。敢贺有其始,亦愿有其终。"自是借贺雨而表忠诚,也把皇帝因大旱而"遂下罪己诏,殷勤告万邦"的圣明昭示于天下。白居易对朝廷的忠诚是无可怀疑的,他也怀抱了良好的愿望和理想,他《初授拾遗》,即道"天子方从谏,朝廷无忌讳",却未免又犯了诗人的天真病,他忘了此前历朝历代的教训了。他在言官的职位上,还是以言事获罪遭贬,成了那个听琵琶一曲又闻琵琶女自述身世而青衫最湿的江州司马。"同是天涯沦落人,相逢何必曾相识。"(《琵琶行》)相似命运,让他们一触即发。

至少是从屈原开始,中国诗人就走上了这条虽九死而犹未悔的道路了。民瘼国事,总是他们切切关心的,不管他们的关心究竟在当权者那里能否起到作用,会否获罪,他们还是要"言事",一言再言;不能上书朝廷,直达天听,他们就用诗文表达,以求讽喻。"但伤民病痛,不识时务讳。"因言获罪,因诗获罪,言与诗给他们自身带来多少灾祸,他们常常是顾不得考虑的;也并非就是"不识",识也如此,诗人的本质就是这样,否则,哪里还会有"赤子之心"呢?"乃知大寒岁,农者尤苦辛。"(《村居苦寒》)"犹犹纳不中,鞭责及童仆。"(《纳粟》)"奈何岁月久,贪吏得因循。""夺我身上暖,买尔眼前恩。进入琼林库,岁久化为尘。"(《重赋》)

唐代诗人,这样的呼声不绝,杜甫、白居易是其中最响亮的声音。可与杜甫"三吏""三别"并称的,白居易有《上阳白发人》《新丰折臂翁》《卖炭翁》诸篇。《上阳白发人》写宫怨,不是泛泛而言,而有具体所向。诗的小序云："天宝五载以后，杨贵妃专宠，后宫人无复进幸矣。六宫有美色者，辄置别所，上阳是其一也。"皇帝专宠贵妃一人，却仍然不断地选天下美女入宫，入宫便是入禁。"皆云入内便承恩，脸似芙蓉胸似玉""入时十六今六十""零落年深残此身"，青春岁月，就这样深埋宫中。上阳白发人竟不知时世已变，仍然是"小头鞋履窄衣裳，青黛点眉眉细长。外人不见见应笑，天宝末年时世妆。"深深后宫，葬埋了多少如花生命！

与《上阳白发人》同列于"新乐府"的《新丰折臂翁》《卖炭翁》，绝不掩饰写作的旨意，《新丰折臂翁》为"戒边功也"，《卖炭翁》为"苦宫市也"。为逃避征兵戍边，"偷将大石捶折臂，张弓簸旗俱不堪"的新丰折臂翁，"此臂折来六十年，一肢虽废一身全。至今风雨阴寒夜，直到天明痛不眠；痛不眠，终不悔，且喜老身今独在。"唐诗中，写征夫怨妇反战厌战的诗很多，白居易的《新丰折臂翁》以其独特的风貌卓立其中，怎么也不会被淹没。白居易为此诗自注道："天宝末，杨国忠为相，重构阁罗凤之役，募人讨之。前后发二十余万众，去无返者。又捉人连枷赴役。天下怨哭，人不聊生，故禄山得人心而盗天下。元和初，折臂翁犹存，因备歌之。"白居易的讽喻目的很明确，而且自己明明白白地道出来，并不遮掩。《卖炭翁》"手把文书口称敕，回车叱牛牵向北"，"半匹红纱一丈绫，系向牛头充炭直"。这些诗句，千年过后，小学生在课堂上朗朗背诵，老师却并未把"苦宫市"的深刻意义讲清楚，他们往往用一个"封建社会"就把所有罪恶"一言以蔽之"了。

读过了《上阳白发人》《新丰折臂翁》《卖炭翁》，回头再读列于《新乐府》首篇的《七德舞》，"亡卒遗骸散帛收"，看"贞观初，诏收天下阵死骸骨，致祭而瘗埋之；寻又散帛以求之"，想到唐太宗开疆拓边，征战不止，而皇帝本人又是杀了他的兄长与胞弟而登上皇位的，就不会为皇帝之"德"怎么感动了。读"魏徵梦见子夜泫"，"太宗梦与徵别，既瘝,流涕。是夕徵卒,故御亲制碑云。昔殷宗得良弼于梦中,今朕失良臣于觉后",想到诤臣魏徵也有他难言的苦衷,便不会以为唐太宗真的就会那样"从谏如流"。在《太行路》中,白居易"借夫妇以讽君臣之不终也",诗曰:"近代君臣亦如此,君不见左纳言,右纳史,朝承恩,暮赐死,行路难,不在水,不在山,只在人情反覆间。"人情反覆,朝云暮雨,皇帝是最无信的。他刚刚称你"爱卿",一转眼就会骂你"贼子"。打天下时,依靠你独当一面横刀立马解救了危难,得了天下就会骂娘,骂你从来不跟他合作,原因只因为你还像打仗时那样放炮,直言说议,触到了他的痛处。"诤臣杜口为冗员,谏鼓高悬作虚器",谏鼓成了虚器,谤木成了华表,只成了标志性景观。

　　无可奈何,谏臣尚不能诤言,诗人更只能曲笔了。"中有太真外禄山,二人最道能胡旋。梨花园中册作妃,金鸡障下养为儿。"《胡旋女》就不像《长恨歌》那么华丽宛转,那么用力着笔写皇家的爱情了,其讽喻也算是尖锐刻中了。杨贵妃不是收了安禄山为义子吗?他们母子"胡旋"起来,皇家可真是大增颜面了。唐玄宗还是在梨园中掌鼓的鼓师,一槌下去,唐王朝的天下击为两半,由盛而衰。天宝十三年,户部奏天下户口,户为九百零六万九千一百户,人口为五千二百八十八万零四百八十八口,户口在唐代达到极盛。翌年"安史之乱"爆发,十年丧乱之余,"安史之乱"平定时,全国户口锐减,人口只剩下一千六百九十余万口,比天宝十三年减少将近十分之七。千年过后的舞台上,凤冠霞帔的杨玉环千娇百媚,夺去了那么多观众的喜爱,没有人再去想那笙歌燕舞背后将近三千万人口丧生了。

　　所幸人的生命也如野草那么顽强坚韧,"野火烧不尽, 春风吹又生"。皇帝们为他们的天下争过来打过去,让万千生命作为他们皇业的大基;乱臣贼子为实现他们的野心,也以人的生命为筹码,押过来押过去。人的血一代代一年年浸泡着大地,春风吹来,烧不尽的野草

187

又一片片生长起来，那是人的生命的象征，也是人生的希望。由古代诗文形成的中国传统文化代码中，白居易"离离原上草，一岁一枯荣。野火烧不尽，春风吹又生"（《赋得古原草送别》），占有着一个显明的地位。在更多的中国人那里，这首短诗比《长恨歌》和《琵琶行》更为熟悉，也显得更为重要。即便没有那两首长诗，凭此一短诗，白居易也足可名世。《唐才子传》记曰，白居易"弱冠名未振，观光上国，谒顾况。况，吴人，恃才少所推可，因谑之曰：'长安百物皆贵，居大不易！'及览诗卷，至'离离原上草，一岁一枯荣。野火烧不尽，春风吹又生'，乃叹曰：'有句如此，居天下亦不难。老夫前言戏之尔。'"诗人顾况也曾因言贬官。他官位不高，诗名也不大，他的眼光倒是敏锐的，他由白居易的一首"离离原上草"，看出了白居易居天下也不难，也属慧眼了。

有唐一代诗人，李白、杜甫之后，就要数到白居易了。元稹在《白氏长庆集序》中说，乐天《秦中吟》《贺雨》讽喻等篇，二十年间，"禁省观寺邮候墙壁之上无不书，王公妾妇牛童马走之口无不道；至于缮写模勒，炫卖于市井，或持之以交酒名者，处处皆是"，足见白居易诗的盛名与普。白居易在给元稹的信《与元九书》中还曾写道："又闻有军使高霞寓者，欲聘娼妓，妓大夸曰：我诵得白学士《长恨歌》，岂同他妓哉？由是增价。"（《唐诗纪事》）能够背诵白居易《长恨歌》的娼妓，竟然身价都要高出他妓，倒不只是白居易诗的盛名耀人了，唐代，那到底是个诗的朝代。

白居易当然是看重他的《长恨歌》的，他在《编集拙诗成一十五卷因题卷末戏赠元九李二十》中道："一篇长恨有风情，十首秦吟近正声。"虽说是戏赠，道出的却是实情。白居易诗重讽喻，尚风情。他一再申说他的为诗主张。他在《新乐府》序中声称："首句标其目，卒章显其志，诗三百之义也。其辞质而经，欲见之者易喻也；其言直而切，欲闻之者深诫也；其事核而实，使采之者传信也；其体顺而肆，可以播于乐章歌曲也。总而言之，为君、为臣、为民、为物、为事而作，不为文而作也。"在唐代诗人中，白居易是少数几位有标举的作诗主张，又有自己的创作实践来体现自己主张并卓有成就的诗人之一。在诗史上、文学史上，有人有理论主张却无创作实绩，有人有创作实践却无理论建树，兼而有之的并不多。

在白居易的作诗主张中，传播最广最为人所知的，还不是上述那些有关讽喻指事的提倡，而是他的"妇孺能解"追求。《唐才子传》道："公诗以六义为主，不尚艰难。每成篇，必令其家老妪读之，问解则录。后人评白诗如山东父老课农桑，言言皆实也。"《唐才子传》所述未免夸张了一些，像《和微之春日投简阳明洞天五十韵》《裴侍中晋公以集贤林亭即事诗三十六韵见赠猥蒙征和才拙词繁辄广为五百言以仲酬献》等诗，白居易家的老妪恐怕就不能解了。当然，白居易的诗总的来看，到底是比较易解的。元稹是他最好的朋友，两人唱和极多，元稹的诗就比他的诗难读得多。

白居易作着"老妪能解"的努力，有时又对自己的诗作有所怀疑了。他在《自吟拙什有所怀》中说自己"诗成淡无味，多被众人嗤"，他好像不那么自信了。白居易作诗其实是用力甚勤的。他在《与元九书》中自述，"及五六岁，便学为诗，九岁谙识声韵，十五六始知有进士，苦节读书。二十以来，昼课赋，夜课书，间又课诗，不遑寝息矣。"他绝不是率而为诗的那种人，他的有些诗看上去不用力，其实是自然天成。像他的《大林寺桃花》，"人间四月芳菲尽，山寺桃花始盛开。长恨春归无觅处，不知转入此中来"；《暮江吟》，"一道残阳铺水中，半江瑟瑟半江红。可怜九月初三夜，露似真珠月似弓"；《采莲曲》，"菱叶萦波荷飐风，荷花深处小船通。逢郎欲语低头笑，碧玉搔头落水中。"都是看上去似不用力，其实却是大匠无巧，百炼钢化为绕指柔的结果，天然流畅，清丽可喜。

不过,白居易对他自己的诗还是深知的。他的诗固然不能说是淡而无味,可是有些诗总有写得太满太直之憾,他有时候不留空白,说得太尽了,别人写一句,他要写两句。诗到底是需要跳跃的,不能总是一步一步平平实实地走下去。后人评他的诗如山东父老课农桑,言言皆实,本是赞扬,何尝不可看作批评? 诗,到底不能一味尚实,还要尚虚。

　　《长恨歌》为白居易赢得的声誉令他自己也会常常回首。他有和微之(元稹)的《霓裳羽衣歌》,诗中还有“君不见,我歌云,惊破霓裳羽衣曲”句,其得意之情于中可见。不过,他的《霓裳羽衣歌》却算不上什么好诗,远远不及《长恨歌》了,风情大减,文字也雕琢起来。白居易还有一首《小童薛陶吹觱篥歌》,也不能与《琵琶行》相比。写歌写乐,本来同属一类,可是“主人命乐娱宾客,碎竹细竹徒纷纷”,到底跟“同是天涯沦落人,相逢何必曾相识”迥然不同了;奉主人之命而歌以娱宾客,也绝没有“千呼万唤始出来,犹抱琵琶半遮面”的韵致。在《琵琶行》的序中,白居易道:“予出官二年,怡然自安,感斯人言,是夕始觉有迁谪意。”带着迁谪情绪沦落情怀,闻乐赋诗,那才会感同身受,诗情如同乐声,从怀中琵琶倾泻而出。

　　白居易贬为江州司马,是在元和年间。“时盗杀宰相,京师汹汹,居易首上疏,请亟捕贼。权臣有嫌其出位,怒,俄有言居易母坠井死,而赋《新井篇》,言既浮华,行不可用,贬江州司马。”(《唐才子传》)宰相武元衡被强盗所杀,白居易上疏,请亟捕贼,本是他左拾遗言官的职责,权臣居然嫌他出位了,原来,听不得谏言的还不仅仅是皇帝,还有同为僚属的权臣;真的要“广开言路”,确实难乎其难,阻塞“圣听”的力量广布朝堂,那简直要令人绝望了。白居易写《紫藤》“先柔后为害,有似谀佞徒。附著君权势,君迷不肯诛”,活绘出一幅谀佞之徒附君势而为害、君却不肯加诛的画图。

在谀佞之徒那里,是不会把皇帝不愿听的话送到皇帝耳边的,他们用谀辞阻塞了"圣听",逆耳忠言便在朝堂上消失了,只好流传于乡野农间;有一些诗,有一些具有诗的品质的民谣,就是这样。白居易《七德舞》颂太宗之德,希望以心感人,期人心归,只是他的一厢情愿。皇帝之心,权臣之心,与诗人之心是很难相通的。"古人唱歌兼唱情,今人唱歌惟唱声。"(《问杨琼》)唱歌都无情了,遑论其他。一千年前的白居易都在叹恨"人心不古"了,又何况我们呢?又何况我们的子孙呢?"此恨绵绵无绝期"!

2014 年 10 月 17 日

乐在天下

　　贬为江州司马,是白居易的人生转折点,他也因"江州司马青衫湿"造一典故,不幸而为大幸。他贬为江州司马之后《题旧写真图》的时候,四十六岁了。四十六岁的白居易身受贬谪,仍然"所恨凌烟阁,不得画功名",心犹不甘。还不能把画像凌烟阁就说成是为皇家效力争得功名,一姓皇帝的天下,士子们建功立业的理想实现,不通过皇家,又通过哪里呢? 需要考查的只是他们的"政绩"究竟如何,他们是怎样在其位谋其政的。

　　白居易以言获罪,贬江州司马,后又徙忠州刺史,任职苏、杭二州,在任尽职尽责,并非白食俸禄的官员。他跟那些尸位素餐却大搞"面子工程"自夸政绩的官员绝不一样,他倒是"惭无善政"的。他任职杭州时,主持疏浚古井,修堤蓄水,解决饮水与灌溉问题。他在离任时,却写了《去岁罢杭州今春领吴郡惭无善政聊写鄙怀兼寄三相公》一诗,对"杭老遮车辙,吴童扫路尘"的父老儿童洒扫送迎深感不安,"虚迎复虚送,惭见两州民"。

　　白居易虽然也不乏建功立业之志,但他的仕途宦求却不像有些仕宦那么强烈,他在还很年轻的时候,就流露过他的超脱心念了:"商山有黄绮,颍川有巢许。何不从之游,超然离网罟。"(《读史五首》)即便仕途风波还没有颠覆到他本人身上,从历史上,从别人那里,白居易早已看出官场并非久留之地了,他比好多诗人官员都更早地流露出了退隐之意。"甘心谢名利,灭迹归田园。"(《养拙》)这不是一般的归隐田园效仿陶渊明的心愿,而是对那种闲适自得的向往,正如他在《效陶潜体诗十六首》的序中淡然恬静道出的:"余退居渭上,杜门不出。时属多雨,无以自娱,会家酝新熟,雨中独饮,往往酣醉,终日不醒,懒放之心,弥觉自得,故得于此,而有似忘于彼者。"多雨时节,家酿独饮,酣醉懒放,忘了宦海竞奔,朝廷风波,这种时候的心情自然是宁静的。

"其他不可及,且效醉昏昏。"白居易除了眼下的杯中物,似乎什么也不愿去想了。"绿蚁新醅酒,红泥小火炉。晚来天欲雪,能饮一杯无。"(《问刘十九》)不仅多雨季节,独饮终日,消受闲适,下雪天,白居易还要邀朋友来,围炉对饮,以消雪夜呢。白居易好酒,跟李白不同,他不像李白那样"借酒浇愁愁更愁",他的饮酒诗总是散淡的消闲的,他有人世的朋友与他对饮絮话,没有李白那样无人诉说的苦闷,所以他不会邀月来饮,他的饮酒是现实的,不是浪漫的。他当然也能够理解李白的痛苦,对他伟大的前辈诗人深表同情:"可怜荒垄穷泉骨,曾有惊天动地文。但是诗人多薄命,就中沦落不过君。"(《过李白墓》)

白居易不是由天上贬谪到人间来的,贬谪他的是人间的皇帝,不是天帝,他的情感反差不那么大,所以,他总是比较平和的。事关朝政,他会上书朝廷,直陈利弊。以诗涉政,他便讽喻,而不直写,他的情感个性是属于温和型的。即便他的《新丰折臂翁》《卖炭翁》之类诗篇,也不金刚怒目,他连杜甫那种"朱门酒肉臭,路有冻死骨"的强烈对比都没有,他把事情写在那里,让人感受就行了。"江州司马青衫湿",也只是湿了青衫,而没有痛哭;那是静默的流泪,没有影响琵琶声韵,虽然内心的伤痛也是很深很深的。白居易的温和把深深的创痛化解了,稀释了。这自然不意味着白居易就是那么安于官场,能够隐忍了,他只是不大声疾呼而已。"宦途气味已谙尽,五十不休何日休。"(《自问》)"既无可恋者,何以不休官。""若待足始休,休官在何岁。"(《自咏五首》)他只是不断地向自己发问,对自己还一直在官位上待着深深地不满。

　　要归隐,自然还要有归隐的条件。陶渊明归隐田园,也须有田园可归,需要有土地可供耕种,有茅屋能够蔽身。白居易还没有打算像陶渊明那样躬耕垄亩自给自足,他是"退休",要有养老的薪俸。"囊中贮余俸,园外买闲田。"(《新昌新居书事四十韵因寄元郎中张博士》)白居易的打算是周到的,他要过的退官后的生活是需要富足的安适的,不能捉襟见肘,更不能朝不保夕。对于皇家给予的俸禄,白居易是满意的,知足的。"吏满六百石,昔贤辄去之。秩登二千石,今我方罢归。我秩讶已多,我归惭已迟。"(《答刘禹锡白太守行》)

　　终于归退以后,白居易为他的俸禄过多而不早退,竟然惭愧起来了。那大概也是白居易的真实心情,不是说几句漂亮话骗人的。他还没有归退时,食过皇帝赐的樱桃,就感激不尽了。"如珠未穿孔,似火不烧人。"写下过《长恨歌》《琵琶行》那样美妙诗篇的大诗人,深感皇恩,居然写出这种不像话的诗句了。"最惭恩未报,饱喂不才身。"(《与沈杨二舍人阁老同食敕赐樱桃玩物感恩因成十四韵》)皇恩浩荡,如"珠未穿孔似火不烧人"的几颗樱桃,令大诗人惭愧不已,好像连吃饱皇家的饭也不应该。太宗朝大臣李勣患病,医家云,得龙须烧灰,方可疗之。太宗自剪须,烧灰赐之,服讫而愈,勣叩头泣涕而谢。"剪须烧药赐功臣,李勣呜咽思杀身。"白居易在《七德舞》中写下这故事和诗句,至少是把白居易自身感动了。且不说皇帝的胡子究竟能不能像世上不存在的龙须那般神奇,疗病有效吧,至少,大约也不会赶得上不烧人不穿孔的樱桃悦目清口;皇权之下的诗人官员,失去他最基本的判断力了。

　　有了皇恩浩荡,白居易退官后的生活到底是丰裕闲适的。"身兼妻子都三口,鹤与琴书共一船。僮仆减来无冗食,资粮算外有余钱。携将贮作丘中费,犹免饥寒得数年。"白居易在《自喜》诗中表露了他的喜悦自得心情。心情是可以凭诗句感知的,实际的生活状况到底还难以把捉。白居易在《池上篇》序中,对他的退老之地作过具体描述:"都城风土水木之胜,在东南偏,东南之胜,在履道里,里之胜在西北隅。西闲北垣第一第,即白氏叟乐天退老之地。地方七十亩,屋室三之一,水五之一,竹九之一,而岛树桥道间之。初乐天既为主,喜,且曰,虽有台,无粟不能守也,乃作池东粟廪;又曰,虽有子弟,无书不能训也,乃作池北书库;又曰,虽有宾朋,无琴酒不能娱也,乃作池西琴亭,加石樽焉。乐天罢杭州刺史时,得天竺石一、华亭鹤二以归。始作西平桥,开环池路。罢苏州刺史时,得太湖石、白莲、折腰菱、青板舫以归。又作中高桥,通三岛径。罢刑部侍郎时,有粟千斛、书一车,泊臧获之习筬磬弦歌者指百以归……"

白居易实在是坦白的。他的所获不是赃物,所以他坦然叙来。他的叙述让人把"三年清知府十万雪花银"的俗谚想起来了;这,也许才是白居易应该深感皇恩的。除了在被触动到那片龙鳞的时候,或者在翻云覆雨喜怒无常心情不好的时候,龙颜大怒杀掉或贬谪他的臣子,皇家给官员的待遇总是优渥的,什么朝代都是如此。"我今幸得见头白,禄俸不薄官不卑。"(《对镜吟》)后世贪官,不会对镜吟出自足的诗,他们要待入狱几天白了头发,才会生出悔意来。

也许白居易太过自足了吧,退官之后的白居易决然不是写《贺雨》诗《秦中吟》的白居易了,也不是写《长恨歌》《琵琶行》的白居易了。"人言世事何时了,我是人间事了人。"(《百日假满少傅官停自喜言怀》)人间世事,什么也不放在白居易的心上了。"且遣花下歌,送此杯中物。"(《三月三十日作》)白居易只是饮酒赋诗,诗也不是讽喻长恨的诗了。这样的诗不仅无聊,而且让人生腻了。"忽看不似水,一泊稀琉璃。"(《崔十八新池》)这还是诗吗? 能让人相信是出自《长恨歌》作者笔下的诗句吗?"日高起盥栉""日高始就食""日午脱巾簪""日西引杖屦""日高多不食"(《偶作二首》),一日五时,起居有常,晚年生活,珍摄养生,把这些句子写下来贴到墙上,作为自己的作息时间表,倒也未尝不可,作为诗,就让人生厌了。"不如兀然坐,不如塌然卧。食来即张口,睡来即合眼。""二事最关心,安寝加餐饭。"(《有感三首》)"食饱摩挲腹,心头无一事。"(《寄皇甫宾客》)这样的诗不仅无聊,而且庸俗了。

白居易庸滥的诗还有许多。"摇曳双红旆,娉婷十翠娥。"(《夜游西武丘寺八韵》)诗句好像有了色彩,有了风情,可是看看注中明确写道"容、满、蝉、态等十妓从游也",想一想退官后的诗人老态龙钟了,却由妓女十人偕伴,夜游山寺,那样子也不大像话;那是影视剧中表现老迈的达官贵人昏庸粗俗奢靡无度的惯用场景,发生在大诗人白居易身上实在不堪。"二婢扶盥栉,双童舁篦床。"(《二年三月五日斋毕开素当食偶吟赠妻弘农郡君》)退官后,皇家给的养老薪俸富裕充足,满够用的,雇两个女佣,再雇两童仆侍候着,也未尝不可,但是写到诗里,表现那几分"小康"自得,就不怎么妥当了。"小奴捶我足,小婢搔我背",实在是舒服过头,享受过分了;"所以日阳中,向君言自在"(《自在》),自在是自在,可是简直庸滥不堪了。

本来,白居易写娼妓的诗就太多,随手一翻,就是《柘枝妓》《闻歌妓唱严郎中诗因以绝句寄之》,等等。在《醉戏诸妓》中,他还挂牵着退官后会不会妓从妓随:"不知明日休官后,逐我东山去是谁。"退官后尚有妓陪从游玩,白居易便时常流露出那份洋洋自得来了。"双鬟垂未合,三十才过半。本是绮罗人,今为山水伴。春泉共挥弄,好树同攀玩。笑容花底迷,酒思风前乱。"(《山游示小妓》)此诗好像比那单单捶足搔背的诗情采丰富了;可是,想一想一个鸡皮鹤首的老头子,让一个十五六岁的小妓女陪着游山玩水,还"共挥弄""同攀玩",就不能不说有失体统了。

白居易惦念着自己退官后，他醉戏过的妓女会不会跟着他走，别的官员死了，他还操心其妓会不会逐之而去。他有一首《感故张仆射诸妓》写道："黄金不惜买蛾眉，拣得如花三四枝。歌舞教成心力尽，一朝身去不相随。"这首诗也是"讽喻诗"，讽的是妓女关盼盼。"关盼盼，徐州妓也。张建封纳之。张殁，独居彭城故燕子楼，历十余年。白居易讽其死。盼盼得诗，泣曰，妾非不能死，恐我公有从死之妾，玷清范耳。乃和白诗，旬日不食而卒。"（《全唐诗》）关盼盼《和白公诗》曰："自守空楼敛恨眉，形同春后牡丹枝。舍人不会人深意，讶道泉台不去随。"关盼盼是死在白居易的诗下了，白诗的"讽喻"力量竟是如此强大，然而却是多么残酷。白居易会不会留诗讽他的从妓待他死后相随呢？《全唐诗》没有录入，难以断定；但是，在白居易的心底存了此念，大概可以肯定。写《长恨歌》《琵琶行》的大诗人，心底还存了这样残忍的一角，简直令人不能容忍。白居易的境界、人品、诗格就此跌落下去，他怎么也不能与李白、杜甫比肩了。他的诗比李、杜两个人合起来还要多出许多；然而诗人的质量，到底不是以诗篇的数量来决定的。

　　定然是与白居易的自得自足有关系的"乐天"，那不是随意自号的，那是白居易自己设定的生活态度、生活状态。"人生开口笑，百年都几回。"（《喜友至留宿》）白居易是要"笑口常开"了。他在《三月三日祓褉洛滨》序中写道："……一十五人，合宴于舟中。由斗亭历魏堤，抵津桥，登临溯沿。自晨及暮，簪组交映，歌笑间发，前水嬉而后妓乐，左笔砚而右壶觞，望之若仙，观者如堵，尽风光之赏，极游泛之娱，美景良辰，赏心乐事，尽得于今日矣。"白居易忘不了的仍然是"妓乐"。乐倒的确是乐了，诗却不好。白居易跟他那些游伴尽享良辰美景，他们本身也构成了一景，供人观赏了。如堵观者之中，会不会有卖炭翁的儿子卖炭归来呢？大约，那儿子不会有心思观赏达官贵人的游乐吧；白居易也把别人的苦难忘记了。"无恋亦无厌，始是逍遥人。"（《逍遥

197

咏》)为了逍遥,白居易让他自己成了无恋无厌没有是非的人了。他甚至嘲笑起不知一己逍遥的屈原来了:"长笑灵均不知命,江篱丛畔苦悲吟。"这样的诗句一出,说白居易是变节也未为不可。白居易为了晚年活得逍遥自在,他真的是不顾晚节了,他不能做到全节以归了。

白居易太关心他的寿命了。他在刚刚三十四岁的时候作《感时》诗就写道:"虽有七十期,十人无一二。"在他此后的诗作中,经常会写到白发,写到生齿。朋友亡病,他吊问回来,感触就更深。"平生所善者,多不过六七。如何十年间,零落三无一。刘曾梦中见,元向花前失。"(《晚归有感》)诗中的"刘"是刘禹锡梦得,"元"是元稹微之元九,两个人都是白居易极好的朋友。元稹在时,白居易与元稹唱和最多。白居易在《笔思未尽加为六韵重寄微之》的注中说,"予与微之前后寄和诗数百篇,近代无如此多有也"。诗酒唱酬,自是诗人间的雅趣,虽然为应制而敷衍之作多有,但到底是知音间的倾诉,一旦失去,其悲痛非一般朋友丧亡可比。元稹逝去已久了,白居易在《览卢子蒙侍御旧诗多与微之唱和感今伤昔因赠子蒙题于卷后》中还伤怀不已,涕泣涟涟:"今日逢君开旧卷,卷中多道赠微之。相看掩泪情难说,别有伤心事岂知。闻道咸阳坟上树,已抽三丈白杨枝。"白居易失去挚友元稹的悲痛,难以随着岁月的流逝而消失。

元稹逝后,白居易唱和的诗友就是刘禹锡了。"梦得"是白居易诗题中常常出现的名字;刘禹锡去后,再要唱酬,只能"得"于"梦"中了。白居易在《感旧》诗序中写道:"故李侍郎杓直,长庆元年春薨;元相公微之,太和六年秋薨;崔侍郎晦叔,太和七年夏薨;刘尚书梦得,会昌二年秋薨。四君子,予之执友也。二十年间,凋零共尽。唯予衰病,至今独存。因咏悲怀,题为感旧。"白居易写下这段文字时的心情可以想见。好朋友二十年间尽去,独剩乐天一人,他实在也难以乐起来了。这时候想一想白居易那善珍摄乐养生的生活态度,似乎也可以理解了。

只是他不该背叛了自己为诗人的初衷。变节，对他人对自己都是不忠，那是不可原谅的。白居易尚有《劝酒十四首》诗，他在序中称"闲来辄饮，醉后辄吟"，这样的饮酒吟诗，绝不可取，诗当然也不会好。

在唐代诗人中，白居易是少数活得年龄大的；他七十五岁去世，在那个时代，是高寿了。终其一生，白居易有一大憾事常挂心头，那就是他没有儿子。那也可看作他希冀长寿惦念着生命延续的原因吧。"唯是无儿头早白，被天磨折恰平均。"（《自咏》）他感念着"三度拥朱轮"的同时，又遗憾着无儿，好像是上天有意折磨于他以达均平似的。恰恰他的好朋友元稹也是无儿的，他在《吟前篇因寄微之》中又道："何事遣君还似我，髭须早白亦无儿。"

上天好像要有意眷顾诗人了，白居易年近六旬却有了儿子。"五十八翁方有后，静思堪喜亦堪嗟。"（《予与微之老而无子发于言叹著在诗篇今年冬各有一子戏作二什一相贺一以自嘲》）年近花甲，老来得子，白居易的喜悦之情自不待说。这儿子应该就是名为"崔儿"的了。不料，老天不是眷顾，却是摧残，崔儿三岁夭亡，白居易因作《哭崔儿》《初丧崔儿报微之晦叔》，老泪纵横，悲痛至极。"掌珠一颗儿三岁，鬓雪千茎父六旬。""文章十帙官三品，身后传谁庇荫谁。"白居易是哭他后继无人了。好朋友刘禹锡以诗相慰："从此期君比琼树，一枝吹折一枝生。"白居易却已经绝望了："劳寄新诗远安慰，不闻枯树再生枝。"（《府斋感怀酬梦得》）

白居易"乐天"，是因为他没到伤心的时候，他有了自家的切身痛苦，他就乐不起来了。一旦写到痛苦伤怀，写《长恨歌》的那个白居易才仿佛重回了，他不再是那个"昨晚饮太多""今朝餐又饱""睡足摩挲腹，眼前无一事"（《睡后茶兴忆杨同州》），无聊的白居易了，他也不再是那个"忆除司马到江州，及此凡经十五秋"，"争似如今作宾客，却无一念到心头"（《思往喜今》），无所事事的白居易了。因为身边世上，到底不只是诗酒笙歌的人间，与己切近的、与己尚远的苦难还有许多。白居易纵然对皇家的事情不再关心，"昨日诏下去罪人，今日诏下得贤臣"，"我心与世两相忘，时事虽闻如不闻"（《诏下》），老迈昏聩至此了，涉及与他切身相关的事，他还是不能完全忘情。

《云溪友议》载，白居易有妓樊素，善歌，小蛮，善舞。白尝为诗曰：樱桃樊素口，杨柳小蛮腰。年既高迈，而小蛮方丰艳，因杨柳词以托意云。白居易写到自己的老迈，妓的丰艳，又不能不感伤有加了："永丰西角荒园里，尽日无人属阿谁。"白居易年迈，却不能忘情。在《不能忘情吟并序》中，他不无伤感地写道："乐天既老，又病风，乃录家事，会经费，去长物。妓有樊素者，年二十余，绰绰有歌舞态，善唱杨枝，人多以曲名名之，由此名闻洛下，籍在经费中，将放之……了非圣达，不能忘情，又不至于不及情者。""不及情者"，指的是他要卖出的马，白居易一并吟哦："吾疾虽作，年虽颓，幸未及项籍之将死。何必一日之内，弃骓兮而别虞兮。乃目素兮素兮，为我歌杨柳枝。我姑酌彼金罍，我与尔归醉乡去来。"在白居易晚年众多无聊的闲适诗中，这是情感浓烈的一首了，虽然他寄予感怀的是一妓一骥，它到底证明了，白居易本是长于风情的诗人，他老迈至死，也不能忘情。《长恨歌》的作者也会有自己的长恨之歌，那是生命的终极悲歌。

在《题文集柜》中，白居易自称"前后七十卷，小大三千篇"。白居易的诗作数量庞大，而且保存完好。他是个极其有心保存自己诗稿的人。"公好神仙，自制飞云履，焚香振足，如拨烟雾，冉冉生云。"（《唐才子传》）白居易希望长寿，也喜好神仙游，他的诗心却落在踏踏实实的地上，他要把诗文好好地流传于人间，"只应分付女，留与外孙传"（《题文集柜》）。正由于白居易的用心，我们才得以看到了白居易的全部诗作，这是我们的幸运，也是白居易的不幸：实实在在地说，他晚年的那些无聊的诗要是散失不传就好了。白居易为诗，是伤其于多了。

好在,白居易晚年的诗篇中,还有《开龙门八节石滩诗》,为白居易保持了一段很好的晚节。白居易在此诗序中写道:"东都龙门潭之南,有八节滩、九峭石。船筏过此,例及破伤。舟人楫师,推挽束缚。大寒三月,裸跣水中,饥冻有声,闻于终夜。予尝有愿,力及则救之。会昌四年,有悲智僧道遇,适同发心,经营开凿,贫者出力,仁者施财。於戏! 从古有碍之险,未来无穷之苦,忽乎一旦尽除去之,兹吾所用适愿快心拔苦施乐者耳,岂独以功德福报为意哉。"白居易从而放声唱道:"我身虽殁心长在,暗施慈悲与后人。"白居易此乐,关乎众人,非一己之乐了。乐天,乐在天下。

2014 年 10 月 19 日

气平意绝

哪怕是不识字的中国人，大概也会在饭桌上对他的儿孙念出"谁知盘中餐，粒粒皆辛苦"的诗句吧，尽管他们并不记得写下这首诗的诗人的名字。有的诗人是有名诗传世，而名字却不大为人所知的，李绅便是这样的一位。与这首"粒粒皆辛苦"同样著名的悯农诗，李绅还有一首："春种一粒粟，秋成万颗籽。四海无闲田，农夫犹饿死。"（《古风二首》）诗是明白如话的，却字字千钧，深入骨髓。据说李绅初以古风求知于吕温，吕温见齐煦，诵李绅的这两首悯农诗，道，此人必为卿相。曾在王叔文用事期间骤迁左拾遗的诗人吕温慧眼识珠，后果如其言，李绅在武宗时为相，居位四年，有贤德，有政绩。

是李绅在那短短的两首悯农诗中流露出的悲天悯人胸怀，让前辈诗人看出了他的卿相之才吧。才华，才能，的确是与胸怀心地紧密相连的。长久以来，才华是被误解了。有一些德行卑秽的人往往会自诩才华，外人也被他外在的那些张狂所迷惑，误认为其有才，其实是看错了。他本人始终也未能以成就证明其才，却又至死不悟，成为无药可治的妄想狂、自大狂，那真是终生的误会，直需盖棺方能论定。

李绅的才华是与德行相称的。他《渡西陵十六韵》序曰："七年冬，十有三日，早渡浙江，寒雨方霖，军吏悉在江次。越人年谷未成，淫雨不止，田亩浸溢，水不及穗者数寸。余至驿，命押衙役裴行宗先赍祝词，东望拜禹庙，且以百姓请命。雨收云息，日朗者三旬有五日。刘获皆毕，有以见神之不欺也。"不要以迷信不迷信来看一千二百多年前官员的祷神行为,也不要说神到底欺还是不欺,序文中为百姓疾苦的忧心忡忡,却不是当今官员都会有的。"望祷依前圣,垂休冀厚生。"为悠悠黎元诚心祈祷的心愿难能可贵。

李绅元和初擢进士第,补国子助教,不乐,辄去,也是个耿介不驯的人。后来,穆宗召其为右拾遗,翰林学士,历官中书舍人,御史中丞,户部侍郎。敬宗时也曾徙迁,多地为官,直至武宗朝高居相位。他离开京都,外地任职时,多行善政。他是真正有那种"为官一任造福一方"抱负的官员。

太和八年,李绅自浙东观察使又除太子宾客,分司东都。始发州郭,越人父老男女数万,携壶觞至江津相送,"海隅布政惭期月,江上沾巾愧万人。"(《宿越州天王寺》)到任一方,为政期月,竟能使得父老男女数万江津相送,那绝不是开几次会作几次报告能够达到的,必有实际善政才成。在《却到浙西》的序文中,李绅记下了他的一项为政举措:"出杭州界入苏州。八年,浙西六郡灾旱,百姓饿殍,道路相望,米价翔贵。是岁,浙东大稔,因请出米五万斛贱估,以救浙西居人。诏下蒙允。是岁,王璠不奏饥旱,反怒邻境所救,以为卖己,遂与王涯合计诬构,冈上奏陈,米非官米,足私求利。及璠伏诛,蒙圣恩加察奸邪所冈。初入浙西苏州界,吴人以恤灾之惠,犹惧旌幡留戒于迥野之处,不及城郭之所,则相率拜泣于舟楫前。"序文所记是一段史实,牵涉朝野,其中心则是李绅以本镇谷米低价售于邻境,而邻镇任官却构谄冈奏,欲害李绅。百姓是顾念实惠的,大灾之年,谁救恤了他们,他们便不忘其恩。然而"苛政尚存犹惕息,老从偷拜拥前舟",李绅无能为力的是"天下乌鸦一般黑",他不能把他的善政遍施于普天之下;能这样做到的只是皇帝,皇帝又不做,苛政便照样存在,"四海无闲田,农夫犹饿死"的现实依然不能从根本上改变。

由地方到朝廷,李绅由一方官员到庙堂之高,为官为政,李绅察朝野,观兴替,他的兴亡之慨自然会有更多切实的内容。唐王朝自开元、天宝以降,奢侈淫靡之风总也难以禁绝,有时候倒愈演愈烈了。李绅过姑苏台,见"台今遗迹平芜,连接灵岩寺。采香经、吃屧廊皆在寺内。越书称越王黄献吴王黄金楼楣,吴王因造姑苏台。因献楣,遂以黄金尽饰楼,以破其国。"因奢靡而破国,无数朝代,代代帝王,都是这样灭亡了,可是有几任帝王能够真正"以史为鉴"呢?诗人不能不"云木梦回多感叹,不惟惆怅至长洲"(《姑苏台杂句》)了。

感叹着帝王不能吸取前朝灭亡的教训,也悲叹着贤臣良将不能够独善其身功成身退,李绅的情怀也是矛盾重重。他《却过淮阳吊韩信庙》诗曰:"英主任贤增虎翼,假王徼福犯龙鳞。""徒用千金酬一饭,不知明哲重防身。"这当然是为韩信一叹,却也是为韩信一惜。

李绅有矛盾,他的爱恨倒是鲜明的,他的《涉沅潇》,"屈原尔为怀王没,水府通天化灵物。何不驱雷击电除奸邪,可怜空作沉泉骨。"恨极之下,他对屈原的要求、对屈原的遗憾似乎显得不那么公平了。《真娘坟》"愁态白随风烛灭,爱心难逐雨花轻",悼吴之妓人,倒真情款款,深挚动人。李绅也是善抒女性情怀的,他写宫怨的诗《长门怨》,"珊瑚枕上千行泪,不是思君是恨君",大胆地由怨写到了恨,是此类诗中别出一格的好绝句,非寻常宫怨诗可比。

李绅以两首悯农五言短诗名世,其实他也有七言歌行,比如《南梁行》《过荆门》等,不过都属平平。他还有七言歌行《悲善才》写琵琶乐,却决然无法与白居易的《琵琶行》相比。白居易就有赠李绅的诗得意地宣称:"刚被老元偷格律,苦教短李伏歌行。"李绅短小精悍,是那种小个子宰相,时称"短李"。他短于白居易的,是他的歌行中少了风情。那是为官所致吗?白居易也是做到了左拾遗的,只是未居相位。宰相的样子到底应该是怎么样的呢?

李绅镇会稽时,曾与刘禹锡相识,两人却并未成为朋友知音。李绅在《过吴门二十四韵》的注中记曰："太和七年,余镇会稽,刘禹锡为郡,则元和中苏州相识,知与不知,索然皆尽。"刘禹锡是元稹、白居易的好朋友,之间唱酬甚多,却与李绅"索然皆尽",是什么原因呢?那时候,李绅为镇,刘禹锡为郡,乃上下级关系,是官阶阻碍了他们的相知吧。那简直可以说是一定的。"簪笔此时方侍从,却思金马笑邹枚。"(《忆春日太液池亭候对》)"明日独归花路远,可怜人世隔云霓。"(《忆夜直金銮殿承旨》)李绅似乎太过看重他的金殿承旨、簪笔侍从了。

过于看重了官位荣耀,也就会轻忽了诗人的相交。从这个角度,再来看李绅的序文,便觉得他太愿意记他的为官政绩、百姓拥戴了。在《拜宣武军节度使》序中,他又写道:"五日赴镇,出都门,城内少长士女相送者数万人,至白马寺,涕泣当车者不可止。"为官的诗人,在自己的诗文中一再记下自己的功绩,总不免自我评功摆好之嫌。既然为官,造福民众,是分内的职责,像农民种田打粮是一个道理,不需要再三再四为自己记功,树碑立传。诗人的碑志,有他的诗足够了。李绅为诗,有他的悯农诗,也就无愧于诗人的称号了,无须其他。

南阳人张祜是没有做过官的。然而他"骚情雅思,凡知己者皆当时英杰"(《唐才子传》),元和、长庆间,深为令狐楚所知。令狐楚镇天平,自草荐表,令以诗三百篇随状表进。张祜至京,属元稹在内庭。皇上问之,元稹曰:"祜雕虫小巧,壮夫不为,或奖激之,恐变陛下风教。上颔之。由是失意东归。"(《唐诗纪事》)元稹作为诗界前辈,先入内庭,对后进本当奖掖提携;他却恰恰相反,他的做法,不说嫉贤妒能,至少也是不厚道了。他视张祜为雕虫小巧,那么他呢?以同样的角度观之,不也是雕虫小技吗?

由于元稹的"雕虫小巧"之语,张祜不得皇家重用,张祜是耿耿于怀的。"贺知章口徒劳说,孟浩然身更不移。"(《寓怀寄苏州刘郎中》)"唯恨世间无贺老,谪仙长在没人知。"(《偶题》)张祜是以贺知章发现李白来比自己的不遇伯乐了。不必说张祜并无李白的才华，单单张祜遇上的是元稹而不是贺知章，就够他长久抱憾了。他"唯是胜游行未遍，欲离京国尚迟迟"（《寓怀寄苏州刘郎中》），心犹不甘，是可以理解的，万万不可轻飘飘地以"功名心太重"来指责张祜。皇权之下，万千士子寒窗苦读，不入皇家彀中去为一姓天下建功立业，又能如何呢？

总唐一代，除了诗僧，没有哪一位诗人会像张祜这样写了如此之多题佛寺的诗了。《题润州金山寺》《题润州甘露寺》《题杭州孤山寺》《题濠州钟离寺》《题苏州灵岩寺》《题苏州楞枷寺》《题苏州思益寺》《题重居寺》《题善友寺》……把张祜题佛寺的诗题写下来，也是长长的一大篇。张祜好像是逢寺必题诗的，不，他是硬奔着寺院去题诗的。他在寺院内徘徊着，在出世、入世间踟蹰不定，然而他终于没有完全抛下人世牵挂，一发狠心，去做了和尚。

"几代儒家业，何年佛事碑。"（《题丘山寺》）张祜就这样在儒家的用世与佛家的出世之间彷徨，下不了最终决心。"也知世路名堪贵，谁信庄周论物齐。"（《哭京兆庞尹》）庄子的"齐"，只是故作张致罢了，张祜不信；他信的是另一种"齐"，修齐治平之"齐"。虽然张祜也能看透生死，在《洛阳感寓》中写下了他的生死观："扰扰都城晓四开，不关名利也尘埃。千门甲第身遥入，万里铭旌死后来。洛水暮烟横莽苍，邙山秋日露崔嵬。须知此事堪为镜，莫遣黄金漫作堆。"看透了是一回事，做起来又是一回事。"理论上的巨人，行动上的矮子"，自古至今，士子们大都如此，万千宣言诗文常常只是纸上的东西，想一想不能不令人感到另一重悲哀。自己未能入朝廷的张祜，自己不能"万里铭旌"的张祜，却还要"寄言天下将，须立武功名"（《采桑》）。痴心不改，执着如此，他还要逢寺题诗，徘徊于佛家大门之外，让人是赞同他呢，还是批评他呢？

张祜是有大痛苦埋在心底的，还不只是因元稹作梗他未能仕进的失意。"深宫坐愁百年身，一片玉中生愤血。焦桐弹罢丝自绝，漠漠暗魂愁夜月。"(《思归引》)郁结愤疾,就不是一般思归怀乡的情绪可比。
"妾有罗衣裳,秦王在时作。为舞春风多,秋来不堪著。"(《墙头花二首》)苍茫怅惘,也非一般的宫怨闺怨了,岁月感、沧桑感透入了生命本体,无比茫远。"武皇一夕梦不觉,十二玉楼空月明。"(《华清宫四首》)"徒悲旧行迹,一夜玉阶霜。"(《南宫叹亦述玄宗追恨太真妃事》)自是抚今追昔,而发兴亡之感。"尘土已残香粉艳,荔枝犹到马嵬坡。"(《马嵬坡》)亦不乏讽喻当今警世示人的用意。而"一声何满子,双泪落君前",虽题为《宫词》,却牵涉到了更远。白居易有诗曰:"世传满子是人名,临就刑时曲始成。一曲四调歌八叠,从头便是断肠声。"白居易自注道:"开元中,沧州歌者姓名,临刑进此曲,以赎死,上竟不免。""何满子"作为曲牌名,原来竟与一个人的实体生命相关。张祜在《孟才人叹》中再一次写到了何满子。他在诗的序中写道:"武宗皇帝疾笃,迁便殿。孟才人以歌笙获宠者,密侍其右。上目之曰,吾当不讳,尔何为哉?指笙囊泣曰,请以此就谥。上悯然。复曰,妾尝艺歌,请对上歌一曲以泄其愤。上以恳许之。乃歌一声何满子,气亟立殁。上令医候之。曰,脉尚温而肠已绝。及帝崩,柩重不可举。议者曰,非俟才人乎?爰命其椁。椁至乃举。嗟夫,才人以诚死,上以诚命,虽古之义激,无以过也。"这是一段皇帝驾崩才人随之殉命的故事。才人是皇帝的嫔妃中列在下等的一类。以笙歌获宠的才人,竟能随皇帝而去,歌一声何满子而气绝,这何满子真是与死亡相连的绝调了。张祜深感其诚,大叹"嗟夫",我们却要为那才人深深悲叹,她死得并不那么值得。"却为一声何满子,下泉须吊旧才人。"张祜的凭吊,与我们的凭吊相通,也有异。

　　"风劲角弓鸣,将军猎渭城。草枯鹰眼疾,雪尽马蹄轻。"(《戎浑》)张祜能写出如此劲捷剽疾的诗,他怎么会入了佛门呢? 他的情肠牵挂,深深地系联着人世。设想一下,如果元稹不在皇帝跟前说那种"雕虫小巧"的话,而是举荐一把,张祜该是另一番面貌的张祜吧。与元稹相反,杜牧时为度支使,就极善待看重张祜,有赠诗云:"何人得似张公子,千首诗轻万户侯。"张祜徘徊佛门,却是有老婆孩子的,他作诗苦吟时,妻孥每唤之皆不应,曰:"吾方口吻生花,岂恤汝辈乎?"(《唐才子传》)这类于诗痴,仿佛有些可笑了。待他逝后,有进士颜萱经过他的遗居,见其爱姬崔氏,贫居荆榛下,有一子杞儿,求食汝坟矣。悯然作诗吊之。不管张祜的命运是不是由元稹一言而定,元稹都负有不可推卸的责任,那是毋庸置疑的。《唐才子传》中因而愤然评道:"稹谓祜雕虫琐琐,而稹所为,有不若是耶?嫉贤妒能,迎户而噬,略己而过人者,穿窬之行也。祜能以处士自终其身,声华不借钟鼎,而高视当代,至今称之。不遇者天也,不泯者亦天也,岂若彼取容阿附,遗臭之不已者哉。"

与张祜相比,朱庆余就幸运得多了。朱庆余受知于张籍。《全唐诗》《唐诗纪事》和《唐才子传》中朱庆余的小传极简,都未记下张籍对朱庆余的具体荐举;但是,朱庆余没有遭遇元稹那样的贬低,他的仕进之路就没有了起步时的障碍。他有一首诗《近试上张籍水部》,虽然没有直接写到张籍的奖掖,不过,他已经把张籍当作了知己,当作进入皇家的引门人了,那是没有什么疑问的:"洞房昨夜停红烛,待晓堂前拜舅姑。妆罢低声问夫婿,画眉深浅入时无。"诗是隐喻的,初入皇门的朱庆余像洞房花烛后要见翁姑的小媳妇一样,希望张籍给他指点,引导。朱庆余的态度是谦恭的,小心的。他这种小心翼翼的态度,还不能怪他胆小,不轩昂。"含情欲说宫中事,鹦鹉前头不敢言。"(《宫词》)宫门深如海,皇宫内院警备森严,又有学舌的"鹦鹉",暗处的密探,你不小心,难道不要脑袋了吗?

朱庆余当然也是想效忠皇家的。"何年方致主,时拂剑尘看。"(《塞下感怀》)他是那种壮心不已的人。张籍升迁,他《贺张水部员外拜命》,"徒有归山意,君恩未可忘",与其说是贺张籍,不如说是他自表心迹。虽然朱庆余也看透了"人心不自足,公道为谁平。德丧淳风尽,年荒蔓草盈"(《行路难》)。他《过旧宅》,看到了"空厩欲摧尘满枥,小池初涸草浸沙。荣华事歇皆如此,立马踟蹰到日斜";《归故园》,看到了"桑柘骈阗数亩间,门前五柳正堪攀",顿生感叹:"尊中美酒长须满,身外浮名总是闲";可他还是没有退意。他会思乡怀家,"久客未还乡,中秋倍可伤","数宵千里梦,时见旧书堂"(《旅中秋月有怀》),他就是不肯就此退回,归家终老。他《过孟浩然旧居》,见"冢边空有树,身后独无儿",满心苍凉;可是他想到"散尽诗篇本,长存道德碑",就又按照他起步走上的路继续走下去了。

认真读下来,会觉得朱庆余的诗才不大,他固然有"画眉深浅入时无""鹦鹉前头不敢言"的诗句传世,他的诗总体来看成就不是多么高。他有《采莲》《榜曲》《过耶溪》三首绝句,三、四两句差不多是同样的:"正是停桡相遇处,鸳鸯飞去碧流中""欲到前洲堪入处,鸳鸯飞出碧流中""恰是扁舟堪入处,鸳鸯飞起碧流中",朱庆余的想象和语词似乎都不够用了。

张籍赏识朱庆余,是看中了他的谦恭小心吗?"前恭而后倨",是一些小人得志、得志小人惯有的德行;而朱庆余却不是那种人。他没有对张籍提携直接表达谢意的诗,他有一道《上翰林李舍人》:"记得早年曾拜识,便怜孤进赏文章。""云沉虽隔思长在,纵使无成也不忘。"无成尚且不忘,有成又怎么能忘?朱庆余的为人,于此可见了。他纵然诗才不大,成就不高,也不妨列入好诗人之列。好诗人,德更重于才。《唐才子传》说朱庆余"得张水部诗旨,气平意绝,社中哲匠也"。气平意绝,才是张籍赏识朱庆余的原因吧;这也可当作诗人的一个追求:气平意绝。

2014 年 11 月 4 日

生命的绝望

不读杜牧的诗，单单读他的赋文《阿房宫赋》，也会感觉到杜牧过人的才华。且不说他对阿房宫华丽的铺叙绘写，即看他文末的议论，那也需文章大家方能为之："呜呼！灭六国者六国也，非秦也；族秦者秦也，非天下也。嗟乎！使六国各爱其人，则足以拒秦；使秦复爱六国之人，则递三世可至万世而为君，谁得而族也？秦人不暇自哀，而后人哀之；后人哀之而不鉴之，亦使后人而复哀后人也。"杜牧的思考评说常被人引用，为治国者戒；可惜"使后人而复哀后人"的事情代代发生。

文人们还是不厌其烦地说下去。阿房宫，杜牧作赋说过，他《过骊山作》又写诗言道："黔首不愚尔益愚，千里函关囚独夫。"杜牧批判所向，是直指专制的秦始皇了。杜牧的兴亡之感往往都是由皇家生发，他著名的诗句 "一骑红尘妃子笑，无人知是荔枝来""霓裳一曲千峰上，舞破中原始下来"（《过华清宫绝句三首》），写的都是唐明皇与杨贵妃的那些风流韵事，由皇宫淫乐引发的国事衰残社稷倾覆。他再作《经古行宫》（一作《经华清宫》），也还是感叹"先皇一去无回驾，红粉云环空断肠"。他《泊秦滩》不再萦念前朝故事，直逼当下："商女不知亡国恨，隔江犹唱后庭花。"不知亡国恨的又哪里只是商女呢？唐王朝自天宝年间"安史之乱"衰败下来，一蹶不振，到中晚唐虽有一二"明主"稍稍振作，力图复兴，但终难挽大厦之既倾，一代王朝还是不可阻挡地走向了衰亡。那衰亡的责任实在不能由"商女"来负的。商女隔江犹唱后庭花，那是因为"刘后主""李后主"还要听，她们不唱还不行。

杜牧的兴亡还会走向虚无和苍茫。"可怜赤壁争雄渡,唯有蓑翁坐钓鱼。"赤壁争烽,三国鼎立,大战处而今只是渔翁蓑笠,独坐垂钓了。血肉横飞死伤枕藉的大战,只不过为了一家一姓的天下罢了。"白发渔樵江渚上,惯看秋月春风。""古今多少事,都付笑谈中。"宋代杨慎的《西江月》名词,由杜牧的苍茫出发,走得更远。杜牧却还在纠结反复,怅惘难断。他另一首有关赤壁的诗,还在评说天下三分兴亡原因:"折戟沉沙铁未销,自将磨洗认前朝。东风不与周郎便,铜雀春深锁二乔。"(《赤壁》)这也是杜牧的一首名诗,好多选本都不会漏掉不选的。宋代《许彦周诗话》却责难道:"杜牧之作《赤壁》诗,意谓赤壁不能纵火,即为曹公夺二乔置之铜雀台上也。孙氏霸业,系此一战。社稷存亡,生灵涂炭都不问,只恐捉了二乔,可见措大不识好恶。"这样的责难实在荒谬,说其不懂作诗也可。责难者竟不知诗的借喻借代,难道他不懂曹操捉了二乔锁于铜雀台上,也就是夺了孙氏的天下吗?更何况诗的题旨还会由赤壁指向更远,直达苍茫无限。

不过,杜牧的诗写女性过多,易使人发生误解倒也是有的。杜牧有《杜秋娘诗》《张好好诗》,直写年轻貌美的女性。杜秋娘年十五为李锜妾,"京江水清滑,生女白如脂""秋枝玉簟醉,与唱金缕衣"。好好年十三,始以善歌来乐籍中,"双鬟可高下,才过青罗襦。盼盼乍垂袖,一声雏凤呼。"杜牧写的杜秋娘和张好好,都是十几岁还未完全长成的女子。

杜牧似乎对未成年的"宁馨"情有独钟,对她们寄予了特别的爱怜与恤悯。杜牧有一首《怅诗》,在诗的序文中他自述经历与感怀:"牧佐宣城幕,游湖州刺史崔君张水戏,使州人毕观。牧闲行阅奇丽,得垂髫者十余岁。后十四年,牧刺湖州,其人已嫁,生子矣,乃怅而为诗。"诗曰:"自是寻春去校迟,不须惆怅怨芳时。狂风落尽深红色,绿叶成荫子满枝。"《唐才子传》记叙略有异,说是杜牧与此女"约以十年后吾来郡,当纳之,结以金币";而杜牧十四年后来此,"前女子从人,两抱雏矣"。小异而大同,说的都是杜牧与十岁女子有情,十余年后,女大嫁人生子,杜牧怅然而诗。杜牧不是那种见一个爱一个的男人,但却容易对女人生情,尤其怜爱未成年的小女子,却是真的。他那"狂风落尽深红色,绿叶成荫子满枝"的怅然感怀,让人把贾宝玉想起来了。"杏子荫假凤泣虚凰"一回,贾宝玉想到不久后邢岫烟也要嫁人了,世上又少了一个好女儿,也有过"绿叶成荫子满枝"的感伤。是曹雪芹由杜牧这里生发,而有了贾宝玉那副情肠吧。

看起来杜牧好像是有些"滥情"倾向了。他自己还有过真诚的坦白:"十年一觉扬州梦,赢得青楼薄倖名。"杜牧纵放不羁,应当也是真的。人道"婊子无情,戏子无义",此话可再作讨论;杜牧却是有情有义的。事不关己,他《见刘秀与池州妓别》,也会有感而成诗:"待得枚皋相见日,自应妆镜笑蹉跎。"《池州李使君没后十一日处州新命始到后见归妓感而成诗》,他也会伤感地道出:"巨卿哭处云空断,阿鹜归来月正明。"他的一首《留赠》诗,没有说明留赠何人,但从诗中不难看出他赠与的是什么人:"舞靴应任闲人看,笑脸还须待我开。不用镜前空有泪,蔷薇花谢即归来。"这样情意绵绵的赠诗,虽然不知道别赠何人,但总比那些俗滥的套话俗话赠别诗好得多。赠别后,那人是不是还会把笑脸向别人开,杜牧大约也不会怎么计较的。

杜牧的纵情不羁在当时是很有名的。《唐诗纪事》记叙了这样一件事:"牧为御史,分务洛阳,时李司徒置镇闲居,声妓豪侈,洛中名士咸竭之。李高会朝客,以杜持宪,不敢邀致。杜遣座客达意,愿预斯会,李不得已邀之。杜独坐南行,瞪目注视,引满三卮,问李云,'闻有紫云者,孰乎?'李指示之。杜凝睇良久曰:'名不虚传,宜以见惠。'李俯而笑,诸妓亦回首破颜。杜又自饮三爵。朗吟而起曰:'华堂今日绮筵开,谁唤分司御史来? 忽发狂言惊满座,两行红粉一时回。'气意闲逸,旁若无人。"想一想杜牧以御史身份司洛阳,人家因他是执法者,会宴不敢邀请,他主动示意而去,这行为本身就够大胆了。筵会上又那般旁若无人,狂言惊座,当堂吟诗。《唐才子传》叙这故事后尚有一句:"座客莫不称异。"杜牧的特立独行,不仅令当时人,也要令后人交口称异。杜牧是恃才傲物吗?

读过了杜牧那么多关于女性的诗,读过了他自己"薄倖名"的坦白,会怀疑他用情不专了。《唐才子传》称"牧美容姿,好歌舞,风情颇张,不能自遏。时淮南称繁盛,不减京华,且多名妓绝色,牧恣心赏",说的正是杜牧恣纵赏游的做派了。杜牧有一首《宜州留赠》,"满面风流虽如玉,四年夫婿恰如云。""为报眼波须稳当,五陵游宕莫知闻。"是杜牧所写用情长久一些的诗,有别意又有洒脱。据此,就不该断杜牧为薄情之人,他也并不"薄倖"。他《冬日五湖馆水亭怀别》曰:"云抱四山终日在,草荒三径几时归。江城向晚西流急,无限乡心闻捣衣。"不管杜牧怀别的是什么人,杜牧是多情之人当是一定的。

多情之人必多痛苦,伤春伤别,感叹岁月,感怀生命,他们比别人多了如许哀伤,如许怅惘,他们即便有一时放纵,一时洒脱,回过头来也还是无边无际的悲愁。李商隐作《杜司勋》诗曰"刻意伤春复伤别,人间惟有杜司勋",是深知杜牧的知音之言。宣宗大中三年初,杜牧任司勋员外郎(吏部属官),兼史馆修撰,当时李商隐在京兆府代理法曹参军。过去了白居易之后的唐代诗坛,杜牧和李商隐放射出一段夺目的光芒之后,唐诗的光芒就走向暗淡了。李商隐对杜牧的理解,自非寻常;天才间的惺惺相惜,弥足珍贵。

李商隐说的绝对没有错,伤春伤别,是杜牧诗的主题,也是基本特色。他那些留赠诗,不管留赠什么人的,从这个角度出发去理解,才不至于轻薄了一位优秀诗人。"东门门外多离别,愁煞朝朝暮暮人。"(《新柳》)这写的当然不是自己的伤别,而是普通的别离。"如今风摆花狼藉,绿叶成荫子满枝。"他在《叹花》中再一次感叹绿叶成荫,自然不再与女人相关，而是春的感伤了。"蜡烛有心还惜别，替人垂泪到天明。"（《赠别二首》）这样的伤别，是有"恨别鸟惊心"的意味在了。识者以杜牧比杜甫，称"小杜""老杜"以别之，自是卓见。"无计延春日，何能驻少年。"（《惜春》）杜牧的伤春情怀与他感叹青春逝去难以永驻相连，他也就多了岁月感生命感，不是简单的惜春惜花了。

"四百年炎汉，三十代宗周。二三里遗堵，八九所高丘。人生一世内，何必多悲愁。"（《洛中送冀处士东游》）看起来杜牧是看透了世事，看透了生命，他会豁达起来了。可惜理性与情感并不会完全一致。理性的认识会洞明通透，情感的纠结仍然会复杂难解。"独佩一壶游，秋豪泰山小。"（《独酌》）"楚岸柳何穷，别愁纷若絮。"（《题安州浮云寺楼寄湖州张郎中》）杜牧就在这理智与情绪、豪纵与伤别中徘徊不定，他因此便更平添了几重痛苦。

"千秋令节名空在，承露丝囊世已无。唯有紫苔偏得意，年年因雨上金铺。"（《过勤政楼》）杜牧的沧桑感是这样深重 。"但将酩酊酬佳节，不用登临叹落晖。古往今来只如此，牛山何必泪沾衣。"（《九日齐安登高》）杜牧好像会从此酒中天地，不再伤感落泪了。"攻破是非浑是梦，削平身世有如无。"（《歙州庐中函见惠名酝》）是非如梦，身世如无了，还计较什么伤感什么？"万古荣华旦暮齐，楼台春尽草萋萋。君看陌上何人暮，旋化红尘送马蹄。"（《春日古道旁作》）杜牧尚"齐"，有些庄子的情怀了；可是他于蜀地听到杜宇啼归，于宣城见到了杜鹃花，却又情不能抑，"一叫一回肠一断，三春三月忆三巴"了。这首《子规》诗又见于李白集中，题作《宣城见杜鹃花》。杜牧的诗风和情感方式是有些像李白的，他们都在浪漫与现实、豪放与伤情之间来往，只是杜牧比李白更多了一些与女性的纠葛。

自然，认真品味，杜牧的阔豪有逊于李白，他的伤感却多于李白。杜牧怎么也不会写出乘舟欲行踏歌送别的诗来。杜牧似乎也向往着散发扁舟往来湖上，"范蠡清尘何寂寞，如风唯属往来商。"(《西江怀古》)"怅惘无因见范蠡，参差烟树五湖东。"(《题宣州开元寺水阁阁下宛溪夹溪居人》)功成身退一叶扁舟的范蠡，引得杜牧一再咏唱，可是杜牧还算不上"功成"，也就无所谓"身退"。他"刚直有奇节，不为龌龊小谨，敢论列大事，指陈利病尤切。兵法戎机，平昔尽意。尝以从兄悰更历将相，而己困踬不振，怏怏难平。"(《唐才子传》)原来杜牧也是怀才不遇心有不平的，他的"看透"，他的范蠡不遇，只是他抒发牢骚心怀。"谁知我亦轻生者，不得君王丈二殳。"(《闻庆州赵纵使君与党项战中箭身死辄书长句》)杜牧是报国无门，空怀轻生壮志的。"江东子弟多才俊，卷土重来未可知。"(《题乌江亭》)兵败乌江的项羽，引起杜牧的同情，杜牧可不单单是发一发思古之幽情，谁说那不是他本人不肯屈服的志向抱负呢？"功名待寄凌烟阁，力尽辽城不肯回。"(《寄远》)杜牧也是渴望着图画凌烟建功立业的啊，他哪里只是在女人堆里混混只赢得青楼薄倖名的落拓文人多情公子呢？

"两叶愁眉愁不开，独含惆怅上层台。"(《寄眉》)愁眉不展独登层台的杜牧，才是最真实的杜牧。"楚国同游过十霜，万重心事几堪伤。"(《秋夜与友人宿》)心事重重的杜牧，真真地令人同情了。他那些与女性相关的诗，是他写了自慰，也安慰与他同命相怜的人吧。那一时的愉悦欢快，哪里会排解了诗人的满腹惆怅万般愁肠呢？"空悲浮世云无定，多感流年水不还。"(《将赴京留赠僧院》)杜牧留赠僧院，也与一般诗人不同，他表达的不是世外向往，他是在世外看浮世，看到的仍然是流年似水，他并没有看"空"看破。"南朝四百八十寺，多少楼台烟雨中。"(《江南春绝句》)

杜牧对佛寺的态度是否定的，他主张的是积极入世。天下尽是佛寺，人人看透世事，都去出家做了和尚，谁来供养念经的人吃饭呢？唐代有过毁佛也有过佞佛的交替。唐玄宗时，纳宰相姚崇谏，淘汰天下僧尼,万二千余人还俗。敕毋得创建佛寺,禁百官家毋得与僧尼道士往还,禁民间铸佛写经。到宪宗朝,佞佛却又达到新的高峰,致有韩愈《谏迎佛骨表》上奏朝廷,力谏不可佞佛至荒谬透顶的地步。然而,一代帝王好上了什么,诗人文人的诗文章奏是起不了什么作用的。唐代如此,后世也不会两样。等到这块土地上斥巨资再度建起一座座佛寺,铸起山一样的大佛,再有多少诗人写诗讽喻,也没有什么用了。

杜牧不佞佛,他绝不会出家,他有满腹的人世牵挂。"人道青山归去好,青山曾有几人归。"(《怀紫阁山》)写诗作文,说一说青山归去如何美好,那到底只是诗文里的张致,要真正付诸行动归隐青山,还不是那么容易。"停车坐爱枫林晚,霜叶红于二月花。"(《山行》)在杜牧的眼中,霜叶醉红,也让人迷恋,他会伤春,却不悲秋。"二十四桥明月夜,玉人何处教吹箫。"(《寄扬州韩绰判官》)正是这明月玉人,箫声呜咽,让人无限怀恋。"争得便归湘浦去,却持竿上钓鱼船。"(《怀归》)杜牧一时偶发归去之意,转而又回到了多情的人间:"银烛秋光冷画屏,轻罗小扇扑流萤。天阶夜色凉如水,坐看牵牛织女星。"(《秋夕》)杜牧是七绝胜手,他写小诗,是涉笔而成,看似毫不用力的,于中李白的遗风一望可知,杜牧也不仅仅可与杜甫类比。

杜牧到底不是李白,他的痛苦不是由天上降落到地上的痛苦,他的痛苦直接生发于脚下,是切切实实的,锥心刺骨。李白临近生命的终点,把自己的诗文托付给朋友,杜牧临死却自写墓志,多焚所为文章。(《唐才子传》)人世的痛苦,让诗人产生的绝望,是无可拯救的。那是凡身肉体的生命的绝望,多情的诗人加倍地感受了。杜牧卒年五十,还是生命的好年华。

2014 年 11 月 12 日

东风无力百花残

只要是喜欢李商隐的诗，张口成诵的必定是他那首好像是写爱情的《锦瑟》,《全唐诗》列为他诗作的首篇:"锦瑟无端五十年,一弦一柱思华年。庄生晓梦迷蝴蝶,望帝春心托杜鹃。沧海月明珠有泪,蓝田日暖玉生烟。此情可待成追忆,只是当时已惘然。"又朦胧又执著,又茫然又确凿的迷恋追求,的确能够深切地拨动有爱或无爱的人的心弦,只要他是个有情的读者。可是,知道了李商隐的生平,了解了他在宦途上挣扎于夹缝中受气的经历,再来看这首诗,便觉得它并不只是写爱情的,那种迷惘,那种茫然无着,那种肯定而又把捉不定的心绪,不也正是宦途上或者其他理想追求中的心境情绪吗?

李商隐生于唐宪宗元和八年（813）,卒于唐宣宗大中十二年（858）,他的卒年距李唐王朝灭亡的907年还有不到五十年。大唐的确是颓势难挽,气数将尽了。李商隐四十六年的短暂一生居然历经了宪宗、穆宗、敬宗、文宗、武宗、宣宗六朝,宫廷中六个皇帝轮换坐朝。李商隐本是唐初名将李勣的裔孙。

像唐王朝大势已去一样,李商隐祖上的荫庇也远去不再了,李商隐的前程只有靠他自己的奋斗挣得。李商隐幼年早熟,才华过人,"十六岁能著《才论》《圣论》,以古文出诸公间。"唐文宗大和三年（829）,李商隐被天平军节度使令狐楚聘为幕僚。令狐楚官势显赫,宪宗朝时做过宰相。令狐楚看重李商隐的天赋,使其与自己的儿子令狐绹等同学,亲自教做骈文。自大和十年起,李商隐曾三次应进士考试,开成二年,由于令狐绹的推荐,得中进士。同年冬,令狐楚逝,李商隐失去幕职,只好另谋出路。在《筹笔驿》诗中,李商隐写道:"管乐有才终不忝,关张无命欲何如。他年锦里经祠庙,梁父吟成恨有余。"他不是感叹自己应试不举、怀才不遇又是什么?《岳阳楼》诗中"可怜万里堪乘兴,托是蛟龙解覆舟",也可以由此得到解释。那些看似写爱情的诗句,"刘郎已恨蓬山远,更隔蓬山一万重","春心莫共花争发,一寸相思一寸灰"(《无题四首》),都不可再作单纯写爱情来看了。

李商隐是最容易被误读的诗人。因为他的朦胧含蓄,人们往往把他的诗作了表面化理解。不是的,绝不是的,李商隐绝不只是一个爱情诗人。有评者谓其诗"如百宝流苏,千丝铁网,绮密瑰妍,要非适用之具",有当,也有不妥。如百宝流苏,千丝铁网,绮密瑰妍,都是极形象极准确之评。李商隐的诗是真正可以称作"诗"的,他的诗绝不平白,绝不浅直。过去了盛唐、中唐诸多大诗人之后,李商隐独辟蹊径,惨淡经营,催开了一朵瑰丽绮密的妍花,开辟出了一个新的境界。在李白、杜甫、白居易、杜牧、李商隐这唐诗五大家之中,李商隐是成就卓著极为独特的一位;尽管他的诗数量不是那么多。我们当然知道,好诗人的诗作越多越好;但好诗人却决然不是以数量为标准来评定的。

读一读"可怜夜半虚前席,不问苍生问鬼神"(《贾生》),就知道李商隐的诗是不是"要非适用之具"了,读一读"地下若逢陈后主,岂宜重问后庭花"(《隋宫》),就知道那"要非适用之具"的评价是多么片面不妥了。要求诗来做"适用之具",莫非要求把诗写得一概如散文般明白如话,拿过来就可用吗? 那样要求,李商隐倒的确是不合格的。

李商隐作诗,就是要"不明白",他就是要"千丝铁网",把他的题旨牢牢笼住,不使直露。李商隐要指向现实,他也不"直指",他要晦曲,要用典,要把他的题旨尽可能藏起来,婉曲道出。他再一次写《隋宫》,"春风举国裁宫锦,半作障泥半作帆",还是不直陈戒奢靡的主旨。这样的诗如果还是"要非适用",那么《楚宫》,"但使故乡三户在,采丝谁惜惧长蛟",也仍然跟那些大白话直接喊出来的"口号诗"迥然有别。《咏史》,"历览前贤国与家,成由勤俭败由奢",把有关隋宫的诗没有直说出来的题旨明白道出了,也常常被人引用,以至于走上了通俗,但不能说这就是好诗句;好诗,总有它力避通俗的品质在。《马嵬二首》,"此日六军同驻马,当时七夕笑牵牛。如何四纪为天子,不及卢家有莫愁。"风流皇帝唐明皇和杨贵妃的故事过去了尚无多少年,还算不上"故实",诗中写到,不算用典,也没晦曲,诗人的用意应该能够被当今皇帝看出了。谁知道皇帝看了会不会高兴呢?那是写他皇帝祖上的事,讽喻当朝的。

　　杨贵妃和唐明皇的故事,以白居易的《长恨歌》为发端,汇成了一条诗文戏剧的大河,浩浩长流,而今而后,不知何时才会止息。真的是皇帝与妃子的"爱情"感天动地,引得骚客伶人一再倾情投入写作演义吗?果真是杨玉环的美轮美奂,让人惋惜她于马嵬坡一条白绫送走吗?且不说在唐明皇与杨贵妃的"爱情"故事演进中,"安史之乱"爆发,民生凋敝,唐王朝由盛转衰,仅仅唐明皇夺了他儿子寿王李瑁的妃子杨玉环为自己的贵妃,纯属乱伦,也够恶心人的了。杨贵妃喝醉了酒,扭过来扭过去,她果真就是因为唐明皇宠幸别的妃子去了,而不到她这里来而痛苦吗?难道她做了皇帝老子的贵妃,就忘掉年轻的丈夫了吗?诗文中,戏曲舞台上,影视剧里,没有人揭示过这种残忍的人性践踏。做儿子的寿王李瑁被彻底地忽视了,好像根本没有存在过一样。杨玉环一被册封为"太真",就把她的前夫彻底忘了。所有的杨贵妃,一入皇帝怀中,都是兴高采烈的,完全没有内心潜在的痛苦。如果不是诗人、作家、戏剧编、导、演的浅薄,那便只能说明,杨玉环是一个全无心肠的女人。李商隐却没有像大多数诗文作者、戏剧编、导、演那么浅薄,他的笔锋触到了阴暗的角落。"夜半宴归宫漏永,薛王沉醉寿王醒。"(《龙池》)"平明每幸长生殿,不从金舆惟寿王。"那宫宴夜罢漏永醒着的寿王,长生殿驾幸不从金舆的寿王,不幸而又受辱的皇帝的儿子,只从李商隐这里得到了一些同情。乱伦的皇帝老子在这首诗里受到的批判,还算是温和的,却已经被人攻击为"大伤诗教"了,那只是因为李商隐"彰君之恶"罢了。皇帝的秽行是不能揭露的,再龌龊的皇帝也只能冠冕堂皇出现,冕旒垂下,遮挡住他们丑陋的面目。

　　李商隐的诗笔却常常指向了皇家宫廷。皇宫内院,关系的不仅仅是一家王朝的江山社稷,更系联着天下苍生的疾苦生计,心忧天下的诗人岂能不予以关注?《陈后宫》里"茂苑城如画,阊门瓦欲流","从臣皆半醉,天子正无愁",《过楚宫》里"微生尽恋人间乐,只有襄王忆梦中",见槿花而想到"未央宫里三千女,但保红颜莫保恩",过梦泽而感叹"未知歌舞能多少,虚减宫厨为细腰"。皇宫的饮宴歌舞,红颜细腰,总是牵动着李商隐的诗心,让李商隐为之波动而搐痛。

　　由皇宫到皇陵并不遥远,无论是地理的距离,还是生命的距离。在李商隐那里,他诗笔一摇,就由皇宫的笙歌燕舞到了皇陵的风雨潇潇。"玉桃偷得怜方朔,金屋修成贮阿娇。谁料苏卿老归国,茂陵松柏雨萧萧。"耿耿忠臣还在异邦为皇帝守节,皇帝的金屋里贮的阿娇却也不能陪伴皇帝千秋不老,玉桃可以偷得,皇帝的陵墓上还是松柏森森,夜雨萧萧;阿娇大概也老了。李商隐的兴亡之感发自生命的深处,笔锋所向,当然就不是某一朝某一代、秦皇或汉武了,而是指向了皇家整体。这时候再来体味"嫦娥应悔偷灵药,碧海青天夜夜心"的抒写(《嫦娥》),诗的境界就不是人间天上那样的简单区分解释了;天上和人间,果真是有一条明确的界线,可以一步越过,到达另一个世界吗?

　　诗人也许是人间最清醒也最糊涂的人,他们能看透世事,他们却又极容易陷入尘世。李商隐就在这看透与陷入中挣扎着,始终未能解脱。始于宪宗时终于宣宗朝、持续了四十余年的晚唐时期的"牛李党争",恰恰与李商隐的生命相始终,李商隐也深受其害。李商隐最初谋职,被天平军节度使令狐楚聘为幕僚,颇得器重。令狐楚本属"牛党"。令狐楚逝后,李商隐只得另谋出路,又入泾原节度使王茂元幕。王茂元爱惜李商隐的才华,赏识他的思想见解,把女儿嫁给了他。王茂元被视为"李党"。

在"牛党"的人看来,李商隐是"背恩"了。曾经在令狐楚幕僚中一起为同学的令狐绹已高居相位,更不能容忍李商隐的忘恩之举,遂远疏之。令狐绹的远疏,便成了李商隐的晋身障碍,李商隐即此一蹶不振:"身闲不睹中兴盛,羞逐乡人赛紫姑。"(《正月十五夜闻京有灯恨不得观》)李商隐当然心犹不甘。他向当年的"同学"而今的高宦投诗哀怨:"休问梁园旧宾客,茂陵秋雨病相如。"(《寄令狐郎中》)令狐绹不念当年"同学"旧情,只计而今"背恩"之恶,拒不理睬。重阳日,李商隐留诗于厅事。"十年家下无人问,九日樽前有所思。""郎君官贵施行马,东阁无因再得窥。"(《九日》)其抱怨失望的情绪一望可知。而此诗开篇"曾共山翁把酒时,霜天白菊绕阶墀",回顾当年令狐楚对自己的赏识,继而"不学汉臣栽苜蓿,空教楚客咏江篱",对令狐楚吸引人才、而令狐绹不能继承家风的含蓄批评, 在此都可引起当朝重臣令狐绹的深思。令狐绹"睹之惭怅,扃闭此厅,终身不处"。令狐绹是"心有灵犀一点通"(《无题二首》)了,还算是有歉疚之心的人,毕竟还会"惭怅"。后世以至于当代,这种歉疚之心将消失殆尽,无论做过多少亏心事,也不会惭怅,不会愧疚了。以歉疚之心的消失为心理标志,社会的道德大堤将一溃千里,不可收拾。令狐绹看了此诗,由惭怅而思改,补李商隐为太学博士。柳仲郢节度剑南东川,辟李商隐为判官,检校工部员外郎。在李商隐的前头,曾经有过一个诗人做过检校工部员外郎这个小官,那是杜甫杜工部。李商隐没有被称为"李工部",他的诗在很多方面却继承了杜甫的传统，有晚唐时期少见的杜诗遗脉。

"山东今岁点行频，几处冤魂哭虏尘。"（《灞岸》）"几时拓土成王道，从古穷兵是祸胎。"（《汉南书事》）读着李商隐的这些诗句，很自然地就把杜甫的"车辚辚，马萧萧"，"边庭流血成海水，武皇开边意未已"等反对征战拓边的诗想起来了。"皇都陆海应无数，忍剪凌云一片心。"（《初食笋呈座中》）也会让人想到杜甫的《枯棕》"含尔形影干，摧残没藜莠"，两者都是借物喻人，悯恤百姓痛惜生灵的拳拳之心是遥遥相接的。"遏云歌响清，回雪舞腰轻。只要君流眄，君倾国自倾。"（《歌舞》）也与杜甫《丽人行》"杨花雪落覆白苹，青鸟飞去衔红巾。炙手可热势绝伦，慎莫近前丞相嗔"，异曲而同工。杜甫只是气魄更大，铺排更为华丽；杜甫是七言歌行，李商隐为五言绝句。义山是要以四两拨千斤了。与杜甫的《自京赴奉先县咏怀五百字》的五言排律相类，李商隐也有《行次西郊作一百韵》："农具弃道旁，饥牛死空墩。依依过村落，十室无一存。存者皆面啼，无衣可迎宾。""巍巍政事堂，宰相厌八珍。"杜甫那"朱门酒肉臭，路有冻死骨"的惊世揭橥，在李商隐这里得到了呼应。唐王朝无论兴盛时期还是衰亡时期，大致上没有什么根本的区别，生当唐代的诗人，良知不泯。像杜甫"忧端齐终南，澒洞不可掇"忧思重重一样，李商隐也是"我听此言罢，冤愤如相焚"，"我愿为此事，君前剖心肝"，可惜"九重黯已隔，涕泗空沾唇"，诗人的呼喊到达不了皇帝耳边。

李商隐的忧国忧民之心像杜甫、像屈原、像历朝历代有良心的文人一样，他们是子规啼血，非要把心吐出来让皇帝看看不可，可惜一代代皇帝还是掉头不顾，去他们的"骊山""华清宫"了。李商隐的确不是单单停留在儿女情长上的爱情诗人，他是大手笔，能作大诗。比他早一些的韩愈曾作《石鼓歌》，为被遗弃的石鼓歌诗号呼，李商隐则作《韩碑》，对韩愈的《平淮西碑》被推倒深表不满，大笔濡染，气度不凡，叙议相夹,以文入诗,是李商隐诗的另一番面貌。大诗人是不能以一格拘之的。

自然,李商隐的有些诗句是不妨以爱情诗来理解的,像"何当共剪西窗烛,却话巴山夜雨时"(《夜雨寄北》);可是,雨夜怀远,也不一定怀想的就是爱人。由于娶了被视为"李党"的王茂元的女儿为妻,被"牛党"视为"背恩",李商隐在"牛李党争"的夹缝中讨生活,艰难困踬,不能不抑郁满怀,巴山夜雨时,他凭窗远思,想到的就会更多。

李商隐三十一岁时,他的岳父河阳节度使王茂元卒。李商隐是有情之人,不能忘恩,他《过故府中武威公交城旧庄感事》,"新蒲似笔思投日,芳草如茵忆吐时。山下只今黄绢字,泪痕犹堕六州儿。"就是悼念他的岳父武威公王茂元的。而李商隐的妻子王茂元的女儿,也先于李商隐,在三十九岁那年夏秋之交去世了。悼亡后不久,李商隐的内兄王十二和李商隐的连襟韩瞻(字畏之)访李商隐邀其小饮。李商隐因妻子刚刚去世,心情悲痛,没有赴约,写《王十二兄与畏之员外相访见招小饮时予因悼亡日近不去因寄》一诗,表达了他对妻子的思念怀怜,对儿女的哀悯悲恤,"更无人处帘垂地,欲拂尘时簟竟床。嵇氏幼男犹可悯,左家娇女岂能忘。"反复吟诵,是催人泪下的。"秋霖腹疾俱难遣,万里西风夜正长。"秋雨腹痛,西风长夜,李商隐内心的沉痛也与无边长夜一样深长,无以排遣。当然,李商隐的痛苦还不止于妻亡儿幼一端。

局外人往往会犯"站着说话不腰痛"的毛病,不能够切实体察当事人的身心苦痛。在"牛李党争"夹缝中讨生活的李商隐,可以凭倚的岳父去世,妻子亡故,儿女幼小,即便抛开他那建功立业之志,单单要养家糊口,抚养"嵇氏幼男""左家娇女"长大成人,他不"干谒"不寻出路谋个职官,又怎么维持下去呢?当然,这并不是要诗人去卑躬屈膝,变节以求。李商隐在《杨本胜说于长安见小男阿衮》中写道:"闻君来日下,见我最娇儿。""寄人龙种瘦,失母凤雏疾。"对小儿的忧思悬念令人动容。李商隐无疑是个好父亲。单单为了儿女,他也要出外去挣扎,以谋出路,更何况李商隐还没有彻底丢开士子的传统理想呢?"春蚕到死丝方尽,蜡炬成灰泪始干。"(《无题》)不到蜡炬成灰春蚕到死,李商隐是不会停止吐丝的,他的眼泪自然也不会流干。

即便没有"牛李党争"加在李商隐身上的额外枷锁,李商隐也已看透了当朝天子的本质,他以《南朝》作喻:"谁言琼树朝朝见,不及金莲步步来。""满宫学士皆颜色,江令当年只费才。"晚唐君主已到了荒淫奢靡不可救药的地步,有识之士有才之人岂能得到重用?更何况还有朋党奸邪谗佞小人猜忌排挤:"不知腐鼠成滋味,猜意鹓雏竟未休!"

李商隐的悲剧命运是注定了的,无人能够拯救。虽然,天空中晚霞布满时,李商隐也有一时的乐观:"天意恋幽草,人间重晚晴。"(《晚晴》)可是他随之又把这盲目的乐观否定了,"夕阳无限好,只是近黄昏。"(《乐游原》)李商隐仿佛由大梦中醒来:"神女生涯原是梦,小姑居处本无郎。"(《无题二首》),李商隐又陷入了灭顶的绝望。绝望中的李商隐竟羡慕起了献璧而遭刖刑的卞和:"却羡卞和双刖足,一生无复没阶趋。"(《任弘农尉献州刺史乞假还京》)双脚砍掉,就不必奔走于一座台阶之上,求告人家了;可是,"谁将五斗米,拟换九窗风"(《自贶》),家中无米下锅,儿女嗷嗷待哺,怎样保持清高?怎样维护自尊?李商隐简直是走投无路了。

有一个人引起过李商隐的敬慕、同情和哀念,李商隐在诗中一再写到,此人叫刘蕡。幽州昌平人刘蕡,文宗大和二年,应贤良方正直言极谏科考试,在对策中猛烈抨击宦官乱政,要求"揭国柄以归于相,持兵柄以归于将",指出唐王朝正面临"天下将倾,海内将乱"的深重危机。策论引起强烈震动,刘蕡也因此遭到专权的宦官忌恨,被黜不取。

令狐楚、朱僧孺节度山南东、西道,皆表蒉幕府,授秘书郎;但是,刘蒉终遭宦官诬陷,贬柳州司户参军卒。时过一千多年之后,当代文人郁达夫的旧体诗中,也常常会出现刘蒉的名字:"父老今应羞项羽,诸生谁肯荐刘蒉。""薄有狂才追杜牧,应无好梦到刘蒉。"等等(《郁达夫文集》第十卷,花城出版社,生活·读书·新知三联书店1985年版)。在同代人李商隐的诗里,刘蒉的名字更是连续出现。李商隐《赠刘司户蒉》写道:"万里相逢欢复泣,巢凤西隔九重门。"刘蒉怀才而遭黜,与李商隐的怀才不遇,应该是同病相怜的,这本没有什么奇怪。尽管刘蒉的策论深中晚唐时期的痼疾,但是朝廷上依然由宦官专权,大政旁落,将相不握国柄与兵权。

然而,皇帝的关心不在这里,而在他处。大和年间,唐文宗读杜甫《哀江头》,知道了天宝前曲江岸边多有行宫台殿,杜诗中那"江头宫殿锁千门,细柳新蒲为谁绿?忆昔霓旌下南苑,苑中万物生颜色"的富丽华美,太令后世皇帝着迷了。唐文宗全不顾杜诗当头一句的"少陵野老吞声哭",也不顾"黄昏胡骑尘满城,欲往城南望城北"的警示,颇想恢复"升平故事"。大和九年二月,派神策军淘曲江,仍许公卿士大夫之家于江头立亭馆。十月,宴群臣于曲江亭。大和九年十一月二十一日,暴发了"甘露之变",众多朝廷重臣被宦官杀死,株连杀害的官员达一千多人,恢复曲江"升平故事"的"盛世之举"才停了下来,朝廷下旨,罢修曲江亭馆。李商隐、刘蒉所处的唐朝晚期,自不可与初唐时广揽人才相比了,皇帝关心着恢复"升平故事",重修曲江亭,他怎么还能听进贤达人士的直谏,匡政天下呢?李商隐写《曲江》哀歌:"望断平时翠辇过,空闻子夜鬼悲歌。""天荒地变心虽折,若比阳春意未多。"李商隐忧伤国事,感慨着"升平"难返,他又是那个伤时感怀的诗人,一时忘记了他自己的身家忧患了。

刘蒉的命运还是一再引得李商隐哀叹痛悼。刘蒉的确切卒年难定，但李商隐悼念刘蕡的诗却是切实地写在这里，千秋永在了。刘蕡逝后，李商隐有《哭刘蕡》《哭刘司户二首》《哭刘司户蕡》等四首诗，连连哭悼。李商隐与刘蕡荆楚相遇，旋即于黄陵分别。"平生风义兼师友，不敢同君哭寝门。"刘蕡敢于在对策中直言抨击宦官专权的朝政，其风采大节，令李商隐深怀敬仰。"只有安仁能作诔，何曾宋玉解招魂。"李商隐为自己只能写诗作文以致哀思，却不能招刘蕡魂魄再生，而深感惭愧；可是，"上帝深宫闭九阍，巫咸不下问衔冤"，人间纵有万般沉冤，天帝也深闭宫门，不肯派遣巫咸下到人间来问冤雪恨。李商隐的愤懑无以言表。

　　李商隐对刘蕡的同情哀思，还不是惺惺相惜同病相怜那么简单，他是痛感晚唐时期宦官弄权的黑暗政治局面，而无处诉说，借机抒发了。发生于大和九年的"甘露之变"，李商隐没有亲历。这年春，李商隐应举，正往来于长安、郑州之间。十一月，唐文宗与宰相李训、凤翔节度使郑注共谋诛灭宦官。李训使人诈称左金吾大厅后石榴树上夜降甘露，想诱宦官仇士良等去验看，借机加以诛灭。仇士良至，发觉有伏兵，逃回殿上，劫持唐文宗入宫，派禁军大肆捕杀朝官，除李训外，连未曾参与谋划的宰相王涯、贾餗、舒元舆等也被灭族，长安有些街坊和人家被抢劫一空。郑注也被仇士良密令斩杀于凤翔。自此，朝廷大权进一步归于宦官。唐文宗置亭馆恢复曲江"升平故事"的设想被迫搁置下来。没有亲历"甘露之变"的李商隐写了《有感二首》记感。"敢云堪恸哭，未免怨洪炉。"李商隐对这场事变痛哭难当，直怨愤到了熔铸人间世界的天地洪炉那里，李商隐的绝望是彻底的。唐王朝黑暗的天下快要终结了。李商隐在诗题下注曰："乙卯年有感，丙辰年诗成。"

　　"天意怜幽草，人间重晚晴。"（《晚晴》）也许天帝垂怜，人间的晚晴还可期待吧。李商隐时而又透露出一线希冀了。可是，"欲逐风波千万里，未知何路到龙津"（《春日寄怀》），李商隐不知道他的出路到底

226

在哪里,在何处登上龙津,到达彼岸。在希望和绝望之间徘徊着,在执着与渺茫之中寻觅着,李商隐终于没有那么多时间等待下去了。上天的垂怜毕竟有限,天帝收起了他的怜悯之心,降下了"巫咸",把李商隐收走了。李商隐为东川柳仲郢判官时,府罢,客死于荥阳,年仅四十六岁。

李商隐初得大名,游长安时,曾投宿逆旅,会众客方酣饮,赋《木兰花》诗成,呼之与坐,不知其为李商隐也。后李商隐成一诗云:"洞庭波冷晓侵云,日日征帆送远人。几度木兰船上望,不知元是此花身。"客问姓名,大惊称罪。(《唐才子传》)此时的李商隐青春韶光,词采风华,木兰花身,楫击中流,他还没有经过宦海风波人生颠沛,人也洒脱,诗也清畅。到他写无题诗"归来辗转到五更,梁间燕子闻长叹"的时候,他再也唱不出那么轻松畅快的歌了。自然,他的诗名比初起时更盛,诗也日愈增添了沉重丰实的内容,有了抑郁顿挫的调子。此时白居易业已老退,极其喜欢李商隐的诗文,曾道:"我死后,得为尔儿足矣。"白居易死后数年,李商隐生子,遂以"白老"名之。儿子既长,殊为鄙钝,温庭筠曾戏曰:"以尔为侍郎后身,不亦忝乎?"后来,李商隐又生一子,名衮师,极聪俊。李商隐有诗云:"衮师我娇儿,英秀乃无匹。"此或其后身也。(《唐才子传》)

天才的命运乖蹇的诗人,果真能有身后再生吗?那么纵然"相见时难别亦难,东风无力百花残"(《无题》),我们也不必过于悲观了。

2014 年 11 月 23 日

山雨欲来风满楼

《唐才子传》称许浑"乐林泉,亦慷慨悲歌之士",这大约也是真的。有好多慷慨悲歌之士在人海宦海中簸荡久了,会生起归隐林泉之想,那是他们厌了倦了,或是碰壁多了的无奈之举,年轻时初露头角,他们往往并不是这样的。丹阳人许浑,大和六年进士及第,曾为当涂、太平二县令,以病免。复起为润州司马。人中三年,为监察御史,历虞部员外郎,睦、郢二州刺史。许浑的宦途还是平稳的。他在润州丁卯桥筑有别墅,在那里实现了他的林泉理想。

在许浑的心中,挥之不去的不是他的宦海风波,而是他的下第之痛。他在《下第归蒲城墅居》中第一次自述心曲:"牧竖还呼犊,邻翁亦抱孙。不知余正苦,迎马问寒温。"此后,在赠予友人的诗中再一次写他的下第失意:"花前失意共寥落,莫遣东风吹酒醒。"(《下第贻友人》)到了他孤独逆旅,思归怀亲时,下第的痛苦仍然难当:"征帆又过湘南月,旅馆还悲渭水春。无限别情多病后,杜陵寥落在漳滨。"(《下第有怀亲友》)内心的酸楚,哪里是林泉之愿能够消解的呢?"何人更憔悴,落第泣秦京。"(《题愁》)许浑其实是功名心很重的人,并非林泉之中优游往来就可以打发掉这一生的。

不能怪许浑想不开,隋代开科取士,唐代进一步完善了科举制度以来,万千士子被逼上了这座独木桥,不及第踏上那晋身之阶,他们的所有理想抱负都会落于空无。虽然许浑还是武后朝宰相许圉师的六世孙,可是祖上的荫庇早已过去,只能靠自己去跳龙门了。这其实也公平，至少让出身寒门的读书人也能够与这些人的子弟们站到同一条起跑线上。"莫言名与利，免得是身讐。"(《不寝》)睡不着觉的时候，许浑静心思忖，也能够看透名利。登临古迹时，许浑也能够阅透沧桑："英雄一去豪华尽，唯有青山似洛中。"(《金陵怀古》)禅院步荫时，许浑也会生起身外之想："莫讶频来此，修身欲到僧。"(《怀政禅师院》)然而花开花落，春来春去，许浑惜春伤春，想到的还是青春易逝，无可延留："无计延春日，可能留少年。"(《惜春》)许浑放不下的，还是他的功名利禄吧，自然，岁月感、生命感也是有的。

许浑的伤感往往是在览古怀旧时生发。许浑是愿意写水写雨写溪写波的诗人，汤汤流水，茫茫烟雨，总是能激起许浑的伤今怀古之情。有人把他与杜甫并提，说"许浑千首湿，杜甫一生愁"，如果不是硬要比较许浑与杜甫的成就高下，单看许浑诗中写到的意象，此说是有些道理的。"可怜国破忠臣死，日日东流生白波。"(《姑苏怀古》)国破臣死，荒台空苑，一切都成为过去，只有东水长流，白波泛起，怎能不令人触景伤怀？"溪云初起日沉阁，山雨欲来风满楼。"(《咸阳城东楼》)高城远望，蒹葭杨柳，溪流烟云，山雨欲来，故国往事随水东流，汉宫秋叶风中萧瑟，此时的情怀该是何等的苍凉。"山雨欲来风满楼"是许浑留下的千古名句，有此一句，许浑也当得起杰出诗人了。当今时代，写手万千，印刷出来的文字堆积如山，能够从中拣出几个句子流传于世呢？思虑至此，手中的笔一下子无比沉重起来。

生当晚唐，一个王朝的没落时期，许浑自然不会不思念"升平故事"，杨贵妃、唐明皇的陈年旧事也会来到他的笔下，骊山，华清宫，这些留下了风流天子和他的贵妃足迹的地方，也会引发许浑的兴亡之慨。"贵妃没后巡游少，瓦落宫墙见野蒿。"(《骊山》)当年的风随玉辇，云卷珠帘，到底是远远地去了，剩下的只是山寂蒿高，流水滔滔，一切都无可挽回。倒是春日乡野，村舍妇姑，风花临路，烟草沟湿，透露着喜人的生机。"莺啼幼妇懒,蚕出小姑忙。"许浑的清新与那"山雨欲来"的苍凉形成了诗人丰富性的两面。"自怜非楚客,春望亦心伤。"(《春日题韦曲野老村舍二首》)许浑还是伤感起来,他的惜春伤春之情到底是难以消除的,一触即发。杜牧在《初春雨中舟次和州横江裴使君见迎李赵二秀才同来因书四韵兼寄江南许浑先辈》诗中曰:"江南仲蔚多情调,怅望春荫几首诗。"杜牧也是极愿伤春的诗人,他是引许浑为知己了。杜牧大和二年进士第,比许浑进士还要早了几年,他尊称许浑为先辈,只是文人间的客气礼让。许浑的生卒年不详,不可妄下断语。

许浑有首《记梦》诗,序曰:"浑常梦登山,有宫室凌云。人云此昆仑也。既入,见数人方饮,招之,至暮而罢。浑赋诗云云。他日复梦至其处,飞琼曰,子何故显余姓名于人间,座上即改为天风吹下步虚声。曰善。"诗曰:"晓入瑶台露气清,座中唯有许飞琼。尘心未尽俗缘在,十里下山空月明。"许浑到底是不是做了这样一个梦,梦登昆仑,仙人招之,不必深究,这到底是诗人的一个美丽的梦想,何苦去打破呢?不过,诗中流露的倒还是许浑真实的情怀,他的确是"尘心未尽俗缘在"的,梦中也是如此,俗缘难以了断。

宦途不如意而又抱了济世理想的诗人,大都如许浑一般,在看透与执迷、出世与入世之间徘徊着,不能自拔。山阳人赵嘏,会昌二年进士第,比许浑进士晚了几年,他也曾有过下第的失意。"莫言春尽不惆怅,自有闲眠到日西。"(《下第寄宣城幕中诸公》)暂欢与春畦都不能令赵嘏轻松起来。"黄花李白墓前路,碧浪桓彝宅后溪。"赵嘏心中,雍塞的是更加难以排解的霜天墓地,尽管赵嘏《赠天卿寺神亮上人》也会说出"笑指白莲心自得,世间烦恼是浮云"这样的话,那也不过是说说而已。高鸟过时,征帆落处,流年砧杵,塞上画角,思念前程,赵嘏还是又回到了他心境的元初:"此日沾襟念歧路,不知何处是前程。"

(《齐安早秋》)想一想同郡故人都已蟾宫折桂了,而自己却楚江寒食,斜阳映阁,草堂东望,赵嘏真是不知如何才能走出这寂寥怅惘的心境了:"同郡故人攀桂尽,把诗吟向沉寥天。"(《东望》)赵嘏的这类诗都是从心底流出来的,自然是情景宛然,能够打动人心。

赵嘏的前程是由皇帝本人一手决定了的。赵嘏原本是早有诗名的。他初有《早秋》诗云"残星几点雁横塞,长笛一声人倚楼",曾引得杜牧吟味不已,因目赵嘏为"赵倚楼",并有赠赵嘏的诗曰:"今代风骚将,谁登李杜坛。灞陵鲸海动,翰苑鹤天寒。"诗人间赠诗称赏,不无溢美,也是有的;然而赵嘏所谓"一日名动京师,三日传满天下",自有其理由。会昌四年,赵嘏终而进士及第。大中年间,仕为渭南尉。一个小小县尉,赵嘏"卑宦颇不如意。宣宗雅知其名,因问宰相:'赵嘏诗人,曾为好官否?可取其诗进来!'读其卷首题奉诗云:'徒知六国随斤斧,莫有群儒定是非。'上不悦,事寝。"(《唐才子传》)唐代皇帝中,唐宣宗算是作诗好的,他还有《吊白居易》"文章已满行人耳,一度思卿一怆然"的动情诗句。可是,皇家的龙鳞是不能触的,哪怕你触到的是前朝皇帝的龙鳞,是过去了千百年的疮疤,也不容人揭,你贸然揭了,他不感到痛,也会觉得丑,皇家的丑事是不容人动不动拿出来亮一亮的,更何况你还要影射,借题发挥。

唐宣宗不悦,就注定了赵嘏不会得到重用了。"日暮不堪还上马,蓼花风起路悠悠。"(《发剡中》)溪声客秋,岩气横郭,前程渺茫,赵嘏不知道他的归宿究竟会在何处。"尽把归心付红叶,晚来随水向东流。"(《经汉武泉》)赵嘏也曾思归,但他愁绪满怀,心犹不甘。他也"干谒",《上令狐相公》,"不知机务时多暇,犹许诗家属和无",小心地试探着,委婉地表达着心曲,想要"属和";可是,他不知道他的命运已经在皇帝那里钦定了,他"干谒"什么相公都是无用的。他早岁有诗云:"早晚粗酬身事了,水边归去一闲人",他果然终于渭南尉,当了渭水边的一个闲差，一诗成谶，那却不是赵嘏的本意。

如果赵嘏不应试及第，不出去做那个小小的县尉，终生居家，吟咏赋诗，不会比他进士在宦途上奔走好一些吗？他先是家居浙西，家有美姬，甚溺爱。他本打算偕其同去，因母亲阻拦而未成。会中元为鹤林之游，浙帅窥其姬，遂奄为己有。翌年，赵嘏及第，感伤赋诗曰："寂寞堂前日又曛，阳台去作不归云。当时闻说沙吒利，今日青娥属使君。"（《座上献元相公》）浙帅闻之，"殊惨惨，遣介送姬入长安。时嘏方出关，途次横水驿，于马上相遇，姬因抱嘏痛哭；信宿而卒，遂葬于横水之阳。"（《唐才子传》）诗人多情，又有痴情女子相爱，如若终老山水，岂不胜于宦途颠踬？可是，赵嘏如不及第，浙帅夺其美姬，又怎么会遣介送还呢？浙帅也会"看人下菜"的。

皇权之下的士子们真是出亦不是入亦不是，进退两难。"蹉跎冠盖谁相念，二十年中尽苦辛。"薛能《春日旅舍书怀》，书的还是这种情怀。感叹身世，感念前程，会写几首诗的还惦念着诗名，为利为名，又想写诗又想做官的士子更多了几段忧肠。薛能晚于赵嘏两年进士。薛能作诗甚勤，"耽癖于诗，日赋一章为课。"（《唐才子传》）作诗勤苦，并不为过，然而像做功课一般，每天必赋一章，做不出来也硬做，那就怕没什么好诗了。好诗绝不是"做"出来"逼"出来"挤"出来的。薛能这样"做"诗，他就十分在意诗名了。"相知莫话诗心苦，未似前贤取得名。"（《秋日将离滑台酬所知二首》）雨湿蔬餐，松吹竹簟，薛能夜不安寝，霜树秋声，"身起中宵骨亦惊，一分年少已无成"，薛能未免太挂牵他的诗名了。于是他就要加倍痛苦了；何况，他也没有逃过下第的打击。他《下第后夷门乘舟至永城驿题》写道："连浦一城兼汴宋，夹堤千柳杂唐隋。从来此恨皆前达，敢负吾君作楚辞。"此恨非他一人所有，先贤同辈都曾遭受，那么他还怅恨什么呢？"唯觉宦情如水薄，不知人事有山高。"（《春日使府寓怀二首》）即便进士及第，登上了仕途，宦情人事,还是终生艰难,永日独劳,薛能差不多要后悔了。

薛能真的有些厌倦仕宦了,"无限后期知有在,只愁烦作总戒身。"(《晚春》)可是,他镇彭门时曾在他麾下的时溥、刘巨容、周岌后来各领重镇兼端揆,他又作《闲题》抒写不平了:"旧将皆成三仆射,老身犹是六尚书。""为问春风谁是主,空催羽柳拟何如。"他的"闲"题,其实并不闲,他绝不是散淡的人。不说他是嫉妒曾经的下属"进步""提拔"了,至少他是为自己的仕途不进深感不平了。而且,薛能尚有非分之想,"欲召罗敷倾一盏,乘闲言语不容人。"(《汉庙祈雨回阳春亭有怀》)芊芊春草,池水涟涟,薛能想召佳人红袖添香了。他有了这种非分之想,岂不要更添苦恼?也许薛能只是想想而已,并未实施。薛能为宦"治政严察,绝请谒"(《唐才子传》),是能够拒腐蚀的严官。他《赠歌者》,"谁人将向青楼宿,便是仙郎不是夫",也只是说一说他的向往而已。果真如此,薛能尚不失为一个好官。"精神出轨"还不该治罪,又是偶尔为之。

蜀中的筹笔驿,诸葛亮曾经在此筹划军事出兵伐魏的地方,李商隐曾有《筹笔驿》诗,表达对诸葛武侯的赞佩之情,与杜甫的《蜀相》气脉相通。薛能作《筹笔驿》,却反其意而用之,他在小序中说得很明白:"余为蜀从事,病武侯非王佐之才,因有是题。"他的诗句也不婉曲,直陈胸臆:"葛相终宜马革还,未开天意便开山。"诸葛亮在汉末群雄逐鹿的混乱局面中,辅佐刘备成就了三分天下之一分,功莫大焉。刘备一意孤行,违背了诸葛亮联吴伐魏的战略,为报结义兄弟的私仇,执意伐吴,致使火烧连营七百里,蜀汉元气大伤,失去了伐魏复汉的基本力量。刘备白帝城病故,诸葛亮又辅佐一个扶不起来的阿斗,西蜀灭亡,是天意,更是人为,非诸葛亮一人能挽大厦之既倾。薛能作此诗否定先贤,未免苛刻了。他《游嘉州后溪》再一次写到诸葛亮,"当时诸葛成何事,只合终身作卧龙",面目有些可憎了。

薛能苛责先贤,对同辈也有失厚道。他"性喜凌人,格律卑卑,亦无甚高论。尝以第一流自居,罕所拔拂。时刘得仁擅雅称,持诗卷造能,能以句谢云:'千首加一首,卷初如卷终。'盖讥其无变体也。"(《唐才子传》)对人如此,薛能也太自恃为"能"了。薛能自己的诗实在也难尽如人意。他的《献仆射相公》中间两联,"强虏外闻应丧胆,平人想见尽开颜。朝廷有道青春好,门馆无私白日闲。"不过是顺口溜罢了,不知他献给了哪位相公,那相公会不会就此赏识他。薛能有《海棠》诗序云:"蜀海棠有闻,而诗无闻。杜子美于斯,兴象靡出,没而有怀。天之厚余,谨不敢让。风雅尽在蜀矣,吾其庶几。"自负以至于是。他《海棠》诗而下,又是《咏夹径菊》,又是《碧鲜亭春题竹》,再是《竹迳》《新柳》《牡丹四首》,连篇累牍,好像要咏尽蜀中兴象了。他还在牡丹诗结句得意扬扬道:"京国别来谁占玩,此花光景属吾诗。"可惜他这些诗却都非好诗。薛能尚有《荔枝诗》,序中再一次提到杜甫:"工部老居两蜀,不赋是诗,岂有意而不及欤? 白尚书曾有此作,兴旨卑泥,与无诗同。予遂为之题,不愧不负,将来作者,以其荔枝首唱,愚其庶几。"自吹自擂,自我标榜,薛能的面目益发可厌了。他作《柳枝词》五首,诗末又自注道:"刘、白二尚书继为苏州刺史,皆赋柳枝词,世多传唱,虽有才语,但文字太僻,宫商不高;如可者,岂斯人徒欤? 洋洋乎唐风,其令虚爱。"白居易的柳枝词且不说他,刘禹锡的柳枝词却传唱不朽,以至于今,薛能倒无一首可传。薛能对其他诗人的蔑视一直到了李白那里:"李白终无取,陶潜固不刊。"喜欢陶潜,也不为过;指责李白无可取,薛能不是偏见,只是无知,只是无视,只是骄狂了。既然薛能如此苛责先贤指摘同辈,我们也不妨说他几句狠的。

　　薛能的结局很惨。薛能节度徐州时,徙镇忠武。"广明元年,徐军戍溵水,经许,能以军多怀旧,惠馆待于城中。许军惧见袭,大将周岌乘众疑惑,因为乱,逐能据城,自称留后。数日杀能并屠其家。"这个杀了薛能屠其全家的周岌,应该就是那个曾在薛能麾下、后领重镇兼端揆的周岌了。谁知道周岌是不是记住了薛能的那首《闲题》诗,为薛能的嫉怨而生忌恨呢?从这个意义上来说,诗,真的没有什么"闲题"。登开成五年进士的俞岂在《赠李商隐》的诗中道:"徒嗟好章句,无力致前途。"能够写出好诗,于前程通达无助;但是有几首不那么好的诗,触到了皇帝的龙鳞,触到了小人的心尖,那就不一样了。为一句诗丢掉性命的,自古至今,概不乏人。"山雨欲来风满楼",诗人们能够以诗警世,却往往不能提醒他自己。

2014 年 11 月 25 日

"百无一用"

读过贾岛那"鸟宿池边树,僧敲月下门"(《题李凝幽居》)的诗,不需要具备太多的想象,也会想到作者应该是个僧人。果然不错,贾岛当初连败文场,屡试不第,囊箧空甚,便出家做了和尚,法名无本。他先到东都洛阳,不久后去往京师长安,居青龙寺。当时洛阳令禁僧人午后不得出,贾岛曾为诗自伤,"不如牛与羊,犹得日暮归。"贾岛曾叹知音难觅道:"知余素心者,惟终南紫阁、白阁诸峰者耳。"自称碣石山人。

贾岛属于典型的苦吟派诗人,自称"二句三年得,一吟双泪流"(《题诗后》)。他是像杜甫那样要"句不惊人死不休"了。他这样做法,知音难求是必然的。能够普及能够被大多数人接受的,总是具备了流行因素的诗,那里面多多少少带了通俗的成分。"元和中,元、白尚轻浅,岛独按格入僻,以矫浮艳。"(《唐才子传》)贾岛要避开元稹、白居易倡扬的轻浅,而独辟蹊径,他也就自觉地走上了孤独,拒绝了流行。

然而,却有人能够欣赏贾岛。他苦吟孤索,"当冥搜之际,前有王公贵人皆不觉,游心万仞,虑入无穷。"他访李凝幽居,得句"鸟宿池边树,僧推月下门",又欲作"僧敲",炼之未定,吟哦引手作推敲之势,旁若无人,以至于冲撞了大尹韩愈的车骑。韩愈左右拥贾岛于马前,贾岛具言所以,韩愈驻久曰:"敲字佳。"于是既成就了"推敲"一段典故,也就此改变了贾岛的人生轨迹。韩愈与贾岛并辔而归,共论诗道,结为布衣之交。韩愈爱惜贾岛之才,授以文法,使其还俗,再应士举。

韩愈的赏识,令贾岛去浮屠,再入俗世,却没能从根本上改变贾岛的命运。韩愈以一代文坛领袖的身份,能使得一个后进诗人名声大振,他却不能扭转政治乾坤;他连自己的命运都不能主宰,因谏迎佛骨而触怒了皇帝,终被贬潮州,他又怎么能使得一个苦吟的诗人朝夕间改变命运呢? 韩愈有赠贾岛的诗曰:"孟郊死葬北邙山,日月星辰顿觉闲。天恐文章中断绝,再生贾岛在人间。"韩愈对贾岛的爱惜之情满溢于诗;可是这昏暗的人间,却并不知惜才,多少天才都是在人间受尽了苦难折磨,含冤而逝的。

　　贾岛的贫寒也实在够受了,亏他还能作出诗来:"近日营家计,绳悬一小瓢。"(《寄乔侍郎》)他与也是郁郁不得志的孟郊同病相怜,他《哭孟郊》:"寡妻无子息,破宅带林泉。"他哭人,也正是哭己。孟郊在世时,二人曾是知己,"愿倾肺肠事,尽入焦梧桐。"(《投孟郊》)可惜,难得的知己却先他而去了。"若问此心嗟叹否,天人不可怨而尤。"(《早蝉》)贾岛的自我安慰,谁知道能起多少作用呢?

　　其实贾岛的心底深处是常生波澜的,他并不那么顺天安命。他久试不第,便作《病蝉》诗寓刺:"露华凝在腹,尘点误侵晴。黄雀并鸢鸟,俱怀害尔情。"晋国公裴度立第于街西兴化里,凿池植竹,筑起台榭。此时贾岛刚刚落第,以为当朝执政恶己,故不在选,怨愤之下,遂作《题兴化园亭》诗曰:"破却千家作一池,不栽桃李种蔷薇。蔷薇花落秋风起,荆棘满庭君始知。"其讥刺的意味也是很明显的,致使好多人恶其不逊。看来,贾岛好像是那种常爱发牢骚的人了。他这样的性情,入佛门青灯黄卷,如何消受得了? 他又是绝不甘心的:"不缘毛羽遭零落,焉肯雄心向尔低。"(《病鹘吟》)

　　贾岛天生是做不了和尚的。看看他《剑客》中的豪气:"十年磨一剑,霜刃未曾试。今日把示君,谁为不平事。"若强为僧人,他也该是武僧,能上马御敌的吧,胸怀利器的贾岛因而对那易水悲歌的壮士也不以为然了:"壮士不曾悲,悲即无回期。如何易水上,未歌泪先垂。"(《壮志吟》)写下这些诗句的贾岛,绝不是那个月下推门敲门的僧人了。他也不是《寻隐者不遇》"松下问童子,言师采药去。只在此山中,云深不知处"的闲淡的贾岛了。

能渺远的贾岛也能慷慨,能幽静的贾岛也能苍凉。"汉主庙前湘水碧,一声风角夕阳低。"(《行次汉上》)汉水上的贾岛,怀古抚今,他是有岁月感怀社稷之念的。"秋风生渭水,落叶满长安。"(《忆江上吴处士》)秋气浩荡,满目霜林,贾岛也能够气象阔大,并不是"僧敲月下门"的幽僻能够概括。贾岛逗留长安时,行坐寝食,苦吟不辍。"尝跨蹇驴张盖,横截天衢,时秋风正厉,黄叶可扫",遂吟"黄叶满长安",正思属联,杳不可得,忽然想出以"秋风吹渭水"为对,喜不自胜,却因此唐突了大京兆刘栖楚,被拘一夕,至旦得释。这个刘栖楚出身寒微,官至京兆尹,也有文集行世。他是有感于贾岛的苦吟,心生同情,才把贾岛只拘一夜便释放了吧。

唐代,那到底是个崇尚诗文的时代。京兆尹是如今首都市长那样的官。而今那么大的官出行,警卫仪仗,是不会允许一个诗人当街吟诗冲撞的。唐代的皇帝也有雅行。一日,写诗不错的唐宣宗微行至寺,听得楼上有吟诗声,遂登楼,于贾岛案上取诗卷览之。贾岛不认得皇帝,便"作色攘臂,睨而夺取之曰:'郎君鲜穰自足,何会此耶?'既而觉之,大恐,伏阙待罪,上讶之。"《唐才子传》记叙了一段很有趣的故事。皇帝"讶之"的,是贾岛得知冲撞了皇帝却吓成了那个样子吗?贾岛惶恐,本也在情理之中。"他日,有中旨,令与一清官谪去者,乃受遂州长江主簿。"

《唐才子传》所载贾岛授长江主簿的原因与《全唐诗》诗人小传所记有异。《全唐诗》诗人小传道:"文宗时,坐飞谤,贬长江主簿。"如果《全唐诗》诗人小传所载是确实的,那么,贾岛大约还是因为作诗寓刺而惹祸。由此，再来考察唐代那个崇尚诗文的时代，就不能对朝廷、对官衙持以太过理想的评价。尽管唐宣宗也曾做过出家的僧人，他也不会对出家又还俗的诗人寄予多少同情的。由此再进一步推断，贾岛冲撞了皇帝，会不会让人构诟找到口实，"坐飞谤"呢？于是《唐才子传》所叙与《全唐诗》小传便没有什么相异之处了。

贫寒至死的贾岛临死之日，"家无一钱，惟病驴、古琴而已"。贾岛是会昌初年，以普州司仓参军迁司户，未受命而卒的。"饥莫诣他门，古人有抽言。"写《朝饥》的贾岛，是以古人之言自戒吧，读来实在令人心酸。贾岛的自戒和自我安慰，在《送别》诗中也会流露："丈夫未得意，行行且低眉。素琴弹复弹，会有知音知。"

为了得到赏识，寻得知音，贾岛也曾低眉顺眼，《携新文诣张籍韩愈途中成》道："安得西北风，身愿变蓬草。"想一想贾岛"近日营家计，绳悬一小瓢"的艰难困窘，还会责怪诗人的骨头不硬？甚至那《上杜驸马》中"妻是九重天子女，身为一品令公孙"的阿谀，也可以得到一些原谅了。官势显赫的令狐绹赠衣于贾岛，贾岛也没有拒绝，他还作《谢令狐绹相公赐衣九事》一诗，对"逐客寒前夜，元戎予厚衣"的情意致以谢忱。贾岛是懂得怀恩感恩的，他不会忘记韩愈的知遇之恩："一卧三四旬，数书惟独君。"(《卧疾走笔酬韩愈书问》)贾岛卧病，数番书问的，惟独韩愈；韩愈因谏迎佛骨，被贬潮州，贾岛也寄诗酬问，以示宽慰："此心曾与木兰舟，直到天南潮水头。"韩愈，不枉与贾岛布衣之交知音一场了。

由于宣宗在唐皇帝中算是写诗好的，唐代诗人有好几位与该皇帝发生过直接的关系，温庭筠也是其中的一个。由于那首《菩萨蛮》词，温庭筠的词名远远大过了他的诗名，在由晚唐词发展到宋词的词史上，温庭筠占有不可替代的位置，他的诗却往往被忽视了。唐宣宗恰恰也是爱唱《菩萨蛮》的。"丞相令狐绹假其新撰密进之，戒令勿泄。

而遽言于人，由是疏之。"（《唐诗纪事》）

令狐绹进献唐宣宗的那"新撰"，便是温庭筠的《菩萨蛮》"小山重叠金明灭，鬓云欲度香腮雪"了。令狐绹"密进之"，而又"戒令勿泄"，那是要以温庭筠之作冒充己作而取悦皇帝吗？诚如是，温庭筠遽言于人，令当朝宰相大失面子，"由是疏之"，那是必然的。宣宗爱作诗，曾赋诗，上句有"金步摇"，未能对出下句，遣未第进士对之，温庭筠以"玉条脱"相续，宣宗颇为欣赏。令狐绹曾问温庭筠"玉条脱"出处，温庭筠道出自《南华经》，并且说："非僻书，相公燮理之暇，亦宜览古。"又道："中书省内坐将军"，讥讽令狐绹无学，"由是渐疏之"。（《唐才子传》）温庭筠恃才傲物，他是一点面子也不给当朝宰相留了，他不倒霉还待作甚？

温庭筠无疑属于那种才华横溢的人，他"少敏悟，天才雄赡，能走笔成万言"。而且他善于鼓琴吹笛，自称"有弦能弹，有孔即吹，何必爨桐与柯亭也"。他才思敏捷而艳丽，工于小赋，每每入试，押官韵作赋，八叉手而八韵成，时号"温八叉"。他还愿意为人当"枪手"，号曰救数人。然而，他自己却终未及第。是不是宰相令狐绹由疏之而恶之，终而不取，未见记载，不可妄下断语，只能存疑。温庭筠是每岁应举，岁岁落第，他为举人假手的做法却总也不改，致使有一任知举，为他特施铺席，不与别的举子相邻，令他无法伸出援手。温庭筠自己则"困于场屋，卒无成而终。"

看来，温庭筠似乎是那种"无行"的文人了，他的诗还会有何可取吗？其实不然。温庭筠有《烧歌》诗，是写山火烧山田的，结末道："仰面呻复嚏，鸦娘咒丰岁。谁知苍翠容，尽作官家税。"温庭筠的悯农之情跃然纸上。踏临古迹，温庭筠也是满腹苍凉，他的《苏武庙》道："云边雁断胡天月，陇上羊归塞草烟。""茂陵不见封侯印，空向秋波哭逝川。"温庭筠的心里是并不消停的。温庭筠的问题在于他率性而为，不能自制。他《和友人伤歌妓》，苦口婆心戒人："王孙莫学多情客，自古多情损少年。"可是他偏偏不能警诫自己，还是一味无节制地抛洒才情，虚度年华。

温庭筠那首《菩萨蛮》词，在词史上的地位是不容忽视的，它真的是"婉约"之祖；可是，它也真的是媚极了，脂粉气太过浓重了。那该是温庭筠的倾情所爱吧，那么慵懒浓艳的女子。那是温庭筠一夜放纵青楼晨起的亲眼所见吗？诗人所述，不必完全是他的亲历，但情感却应该出自他本人的胸怀。在温庭筠，那"懒起画蛾眉，弄妆梳洗迟"的女子，应该与他有一些关系吧。自然，那也可以是良家女子，不一定便落于风尘。不过，温庭筠是过于迷恋花街柳巷了。"然薄行无检幅，与贵胄裴诚、令狐滈等饮博。后夜尝诣狭邪间，为逻卒折齿，诉不得理。"《唐才子传》记下了温庭筠的一段不光彩故事，被"逻卒"（警察）打断了牙齿的温庭筠实在是落拓透了。在逻卒这里，没有诗，没有词，没有"新帖绣罗襦，双双金鹧鸪"，再才华横溢的诗人也救不了自己。

诗人内心的苦楚又有谁知？"晨起动征铎，客行悲故乡。鸡声茅店月，人迹板桥霜。"（《商山早行》）温庭筠心里是并不轻松的，他也一点儿不洒脱。他一次次应试，一次次假手为别人答卷子，而他每每落第，他心里能不酸楚哀伤吗？"犹喜故人先折桂，自怜羁客尚飘蓬。"（《春日将欲东归寄新及第苗绅先辈》）温庭筠为故人折桂而喜，大约是真的，折桂的故人考场上或许还得过他的援手呢；而他为自己尚如飘蓬而伤感，也一点不假，他并没有故作豪放。进士及第的故人们踏上仕途，封疆节度，封侯拜将，温庭筠也不会无动于衷。"今日逢君倍惆怅，灌婴韩信尽封侯。"（《赠蜀府将》）封侯的如果都是"灌婴""韩信"，倒也让人信服，可是，那些尸位素餐者呢？那些一肚子糟糠的家伙呢？那怎么会让温庭筠思之心甘？

温庭筠《病中书怀呈友人》是一首五言长作，凡一百韵，那是温庭筠的真实心怀了；病中书怀，是不会作假的。"逸足皆先路，穷郊独向隅。"温庭筠对故人逸足先入仕途而自己却孤独向隅，不能释怀。"适与群英集，将期善价沽。叶龙图天矫，燕鼠笑胡卢。赋分知前定，寒心畏厚诬。"温庭筠也曾待价而沽，期许甚高。可是他命运乖蹇，所期不达，他认命寒心，亦畏诬陷，他的心境又怎么会清明起来呢？他天才敏悟，与李商隐齐名，时号"温李"，他的命运却比李商隐更惨，他连个赏识自己因爱才而嫁其女的王茂元都未遇上。徐商镇襄阳时，署其为巡官，不得志而去，归江东。后徐商知政事，仍颇为看重他，但徐商又罢相了，温庭筠仍未得重用。他还是高宦之后，是宰相彦博之孙。可是，到了温庭筠这一代，"采地荒遗野，爰田失故都"，祖上的荫庇已经到达不了孙子这里了。

祖上的荫庇原来竟是这样靠不住的。段成式是宰相文昌之子，以荫荐为校书郎，历尚书郎，太常少卿，连典九江、缙云、庐陵三郡。段成式借荫做官的身份，写下过《嘲飞卿七首》诗，嘲弄温庭筠。"少年花蒂多芳思，只向诗中取写真。""知君欲作闲情赋，应愿将身作锦鞋。"段成式是嘲讽温庭筠只知作诗，而且诗中的女性气味太重吧。段成式如果是温庭筠的朋友，这样予朋友以忠告，也本为不可；然而，段成式诗中却不无真实的嘲弄成分。他还有《柔卿解籍戏呈飞卿三首》，在段成式那里，赠予温庭筠的诗，大约只当得"嘲"与"戏"了。段成式的结局也并不怎么好，"坐累，退居襄阳"，那不知是什么牵累而坐罪，退而终之了。

尽管曾被逻卒打折了牙齿，尽管曾遭当朝宰相疏之，尽管受同辈的嘲弄，温庭筠还是痴心不改。"高秋辞故国，昨日梦长安。客意自如此，非关行路难。"（《西游书怀》）西望长安，像多少诗人文士一样，温庭筠仍然心向朝廷，"长安梦"是要一直做下去的。

温庭筠虽然与李商隐齐名，号为"温李"，他作诗却与李商隐不同。李商隐有用心苦作的痕迹;温庭筠似全凭才情挥洒。温庭筠的诗不像李商隐那般朦胧,不必多方作解。《瑶瑟怨》,"冰簟银床梦不成,碧天如水夜去轻。雁声远过潇湘去,十二楼中月自明。"是温庭筠的好绝句,诵读之中,就可感受到那种辽远与空明,不必一字一句去索解。温庭筠绝非苦吟派,他是张口成诵的。白居易《长恨歌》《琵琶行》之后,唐诗中七言歌行作得少了;是有那样的名篇在前,诗人们不好下笔了吧。温庭筠却作了多首七言歌行,《鸡鸣埭曲》《郭处士击瓯歌》,《张静婉采莲歌》,等等,都是。"我亦为君长叹息,缄情远寄愁天色。莫沾香梦绿杨饮,千里春风正无力。"《郭处士击瓯歌》中自有《琵琶行》的流韵。温庭筠的弱点是全凭才情挥洒,一挥而尽,却无长力,所以七言歌行这种诗体并非他之所长,他甫一开篇,也就快结束了,他怎么也写不出《长恨歌》《琵琶行》那样的长歌,不是他才不够,而是他力不够。短诗可凭才情,长歌则必仗才力。

有些与贾岛的遭遇相似,温庭筠也曾撞上过宣宗皇帝。又是宣宗微行,"遇于逆旅。温不识龙颜,傲然而诘之曰:'公非长史、司马之流?'帝曰:'非也。'又曰:'得非大参、簿尉之类?'帝曰:'非也。'"(《唐诗纪事》)温庭筠傲然诘上,岂不令上恶之?后,温庭筠谪为方城尉,再迁隋县尉,竟流落而卒。温庭筠曾制词曰:"孔门以德行为先,文章为末。尔既德行无取,文章何以补焉。徒负不羁之才,罕有适时之用。"温庭筠是在说自己"百无一用"了,那果真是书生的定义吗?

2014 年 11 月 29 日

人间无限伤心事

生在一个诗的朝代,唐代诗人有时候也会很幸运。李频就算是幸运的一个。李频原本少秀悟,多记览,特工于诗。恰值给事中姚合亦为诗,时称诗颖,作有"将军作镇古汧州,水腻山春节气柔。清夜满城丝管散,行人不信是边头"这样的好绝句。李频也很自信,很有勇气,"不惮走千里丐其品第,合见,大加奖挹,且爱其标格,即以女妻之。"(《唐才子传》)姚合所爱,不仅是李频之才,还有其"标格"。

姚合并未错爱,大中八年,李频进士第,调秘书郎,为南陵主簿,试判入等,迁武功令。李频初登仕途,即通达顺畅,并非仅仗着他岳丈的奖挹。他性耿介,治以法,"难干以非理。赈饥民,戢豪右,于是京畿多赖,事事可传。懿宗嘉之,赐绯银鱼,擢侍御史。守法不阿,迁都官员外郎。表乞建州刺史,至则而条教,以礼治下。时盗所在冲突,惟建赖频以安。"

《全唐诗》诗人小传和《唐才子传》有关李频的记叙,好像是后世官员辞世后的生平简介盖棺论定,却非官样文章一段虚文,而是有切实的民情民意作基础的。李频卒于官下,"榇随家归,父老相与扶柩哀悼,葬永乐州,为立庙于梨山,岁时祭祠,有灾沴必祷,垂福逮今。"唐代诗人为官,当地民人为之立祠祭悼的并不多。柳宗元有祠,但柳宗元的命运与李频相较,可就惨得多了。

唐人为李频建祠,是为他的政绩,与他的诗关系不大。李频算不上唐诗人中的杰出者;他固然也有《渡汉江》"岭外音书绝,经年复历春。近乡情更怯,不敢问来人"这样的好绝句,把思乡情绪表达得别致独到细微动人。李频作诗倒是极用心的,他留有散句表明作诗心迹:"只将五字句,用破一生心。"李频善作五言诗,在五言诗上用心勤苦,他的七言诗也非寻常而来。大凡作诗作文用心的人,是不会轻易放过他笔下的所有文字,率意而为的。

李频既然能不惮千里远走陕虢,去姚合那里丐其品第,他的功名心也不谓不强烈。他《春日思归》道,"壮志未酬三尺剑,故乡空隔万重山""却羡浮云与飞鸟,因风吹去又吹还",是他在功名与归乡之间徘徊踌躇的矛盾心境。诗人为官,有济世利民之想,也有养家糊口之思,不可即以一言概之的。仕途通达的李频也有过罢职的时候,他《黔中罢职将泛江东》,"黔中初罢职,薄俸亦无残。举目乡送远,携家旅食难。"便是诗人为官艰难状况的写照,他还是有一个做官岳丈的。

也许正是因为李频也有那种罢职后度日艰困的经历吧,对贫寒至死的贾岛,他便一再作诗伤悼。《过长江伤贾岛》,"到得长江闻杜宇,想君魂魄也相随。"《哭贾岛》,"恨声疏蜀魄,冤气入湘云。"都是痛彻心扉的诗句。好多人记住了贾岛的"推敲",却把他的不幸忘记了。李频在《太和公主还宫》中写过,"重上凤楼追故事,几多愁思向青春。"贾岛的青春,与太和公主的青春,本应是同等的生命韶光,却是多么不平等地逝去的!

读李频《下第后屏居书怀寄张侍御》,"功名如不彰,身殁岂为鬼",会觉得李频的功名心未免过重。读过李频的《书怀》,"宦途从不问,身事觉无差",《临歧留别相如》,"世路多相取,权门不自投",想一想李频不远千里去投姚合,丐其品第之行,会觉得李频言行不一了。可是,又读了他的《之任建安渌溪亭偶作二首》,"想取丞黎泰,无过赋敛均",读了他的《送罗著作两浙按狱》,"科条尽晓三千罪,囹圄应空十二州",明晓了诗人为官的执政理想,那功名心过重和初出茅庐时的举动,都可原谅了。做官的诗人偶尔自我标榜一下也该允许,更何况李频还有切实的为官善政,自不可与卖身投靠、贪腐成性、沽名钓誉者流同日而语。

"几时入去调元元,天下同为尧舜人。"(《浙东献郑大夫》)李频想望着天下黎民统统成为尧舜时代的民人,他的治政理想那么美好,我们还会忍心多予责怪吗? 李频在《五月一日蒙替本官不得随例入阙感怀献送相公》中写道:"五月倾朝谒紫宸,一朝无分在清尘",为他一朝未能朝谒而感到遗憾,他却没有想一想,他要朝谒的是不是真的尧舜。不仅李频所处的晚唐,已经不是尧舜帝治下的时代了,即便初唐盛唐李唐王朝的好时期,又哪里出现过尧舜呢? 尧舜时代,是一去永不复返了。

新的朝代,新的天下,自有新朝代新天下的皇帝天子,曹邺就把这些天子看得很清楚,对他们统治的天下也一目了然:"天子好征战,百姓不种桑。天子好年少,无人荐冯唐。天子好美女,夫妇不成双。"(《捕渔谣》)诗好像是由"楚王好细腰,宫中多饿死"而来;然而,天子不良嗜好的影响已经扩至无限,没有力量能够制约了。

曹邺的诗才不算太高,但他却有特操,他不仅敢在诗中批评天子的恶行,对官吏他也毫不容情。"官仓老鼠大如斗,见人开仓亦不走。健儿无粮百姓饥,谁遣朝朝入君口。"(《官仓鼠》)这样的官仓鼠遍布天下,啮食无数,老百姓哪里还有活路? 一个朝代,贪腐成风,老鼠成群,苍蝇也随之乱飞,久治不下,或者并不从根子上惩治,不看看天子在好什么,这个朝代就离灭亡不远了。曹邺登进士第的大中年间,是唐宣宗治下的晚唐时期。唐宣宗虽然欲有所作为,登基后整顿吏治,为"甘露之变"中屈死的一百多位官员昭雪,治下一度出现了新的气象,唐宣宗被称为"小太宗",他治下的大中朝被称为"大中之兴"。但是,已有了二百多年历史的李唐王朝毕竟是强弩之末了。唐宣宗去世之年,离唐王朝最终灭亡还剩下了不到五十年,什么样的皇帝也无力回天了,单单遍布天下的官仓鼠也会把这王朝大厦盗空。

曹邺自然是不希望他为官的王朝覆灭的。他在《将赴天平职书怀寄翰林从兄》中告诫他的从兄:"岂学官仓鼠,饱食无所为。"他其实也是知其不可为而为之了。李唐王朝已从根基上腐朽了,仅凭他,再加上他的从兄,哪怕是更多的从兄,不学官仓鼠,而廉洁从政,就能挽大厦于将倾吗?须知,太多的官员并不像他这样想。"杀尽田野人,将军犹爱武。性命换他恩,功成谁作主。"(《战城南》)武将如此,文臣又哪里会好。离开朝廷,出蓟北门而行,一路所见,令曹邺的心彻底凉透,不由得发出了愤激之语:"不如无手足,得见齿发暮。乃知七尺躯,却是速死具。"所见惨象,还不只是战争所为,而是一个行将灭亡的朝代必然的结果。

士子们还是在为这个气数将尽的王朝尽心竭力,他们也是如同精卫填海子规啼血,精诚可嘉,不能简单地予以否定,更不可妄加嘲弄,以轻薄的态度待之。幽州人高骈,本是南平郡王高崇文之孙,名将之后,家世禁卫。《全唐诗》诗人小传称他"幼颇修饬,折节为文学",是说他改变了祖上为皇家禁卫的志趣,而折节向学。高骈不再只是一赳赳武夫,而成儒将了。他在《言怀》诗中道,"恨乏平戎策,惭登拜将坛""三边犹未静,何敢便休官",倒仍然是他的武将本色。他的《南海神祠》,"沧溟八千里,今古畏波涛。此日征南将,安然渡万艘。"短短的一首五言绝句,却显出了高骈的大将本色。诗的气度,自不可遽以长短而论定。

皇家看重高骈的,当然不是他能够写诗言志,而是他由祖上那里继承来的武功。自然是由于家传血缘,高骈少时便娴熟鞍马弓刀,善射,有膂力。他折节向学,锐意为文后,便与诸儒相交,从容儒雅,砥砺言治道。他初事灵武节度使朱叔明为府司马,迁侍御史。一日校猎围合,有双雕并飞,骈曰:"我后大富贵,当贯之。"遂引弓而发,双雕联翩而坠,众人大惊,号其为"落雕御史"。后高骈为四川节度,筑成都城四十里,以御南诏侵暴。朝廷虽加恩赏,亦疑其固护,这本是皇帝惯有的疑神疑鬼之心。为将者不思进取,皇帝会责其不尽忠,你要精忠保国了,皇帝又会疑你尾大不掉,拥兵自重,搞什么独立王国。

高骈所临,就是这样的困境。一天,听得奏乐声响,高骈知有更移了,便赋《风筝》诗曰:"夜静弦声响碧空,宫商信任往来风。依稀似曲才堪听,又被移将别调中。"《唐才子传》道"明日诏下,移镇诸宫";《唐诗纪事》曰"旬日报到,移镇诸宫"。"明日也好","旬日"也罢,反正是由于朝廷生疑,高骈被调离他筑城四十里固护的成都,移镇诸宫了。

高骈禁卫世家出身,本为武将,他的诗中也会流露大将气度,但是他折节向文,便与赳赳武夫有了重大区别。他带兵却厌战:"陇上征夫陇下魂,死生同恨汉将军。"(《塞上曲二首》)他带兵南征,抒发的却是息战情怀:"回期直待烽烟静,不遣征衣有泪痕。"尽管他也有志不辱使命:"万里驱兵过海门,此生今日报君恩。"(《南征叙怀》)高骈是一个心事重重忧肠满腹的将军了。他这种情怀的产生,是因为他念念于心的不是他画图凌烟开国元勋的功成名就,而是征人怨妇。"心坚胆壮箭头亲,十载沙场受苦辛。力尽路傍行不得,广张红旆是何人。"(《叹征人》)"人世悲欢不可知,夫君初破黑山归。如今又献征南策,早晚催缝带号衣。"(《闺怨》)征夫怨妇的诗,在初唐、盛唐诗人的笔下,就蔚成大观,诗人们代征人怨妇言,喊出他们厌战反战的呼声。这声音,到中唐时低了下去,在晚唐高骈这里,又震响起来。由出身禁卫世家的带兵武将再一次唱出这样的"军歌",决然不同凡响。高骈折节向文学,有了独特的意义。

既然节度带兵,高骈自然要以战讨之勋擢升,不会以写诗晋爵。唐朝虽为诗的朝代,也没有哪一个诗人是纯以诗才被加官晋爵的。高骈仕至平章事，封为渤海郡王。"手握王爵，口含天宪，国家倚之。"《唐才子传》让我们看到了高骈的官威显赫。接下来，也是《唐才子传》的叙述，却让我们看到了另一个高骈："时巢贼日日甚，两京亦陷，大驾蒙尘，遂无勤王之意，包藏祸心，欲便侥幸。"这是说黄巢起义军进占京都，高骈不带兵勤王，而坐视皇帝蒙尘了。

如果不是硬要由阶级争战的角度出发来看高骈的"无勤王之意"，而从高骈的诗人情怀入手，会不会看到更复杂的人性渊源呢？高骈的《边城听角》："席箕风起雁声秋，陇水边沙满目愁。三会五更欲吹尽，不知凡白几人头。"《蜀路感怀》："蜀山苍翠陇云愁，銮驾西巡陷几州。唯有萦回深涧水，潺湲不改旧时流。"高骈实在是厌恶战争，对"銮驾"失望至极，无意再提兵打仗，去救皇帝了。他包藏的如果是这样的"祸心"，倒也无可指责。

天子却不会由人性的角度去原谅高骈。皇帝知道了高骈不肯勤王，不管他是不是包藏了祸心，即以王铎代为都统，加侍中。对此，高骈也并不是那么豁达能够想得开的，他在《闻河中王铎加都统》诗中便大发牢骚："炼汞烧铅四十年，至今犹在药炉前。不知子晋缘何事，只学吹箫便得仙。"尽管他也曾表达过功成身退的愿望，事到临头，也还是放不下。他在《写怀二首》中说得曾是那么好："欲恨韩彭兴韩室，功成不向五湖游。""如今暗与心相约，不动征旗动酒旗。"诗人为将，带兵打仗，比寻常人征战更多了一些矛盾，高骈又是家世禁卫折节为文的人，他的情怀纠结复杂，更为难免。

读高骈的《湘妃庙》，只觉得他不像是带兵打仗的将军，而纯粹是一个多情的诗人，怀古抚今，怜惜红颜了。"帝舜南巡去不还，二妃幽怨水云间。当时珠泪垂多少，直到如今竹尚斑。"舜的两个妃子娥皇、女英，追随夫舜到沅湘，夫死而哭，泪水滴竹，而成斑竹。自屈原《湘君》《湘夫人》以来，文人墨客，为她们写下了多少诗文，以寄悲悼。从血流成河的战场上走过来的人，按说不会那么在意眼泪了，更何况是女人的眼泪。好像是个悖论，高骈偏偏也是个愿写眼泪的人。他《渭川秋望寄右军王特进》，原本要表达对朝廷的忠心，却以眼泪出之："凭寄两行朝阙泪，愿随流入御沟泉。"臣子的眼泪流入御沟，跟妃子们的泪水、胭脂水混在一起，从皇帝的眼前流过，皇帝还能不能认出那两行泪水是从哪个臣子忠诚的眼睛里流出的，就很难说了。

由于皇帝的疑心，高骈先是由成都调走；由于皇帝的不信任，高骈又被王铎代为都统。"骈失兵柄，攘袂大诟，一旦离势，威望顿尽，方且弃人间事，绝女色，属意神仙。"（《唐才子传》）高骈是失望至极，便破罐子破摔了。

高骈的属意神仙，与李白的好神仙道自不可同日而语。李白是入长安供奉翰林之前就醉心于求仙访道，采药炼丹了；而高骈的走向神仙道，则是在他失去兵柄以后。虽然他《步虚词》曾写过"青溪道士人不识，上天下天鹤一只。洞门深锁碧窗寒，滴露研朱点周易"，也只是表明高骈是向世外投去了一瞥罢了。诗人们无论是在得意还是失意的时候，都会流露这种世外向往的。高骈失去了兵柄之后，一入神仙道，他可就毅然决然，一去不回头了。时"鄱阳商侩吕用之会妖术，役鬼神，及狂人诸葛引、张守一等相引而进，多为谬悠长年飞化之说，羽衣鹤氅，诡辩风生，骈事之若神。造迎仙楼，高八十尺，日同方士登眺，计鸾笙在云表而下，用之等叱咤风雷，或望空揖拜，言睹仙过，骈辄随之。用之曰：'玉皇欲补公真宫，吾谪限亦满，必当陪幢节同归上清耳。'其造怪不可胜纪。"

高骈此时的行为，看上去荒唐至极，不像从战场上走过来的将军诗人了。退一步认真想一想，高骈着迷神仙道，也实在是事出有因，更何况，那是在距今一千多年以前了。

高骈在神仙道上越走越远，没有退路了。"至以用一、守一、殷等为将,分掌兵符,皆称将军,开府置官属,礼与骈均。卒至叛逆首乱,磔尸道途,死且不悟。裹骈以破毡,与子弟七人,一坎而瘗,名书于唐史叛臣传,亦何足道矣。"《唐才子传》对高骈的否定态度是明显的,那是因为高骈被正统史家列入了叛臣传吧。高骈所叛究竟该如何评价,那还需要讨论;高骈死得很惨,却毋庸置疑。

家世禁卫的高骈,本是皇帝的警卫,他最终却未能保护好自己的性命。"人间无限伤心事,不得尊前折一枝。"光启三年,高骈镇淮海时,三月看花,高骈与诸从事赋诗,结末高骈咏此句。那被看作为高骈灭亡之谶。伤心与眼泪,原本是这样性命交关。

2014 年 12 月 3 日

皮日休的日出

　　如果没有皮日休，晚唐诗的光彩还要减却许多吧。唐诗到了晚唐，的确是随着国势的衰败而衰落了。幸而有皮日休异军突起，晚唐的诗坛闪射出一道夺目的光芒。

　　皮日休的贡献不仅在晚唐的诗，还有文。收入《皮子文薮》的皮日休散文，是韩愈、柳宗元之后唐代散文的又一座高峰。皮日休生当唐朝末年，"虎狼放纵，百姓手足无措，上下所行，皆大乱之道，遂作《鹿门隐书》六十篇，多讥切谬政。"（《唐才子传》）面对晚唐政治腐败、国势衰落、朝野混乱的现实，皮日休愤切道出："古之置吏也将以逐盗，今之置吏也将以为盗。"皮日休批判的锋芒不仅指向谬政，也指向人性："古之杀人也怨，今之杀人也笑。"今之视唐为古，唐之"古"又何为视？那是尧舜时代吗？是国人千百年来一直向慕的淳朴的往古？那时候真的那么好吗？深长思之，又不能不有所怀疑，因为那陈年流水簿子的字里行间全都写着"吃人"二字（鲁迅语意）。

　　"昨朝残卒回，千门万户哭。哀声动闾里，怨气成山谷。"（《三羞诗三首》）皮日休的诗中回荡着唐朝开国以来一直没有断绝的哀怨之声；到了晚唐，社会现实是更加令诗人痛心疾首了。皮日休在此诗的序中写明了现实的触发："日休旅次于许传舍，闻叫咷之声动于城郭。问于道民，民曰，蛮围我交阯，奉诏征许兵二千征之，其征且再，有战皆没。其兵者，许兵之属。"皮日休为之深切伤痛，责怪于己："皮子为之内过曰，吾之道不足以济时，不可以备位，又手不提桴鼓，身不被兵械,恬然自顺,恬然自乐,吾亦为许师之罪人耳。"皮日休是由"天下兴亡匹夫有责"的角度出发,而将与自己并无直接关系的罪过强加到自己身上了。

朝政朽败,国之将倾,又哪里是一介文人能够救得了的。皮日休《虎丘殿前有古杉一本形状丑怪图之不尽况百卉竞媚若妒若媚唯此杉死抱奇节髋然闯然不知雨露之可生也风霜之可瘁也乃造化者方外之材乎遂赋三百言以见志》,诗题即如序文,其中"死抱奇节"一语,不妨看作皮日休的自况。"他年如入用,直构太平基。"皮日休是怀着为国所用构筑太平基业之气节理想的,尽管他知道其所处之晚唐已非一展胸襟抱负的时代了。"儿童啮草根,倚桑空赢赢。斑白死路旁,枕土皆离离。"(《三羞诗三首》)战乱又加上了灾荒,民更不堪。"丙戌岁,淮右蝗旱,日休寓小墅于州东。下第后,归之,见颍民转徙者,盈途塞陌,至有父舍其子,夫捐其妻,行哭立句,朝去夕死。"眼前所见,又令皮日休哀伤自责:"呜呼,天地诚不仁耶。皮子之山居,桅有袭,镀有炊,晏眠而夕饱,朝乐而暮娱,何能于颍民而独享是,为将天地遗之耶。因羞不自容,作诗以唁之。"皮日休之羞,羞在自我。古代士子们,以至当代知识分子,这种自羞之心是并不多见的,他们倒是往往在为自己的"小康"而沾沾自喜,甚而志得意满的。能够自羞责己,才有资格去指斥他人的羞处。一个社会,歉疚之心都普遍丧失了,哪里还谈得到羞愧之心呢?

是对社会现实的失望所致吧,皮日休曾隐居鹿门山,嗜酒,癖诗,号"醉吟先生",又自称"醉士",且傲诞,又号"间气布衣",言己天地间气也。(《唐才子传》)皮日休的隐居、嗜酒、傲诞,可以由东晋文人名士那里找到其渊源。皮日休也曾在诗中抒发过他对嵇康的向慕:"昔有嵇氏子,龙章而凤姿。手挥五弦罢,聊复一樽持。"(《酒杯》)一曲《广陵散》弹罢,引颈就戮,《广陵散》随嵇康的亡魂一起散往九霄,弥散于天地之间，嵇康的气节文格则被之于管弦，被后代诗人在诗的古琴上弹奏，皮日休自不能不钟情倾心。

皮日休嗜酒，自有他的道理："何人置此乡，杳在天皇外。有事忘哀乐，有时忘显晦。"（《酒乡》）他是要沉醉于酒乡之中，忘了哀乐显晦。"借酒浇愁愁更愁"，那是因为酒中酒后的清醒，如果大醉不醒，也就失却了愁肠，酒成了"忘忧散"，弹奏不绝了。皮日休在《酒中十咏》的序中说得很明白："鹿门子性介行独，于道无所全，于才无所全，于退无所全，岂天民之蠢者邪？然进之与退，天行未觉于余也，则有穷有厄，有病有殆，果安而受邪？未若全于酒也。""噫，天之不全余也多矣，独以曲糵全之。抑天独行于遗民焉。大玄曰，君子在玄则正，在福则冲，在祸则反，小人在玄则邪，在福则骄，在祸则穷。余之全于酒得其乐，人之于酒得其祸，亦若是而已矣。"皮日休认为，同样是酒，同样是嗜酒，但在不同人那里，其结果是不一样的。在人或是"酒祸"，在他则成"酒福"。他的"酒福"中最大的一福，也就是他可以忘了哀乐显晦，酒于他，不啻一种麻醉剂，皮日休要在酒中忘掉晚唐"虎狼放纵"的现实，他实在是一种逃避，且不论是积极还是消极吧。

当政治昏暗社会腐败至极时，有思想的人是最痛苦的，只有那些没有思想没有灵魂的人，才会为一时解决了温饱问题而幸福得手舞足蹈。皮日休耽于酒，嗜于酒，连他的妻子也看不上了："妻仍嫌酒癖，医只禁诗情。"（《又寄次前韵》）病中的皮日休寄诗于他的好友陆龟蒙，这样陈情。妻子会把他的病归因于酒癖，医生会把他的病归之于诗情。看来，医生更能够准确地把摸到皮日休的病脉：诗情是要伤身的，只要诗人的心紧连着民瘼疾苦，他作出的诗不是那种不关痛痒的韵文。这样说来，皮日休嗜酒，并不能让他摆脱掉社会现实给予他的痛苦，他仍然是"借酒浇愁愁更愁"，他伤心以至于伤身了。身心俱伤，皮日休的隐居嗜酒，未能救他，相反倒害了他了。

皮日休出山是注定了的命运。他隐居鹿门山,作《鹿门隐书》六十篇,岂能只是一纸空文。"朝廷未无事,争任醉醺醺。"(《鲁望示广文先生吴门二章情格高散可醒俗态因追想山中风度次韵属和存于诗编鲁望之命也》)皮日休想着朝廷,也就是想着天下,想着苍生。在皮日休和所有古代士子们那里,朝廷就等于天下,他们兼济天下的理想必定要通过朝廷来实现。当然,皮日休所处的晚唐朝,已非前朝可比了,皇帝不是先皇,相国也不是既往的相国了。

皮日休在他的《七爱诗》序中表达了理想中的朝廷将相官吏贤达:"皮子之志,常以真纯自许。每谓立大化者,必有真相,以房杜为真相焉;定大乱者,必有真将,以李太尉为真将焉;傲大君者,必有真隐,以卢徵君为真隐焉;镇浇俗者,必有真吏,以元鲁山为真吏焉;负逸气者,必有真放,以李翰林为真放焉;为名臣者,必有真才,以白太傅为真才焉。"皮日休在心中树起了这样一些理想的楷模,表达了他纯真的仰慕:"苟得同其时,愿为执鞭竖。"皮日休的感叹,也是他的前代和后代尚真纯者共有的感叹。不能与先贤同代,是千代万代的遗恨,这遗恨关乎着世风日下,也关乎着生命不再,我们的终极遗憾,就在于不能找回逝去的时光啊。也许,房玄龄、杜如晦那样的相国,李晟那样的太尉,还会在后代出现,可是,李白那样的翰林,却只能有此一人,再也不会有了:"惜哉千万年,此俊不可得。"

皮日休也是矛盾重重,他崇尚白居易太傅"处世似孤鹤,遗荣同脱蝉",轮到他自己身上,他还是"梦里忧身泣,觉来衣尚湿","如何倚名主,功名未成立",放不下他的功名牵挂、倚主抱负,尽管他要辅佐的君主怎么也算不上"名主"。这当然不意味着皮日休功名心过重,也不能说皮日休目光欠敏锐,看不透世事。他也敬慕过陶渊明的出仕姿态,"仕应同五柳,归莫舍三茅"(《新秋言怀寄鲁望三十韵》),他也只是这样说说罢了,真正能做到像五柳先生陶渊明那样的,千百年来,百无一人。陶渊明只是为士子们树起了一个可望而不可即的形象，像世外仙人一样，缥缈在那里。

与陶渊明走的道路正好相反，陶渊明是先出仕，再挂冠而去；皮日休则是先隐居，再出山。难道皮日休是抵御不住功名利禄的诱惑吗？"柱天功业缘何事，不得终身是霍光。"（《襄州汉阳王故宅》）"二百年来霸王业，可知今日是丘墟。"（《南阳》）柱天功业尚不能永久，百年霸业也成丘墟，人世间还有什么值得追求的？可是，不求建功立业，都去避世而居，这世上又哪里来的什么桃花源呢？放不下的终究还是这人间情怀，俗世功业。天下苍生，也正是在这俗世里挣扎着奔走着。这是我们的不幸，也是我们的幸运，尽管跌跌撞撞，总不枉来人世走上一遭。

在皮日休的心目中，与他同代的俊达贤良，也就是陆龟蒙（鲁望）还能够真正地抛下利名之心，遗世独立。"何事欲攀尘外契，除君皆有利名心。"（《春和鲁望寒夜访寂上人次韵》）"知君多病仍中圣，尽送寒苞向枕边。"（《早春以桔子寄鲁望》）这样称道，绝不是朋友间俗腻的吹捧，而是真正的知音唱和，高山流水。

诗友酬唱，元稹、白居易之后，皮日休与陆龟蒙之间又是往来颇多的了。《唐才子传》对这种诗友酬答有很中肯的见解："夫次韵唱酬，其法不古，元和以前，未之见也。暨令狐楚、薛能、元稹、白乐天集中，稍稍开端。以意相和之法渐废用作。逮日休、龟蒙，则飙流顿盛，犹空谷有声，随响即答。韩偓、吴融以后，守之愈笃，汗漫而无禁也。于是天下翕然，顺下风而趋，至数十反而不已，莫知非焉。"诗友唱酬，本是雅事，但"趋于下风，至数十反而不已"，则易流于文字游戏，无病呻吟。次韵亦即限韵，限韵常走向唯韵是求。诗，本应是有情之物，意在辞先，意在韵先。唱酬往来数十反，哪怕不是数十反，而仅几反，没有了非说不可的意、非抒不罢的情，只是依韵而填词，雅事便成了俗事，由雅而俗,其实也只是一步之遥。皮日休与陆龟蒙,这一对晚唐不多的杰出诗人之间,唱酬之多,尽可追步元、白了,甚至有过之而无不及,看看皮日休这些寄鲁望的诗题:《暇日独处寄鲁望》《屣步访鲁望不遇》《奉和鲁望独夜有情吴体见寄》《病中美景颇阻追游因寄鲁望》……其密集,其频繁,几可用连篇累牍来形容了。

在一个政治昏暗民生凋敝的时代里,有一位好友,可以歌诗唱酬倾诉衷肠,在此在彼,都是难得一遇的幸事。皮日休和陆龟蒙之间,还有随同寄诗而来的物,那是物质与精神的双重慰藉。皮日休给予陆龟蒙的,有《病中有人惠海蟹转寄鲁望》《以纱巾寄鲁望因而有作》《以紫石砚寄鲁望兼酬见赠》……陆龟蒙赠予皮日休的则有《以躬掇野蔬兼示雅什》,还有《以花翁之什见招》……皮日休与陆龟蒙,真可令身处人情浇漓时代的诗人作家向慕之至了。

当然,皮日休与陆龟蒙的唱酬,也有不少流于庸俗之作。皮日休的《奉和鲁望渔具十五咏》,网、罩、鱼、射鱼……一一奉和,便没有什么意思了。那也是"趋于下风,至数十反而不已"之作。再优秀的诗人,也当下笔谨重,雅与俗之间,也只是一抬腿就过去了。《唐才子传》对此仍有高论:"今则限以韵声,莫违次第,得佳韵则杳不相干,岨峿难入;有当事则韵不能强,进退双违。必至窘束长才,牵接非类,求无瑕片玉,千不遇焉,诗家之大弊也。更以言巧称工,夸多斗丽,足见其少雍容之度。"皮日休与陆龟蒙的唱酬,还没到"夸多斗丽"的程度,但是,把此类诗全部读过,也让人生腻了。

皮日休奉酬陆龟蒙的诗,还有的更为"限以韵声,莫违次第",只是逗文字功夫了。《奉酬鲁望夏日四声四首》,依平声、平上声、平去声、平入声而作,《苦雨中又作四声诗寄鲁望》,还是依平声、平上声、平去声、平入声而作,还有《奉和鲁望叠韵双声二首》,等等,都是皮日休与陆龟蒙唱酬诗中的无聊之作,为皮日休的整体诗作减色不少。也许,这些诗可以作为初习旧体诗者作声韵的范本吧,但它们无论如何算不上好诗。

皮日休是学者,也许他作这类诗,真的有为习诗者立范之用意。然而,习诗,只习声韵,则是舍本逐末了。皮日休把他的这些诗统归于"杂题诗"名下。他的《杂体诗》序文则是一篇极好的文章,可作为诗体史的论述来读,从中也可看出皮日休的学者功底。即如:"案汉武集,元封三年,作柏梁台,诏群臣二千石,有能为七言诗者乃得上坐。帝曰,日月星辰和四时;梁王曰,骖驾驷马从梁来。由是联句兴焉。"再如:"晋傅咸有回文反复诗二首云。反复其文者,以示忧心展转也,悠悠远迈独茕茕是也。由是反复兴焉。"读来,远比收在本题下的那些诗更有兴味,增广识见。

学识来自于读书。皮日休有专写《读书》的诗曰:"家资是何物,积帙列梁梠。高斋晓开卷,独共圣人语。英贤虽异世,自古心相许。案天见畫鱼,犹胜凡俦侣。"别人为万贯家财而自得,皮日休为集帙万卷而满足。高斋清晓,展卷捧读,与往古圣贤对话,心心相通,那是诗人最大的幸福;如此,可以稍稍弥补那"前不见古人"的遗憾了,异代晤面,完成于书上。皮日休还记下了他借书阅读的体验:"吴之士有恩王府参军徐修矩者,守世书万卷,优游自适。余假其书数千卷,未一年,悉偿夙志,酣饫经史,或日宴忘饮食。""圣人患不学,垂诫尤为节。"(《二游诗并序》)

读书与不读书,高下立判。读皮日休的诗,一展读便感觉到一种浩茫大气。皮日休走的是大诗人之路。皮日休善写五言排律。这种长于铺叙的五言诗,杜甫《自京赴奉先县咏怀五百字》树起了一座高峰,此后作者,难以企及,好多人望而却步了;那需要气魄、学识与才力,不是凭才情挥洒便可立就的。皮日休有《吴中苦雨因书一百韵寄鲁望》《鲁望昨以五百言见贻过有褒美内揣庸陋弥增愧悚因成一千言上述吾唐文物之盛次叙相得之欢亦迭和之微旨也》等五言长诗。在后者中,皮日休对本朝的前辈杰出诗人不掩仰慕之情:"射洪陈子昂,其声亦喧阗。惜哉不得时,将奋犹拘挛。玉垒李太白,铜堤孟浩然。李宽包堪舆,孟澹拟漪涟。"他也对如许英才被埋没表达了不平之慨:"谁知耒阳土,埋却真神仙。"被埋没的又哪里只是先贤呢?皮日休这样抒写的时候,能不想到他自身的遭逢吗?

晚唐时期难得的大才如皮日休,也要经受应试及第的心理考验:"犹有报国方寸在,不知通塞竟何如。"(《密词下第感恩献兵部侍郎》)盛唐已过,像李白那样不应科举仅凭才华进入宫廷,是再也不可能了。哪怕是做一个供奉翰林,也只是前朝故事,听上去像一个神话一样了。即便新科登第了,皮日休竟然还要诚惶诚恐:"当醉不知开火日,正贫那似看花年。纵来恐被青娥笑,未纳春风一宴钱。"(《登第后寒食杏园有宴因寄录事宋垂文同年》)皮日休的姿态,居然不像那个鹿门山隐居的"醉士"了,他自号"间气布衣",言己天地之间气也的"傲诞"也不知哪里去了。他还是"户牖深如窟,诗书乱似巢"(《新秋言怀寄鲁望三十韵》),有过寒窗苦读万卷在胸的人,理应自信。

看来,真的是说说容易,做起来很难。皇权之下,宫廷之上,能像李白那样让力士脱靴贵妃磨墨狂放不羁,并不易做到。千古以来,仅太白一人而已。可是,我们绝不能屡屡犯那种"站着说话不腰疼"的毛病,而苛责先贤。想一想皮日休的贫寒,"门小愧车马,廪空惭雀鼠。尽室未寒衣,机声羡邻女"(《贫居秋日》);想一想皮日休的病苦,"十五日中春日好,可怜沉痼冷如灰"(《奉酬鲁望惜春见寄》);想一想皮日休的不幸,"一岁犹未满,九泉何太深"(《伤小女》);想一想皮日休的困惑,"莫向人间逞颜色,不知还解济贫无"(《金钱花》);我们怎么还能挑剔批评皮日休登第后赴一次杏园宴而诚惶诚恐呢?那实在是其来有自,情有可原的。

有自己的切身体验，皮日休才会与人同病相怜，写出《伤进士严子重诗》：“十哭都门榜上尘，盖棺终是五湖人。”在这首诗的序中，皮日休写道：“余为童在乡校时，简上抄杜舍人牧之集，见有与进士严恽诗。”皮日休童年时见到的杜牧的这首诗，应该是《和严恽秀才落花》了。杜牧诗曰：“共惜流年留不得，且环流水醉流杯。无情红艳年年盛，不恨凋零却恨开。”杜牧是以愤激之语宽慰落第的秀才严恽了。皮日休在他的诗序中，再次为严恽倾诉不平：“生举进士，亦十余计偕，余方冤之，谓乎竟有得于时也。未几，归吴兴，后两月（咸通十一年也），雪人至云，生以疾亡于所居矣。噫，生徒以词闻于士大夫，竟不名而逝，岂止此而湮没耶？江湖间多美材，士君子苟乐退而有文者死，无不为时惜，可胜言耶？”皮日休感叹的不只是一个严恽，也不只是他皮日休自身，而是江湖间众多美材，众多死而不名的俊才贤良。皮日休哭而为诗，寄希望于九泉了：“知君精爽应无尽，必在丰都颂帝晨。”另一个世界的帝王，会看中严恽的才华，而用其颂扬阴间的早晨吗？阴间的早晨也会有太阳升起，需要颂歌伴其升空吗？

皮日休当然绝非等闲之辈，对历史，对现实，他有自己独到的见地。隋炀帝开凿大运河，为皇帝下江南张锦帆通航，是隋朝亡国之君的一次末世盛举，极尽奢侈。皮日休《汴河怀古二首》却道出了另一番意义：“尽道隋亡为此河，至今千里赖通波。若无水殿龙舟事，共禹论功不较多。”

时至晚唐，朝纲朽坏，民怨沸腾，农民起义爆发，皮日休陷入黄巢军中。黄巢爱惜皮日休的才华，授以翰林学士。皮日休并不认为黄巢是农民起义军的领袖，便俯首顺从。黄巢“令作谶文以惑众”。皮作云：“欲识圣人姓，田八二十一。欲知圣人名，果头三屈律。”（《唐才子传》）“黄巢头丑，掠鬓不尽，疑讥之也，遂及祸。”（《唐诗纪事》）皮日休的傲骨本色，此时显示出来了。“临刑神色自若，无知不知皆痛惋也。”（《唐

才子传》)

　　晚唐最杰出的诗人皮日休,被农民起义军的领袖黄巢杀害了。黄巢是怀疑皮日休所作谶文把他的姓名做成了字谜,有意讥他。皮日休还是因文惹祸。皮日休曾作过《九夏歌九篇》,开篇为王夏之歌,乃王出入所奏之歌。歌曰:"爞爞皎日,燄丽于天。厥明御舒,如王出焉。"歌看上去古奥难解,其实很简单的,那不过是说太阳出来如帝王之出罢了。作此歌时,皮日休会想到,如果黄巢起义成功,把唐王朝彻底推翻,黄巢做了皇帝,也是爞爞日出吗?黄巢是"我花开后百花杀"的,他不杀掉皮日休,那倒奇怪了。至于黄巢做了皇帝,会不会治理出一个皮日休《橡媪奴》中所叹息的天下,皮日休大约是不会想到了,那是这样的一个朝代:

　　"狡吏不畏刑,贪官不避赃。"

　　"自冬及于春,橡实诳饥肠。"

　　皮日休想不到的,我们应该替他想到。

　　那绝不是皮日休的日出。

2014 年 12 月 8 日

陆龟蒙的退隐

  定然是接受了先祖的教训,陆龟蒙才选择了另一条道路吧。陆龟蒙有诗曰:"吾祖仗才力,革车蒙虎皮。手持一白旄,直向文场麾。"(《袭美先辈以龟蒙所献五百言既蒙见和复示荣唱至于千字提奖之重蔑有称实再抒鄙怀用伸酬谢》)陆龟蒙酬唱皮日休(袭美)这首五言排律中写到的"先祖",便是陆机了。陆机本东吴丞相陆逊之孙。陆逊以一介书生运筹帷幄,"火烧连营七百里",打败了刘备统率讨伐东吴的大军。陆机像他的祖父一样,也是文韬武略,能够下马著文,上马督军的。可惜,在东晋司马氏诸王争夺中,陆机带兵战败,被诬为有异志,和他的弟弟陆云一起被杀害了。临刑前,陆机曾对他的弟弟说:"华亭鹤唳,岂可复闻乎?"陆机本是少年才俊,二十岁作《文赋》,"直向文场麾"。一杆翰管,胜过了千军万马,五百年后,还令他的后裔自豪有加。

  陆龟蒙为先祖的才力自豪,先祖的最终命运却不能不令他思之怵惕。他最初或许也有过功名之心,想着出仕,建功立业吧。他举进士不第,也曾辟苏、湖二郡从事,然而他很快就退隐松江甫里,渔耕樵读,走上了好多文人只是徒然向往却未付诸实施的陶渊明的道路了。"渊明不待公田熟,乘兴先秋解印归。我为余粮春未去,到头谁是复谁非。"(《自遣诗三十首》)陆龟蒙退隐前,并未经受陶渊明那为五斗米折腰的屈辱。名士之后,陆龟蒙由先祖那里继承而来的血脉里的傲气,自非寻常家世出身的人可比。他历苏、湖二郡之后,曾经到饶州,三日无所诣,什么人也不去投奔,不去"干谒",刺史率官属前来见他,他不乐,拂衣而去了。

　　退居后,陆龟蒙也"不喜与流俗交,虽造门亦罕纳。不乘马,每寒暑得中,体无事时,放扁舟,挂篷席,赍束书、茶灶、笔床、钓具,鼓棹鸣榔,太湖三万六千顷,水田一色,直入空明。或往来别浦,所诣少不会意,经往不留。自称'江湖散人',又号'天随子''甫里先生'。汉涪翁、渔夫、江上丈人,尝谓即己。"(《唐才子传》)陆龟蒙纯然是名士派头,他跟陶渊明的确是有区别的。他隐居的松江甫里,是今天的甪直镇,北靠吴淞江,南临澄湖。他的祖先陆机当年就曾在这一带镇守,也被杀害在这里。先祖不可复闻的华亭鹤唳,陆龟蒙日里夜里会一再复闻。"坐想鼓鞞声,寸心攒百箭。"(《孤独怨》)令陆龟蒙寸心箭穿的鼓鞞之声,恐怕不只是在战场上吧,刑场上鬼头刀砍头,也会擂起鼓来的。

　　要是以为陆龟蒙隐居松江,每天里就是驾一叶舟,架设篷席,逐波而去,诗酒茶炊,那就错了。陆龟蒙倒满心希望着能够那样,可是,那需要社会和家庭的双重条件,"还须待致升平了,即往扁舟放五湖。"(《和袭美新秋即事次韵三首》)首先,所处的时代要是真正的升平,歌舞出来的升平不算数的,不能只看歌女舞伎们霓裳羽衣舞出的是什么样的曼妙景象。陆龟蒙所处的晚唐,已是颓势难挽,行将灭亡了。退隐的陆龟蒙,心头亡国之恨并不少,虽然那是前朝故事,前朝又何尝不是当朝。"此地最应恨沾血,至今春草不匀生。""波神自厌荒淫主,勾践楼船稳帖来。"(《和袭美馆娃宫怀古五绝》)荒淫无道的昏君可不只是吴王夫差一个。鲜血流淌,春草不生的土地代代都有,处处不乏。"独行独坐亦独酌,独玩独吟还独悲。"(《独夜》)"升平闻道无时节,试问中林亦不妨。"(《闲书》)陆龟蒙内心的孤独悲凉关乎着世道,关乎着兴亡,他的家国情怀并没有在退隐中消泯,有时候倒会更加强烈。

水田劳作,也许会让陆龟蒙的心稍稍平静一些吧。"纵有旧田园,抛来亦芜没。"(《奉酬袭美先辈吴中苦雨一百韵》)陆龟蒙本有家田数百亩,可是,"田苦下,雨涝则与江通,故常患饥。身自畚锸,茠刺无休时,或讥其劳,曰:'尧、舜霉瘠,禹胼胝。彼圣人也,吾一褐衣,敢不勤乎?'"(《唐才子传》)陆龟蒙以布衣之身,效法圣人,他会乐在其中吧。好像也并非全然如此。他的记事诗应是记实的。"本作渔钓徒,心将遂疏放。苦为饥寒累,未得恣闲畅。"他并不那么适意,并不那么疏放。"虽然营卫困,亦觉精神王。把笔强题诗,粗言瑰怪状。"他一时会突破营卫困迫,精神强旺起来,把笔题诗,强抒粗言,他的诗到底没有陶渊明的那种淡然忘我,"欲辩已忘言"的境界他似乎从来也没有达到过。"门当清涧尽,屋在寒云里。山棚日才下,野灶烟初起。"这《樵家》似有陶诗的淡远了,然而那是他看到的樵家,别人家里的情景,不是他自耕自渔的心境。他看到的别人家里的光景,也不都是樵家一般淡定宁静。"我来愁筑心如堵,更听农夫夜深语。""欲卖耕牛弃水田,移家且傍三茅宅。"(《刈获》)

陆龟蒙的退隐是并不彻底的,他耳闻目睹,晚唐的民生凋敝不能不令他忧肠郁结。他在《江湖散人歌》的序文中道:"散人者,散诞之人也。心散,意散,形散,神散,既无羁限,为时之怪民。"他只是打出个"散"的招牌来罢了,他的心从未散过,正相反,有时候倒倍加集中和强烈:"江湖散人悲古道,悠悠幸寄羲皇傲。官家未议活苍生,拜赐江湖散人号。"这是早了上千年的"我为人民鼓与呼"了。陆龟蒙,他真的是没有"散"过,也没有隐过啊。

与陆龟蒙的忧肠郁结相应,他的诗很少陶诗韵致,倒是有楚辞遗风。他的《迎潮送潮辞》,"江霜严兮枫叶丹,风声高兮墟落寒。濡腴泽槁兮潮之恩,不尸其功兮归于混元。"(《迎潮》)"潮西来兮又东下,日染中流兮红洒洒。汀葭苍兮屿蓼枯,风骚牢兮微将晦翳。""帆生尘兮楫有衣,怅潮之还兮吾犹未归。"(《送潮》)吟诵三过,就会觉得那江畔行吟的楚国诗人又回来了。不过,陆龟蒙还没有屈原的那种彻痛,他没有眷恋当朝而不忍舍弃,他说退隐便退隐了,他当然也绝不会自沉于江上。他的《问吴宫辞》,"远树扶苏兮愁烟悄眇,欲搋愁烟兮问故基,又恐愁烟兮推白鸟。"他的愁烟弥绵,他的徘徊不定,也犹似那位伟大的诗人。可是,他又在此诗的序中说得很明白,吴宫"披图籍不见其说,询故老不得其他。其名存,其迹灭,怅然兴怀古之思"。

"怅然"到底不是痛楚。前朝往事,只能令陆龟蒙怅然吟咏,不能让他痛彻心扉地疾呼了。他再写到吴宫,有愤激,也仍然无亡国之痛;远去的吴国,毕竟不是他身处的唐朝了。"吴王事事须亡国,未必西施胜六宫。"(《吴宫怀古》)当今皇帝做下了多少导致亡国之事,陆龟蒙没有说——其实也说过了:"城上一抔土,手中千万杵。筑城思不坚,坚城在何处。""莫叹将军逼,将军要却敌。城高功亦高,尔命何足惜。"(《筑城词》)

陆龟蒙当然不是屈原,不过,他与那位痛苦万状的诗人的确是心灵相通的。只要是有良心的诗人,就不能不遥遥接上屈原的精神脉系。陆龟蒙退隐松江,也难免此例。也许,松江上的潮起潮落,更能让陆龟蒙的诗心与汨罗江上不屈的心相通吧。陆龟蒙有一首五言绝句,就题为《离骚》,"天问复招魂,无因彻帝阍。岂知千丽句,不敌一谗言。"屈原作《天问》,一口气发出一百七十三问,追问宇宙终极,人生终极,可是却打不开关闭了帝王心阃的大门。那不是屈原一个人的悲剧,是全部人生的不幸。在昏聩的帝王那里,一句谗言胜过了万千诗文。

不仅仅是从屈原那里得到的实证,也是从他的先祖那里得出的教训吧,陆机及其弟弟陆云被杀,也是谗言所致。先祖的不幸命运,是深植于陆龟蒙血脉之中的,像挥之不去的噩梦,时常都会出现。"将军被鲛函,只畏金石镞。岂知谗箭利,一中成赤族。"他这样提醒自己,也警示世人。谗言如箭,暗中袭人。人心之恶,人性之恶,陆龟蒙虽然退隐江田,却好像比别人看得更深透。"爪牙在胸中,剑戟无所畏。只见古来心,奸雄暗相噬。"(《短歌行》)在陆龟蒙这里,是没有"人心不古"之说的,人心自古以来就是奸雄并峙、暗相噬咬的。比起他所处的晚唐来,他的先祖生活的东晋算是"古"了,先祖还不是中了谗言的利箭,华亭鹤泪不可复闻了?即便更古的尧舜时代,舜帝本人年少时,不也受到了自己家人的迫害,差一点把命送掉吗?人心,只是一代比一代更其险恶阴毒了。那披上了君子外衣的小人,是在道貌岸然笑容可掬的掩饰下暗中射出毒箭的。"人心不古",是善良的人们受了无数伤害之后所发出的无奈之叹,那是人性之恶愈益登峰造极的结果。可惜,人世间并没有多少可以退隐的松江甫里。

退隐的陆龟蒙的确是并不平静的,"谓我同光尘,心中有溟渤。"(《奉酬袭美先辈吴中苦雨一百韵》)和光同尘的表面下,陆龟蒙也是心潮澎湃,正如松江波翻浪涌。"岂无致君术,尧舜不上下。""蛟龙任干死,云雨终不惜。羿臂束如囚,徒劳夸善射。"(《村夜二篇》)陆龟蒙原本是准备好了致君之术,也要去治国平天下的,他不是也曾应过试举吗?他不是曾历湖、苏二州,又至饶州吗?可是生不逢时,蛟龙干死,云雨不惜,羿臂束囚,善射无用,没有人会珍惜他的才华。陆龟蒙退隐,并不是那么心甘情愿的。他的退隐,是徒怀良技不为所用愤而做出的无奈之举。不能忘了,陆龟蒙本是名门之后,他的先祖建立过丰功伟业,位至宰相,陆逊以一介书生打败了"一世枭雄"的勋绩,怎能不时常激发陆龟蒙的出仕建功之心。就是那不幸的先祖陆机,虽然中谗言被危害,但到底也曾镇守一方,叱咤风云,那是陆龟蒙血液中的贲张之气,时常会化为溟渤,汹涌激荡的。入唐以来,陆龟蒙的五代祖、六代祖也曾皇朝台辅,官位显赫。陆龟蒙《奉酬袭美先辈吴中苦雨一百韵》，叙吴中苦雨，却不忘先道不凡的家世："家为唐臣来，奕世唯稷卨。只垂青白风，凛凛只贻厥。犹残赐书在，编简苦断绝。"继承了家传渊源的陆龟蒙当然是颇为自负的。同代诗人罗隐寄诗于他曰："只恐尘埃里，浮名点污君。"这说得固然不错，可是，陆龟蒙自己更清楚他的退隐之由："世既贱文章，归来事耕稼。伊人著农道，我亦赋田舍。"（《村夜二篇》）田园隐居，渔耕樵读，是陆龟蒙的自觉选择，也是世道所迫的结果。

陆龟蒙太清醒了，他看透了"不用临池更相笑，最无根柢是浮名"（《浮萍》），他便不汲求无根的浮名，要终老江田。他这样的选择，有谁知道是忍受了心底多么巨大的痛苦。"贤达垂竿小隐中，我来真作捕鱼翁。前溪一夜春流急，只学严滩下钓筒。"看上去好像是旷达释怀，要学严子陵垂钓江上了；可是，并没有一个光武帝刘秀跟陆龟蒙抵足而眠。"雪下孤村渐渐鸣，病魂无睡洒来情。心摇只待东窗晓，长愧寒鸡第一声。"（《自遣诗三十首》）陆龟蒙心旌摇动，临窗待晓，他的孤凉只有他自己知道。尽管回视往古，他也能够想到："明月白草死，积荫荒陇催。圣贤亦如此，恸绝真悠哉。"

在漫漫的岁月中，圣贤草芥，都是一样的荒陇掩埋，可是，"落日送万古，积声含七哀"（《次幽独君韵》），陆龟蒙的苍凉心境真不是说一声"悠哉"就可以更换一新的。他在《自遣诗三十首》的序文中说得很明白："故疾未平，厌厌卧田舍中。农夫日以耒耜事相聒，每至夜分不睡，则百端兴怀搅人思，益纷乱无绪。"病中的诗人，不能够扁舟江上，湖光千里了，他更容易吐露内心真正的伤痛。自耕自钓的陆龟蒙并不是那么优裕无愁的。"著书粮易绝，多病药难供。"（《自和次前韵》）他也有窘困孤灯，壁寒窗冷。陆龟蒙的孤冷不仅仅是物质的匮乏，而是心灵的折磨了。退隐的日子的确不是那么好过的，哪一个时代都是如此。

像皮日休会把他的隐情苦衷向陆龟蒙倾诉一样，陆龟蒙也会把他的心声向皮日休倾吐。幸亏有了这样的知己诗友，高山流水，知音唱和，他们的痛苦可以暂时得到化解了，不能够彻底消除，说过了，稍稍轻松一下也好。陆龟蒙《病中秋怀寄袭美》道，"病容愁思苦相兼，清镜无形未我嫌。""更有是非齐未得，重凭詹尹拂龟占。"病苦中的陆龟蒙好像也看不明白一些事情了，是非难断，要凭卜师龟占了。大概只有怅惘中的人才会相信龟卜，把命运交给卦著卜断，自信的人总不会把一己生命托付给几根著草的，比起生命的分量来，那几根著草实在是太轻飘了。陆龟蒙《和袭美新秋即事次韵三首》之一，可以最完整地映现陆龟蒙的处境与心境，那是一首很好的七律："心似孤云任所之，世尘中更有谁知。愁寻冷落惊双鬓，病得清凉减四支。怀旧药溪终独往，宿枯杉寺已频期。兼须为月求高处，即是霜轮杀满时。"寂苦，凄凉，陆龟蒙有病苦，更有心苦。这一首七律是不能反复吟诵的，吟过三遍，就会凄冷满怀，透心凉彻。

　　陆龟蒙原来也是一个痛苦的诗人，这让人不忍挑剔他的诗作了。硬要狠下心来挑剔，会觉得他的《渔具诗》不好，他江上捕鱼，"矢鱼之具，莫不穷极其趣"，当然没有什么不对；可是写成诗，那就应有诗情诗味，诗到底不能仅仅止于实物摹写。他还有《奉和袭美酒中十咏》《添酒中六咏》等关于酒的诗，写酒樽、酒杯、酒枪、酒旗等，也没有什么好诗。倒是《添酒中六咏》的序文写酒中"四荒""二高"有点意思，也颇为有趣："昔人之于酒，有注为池而饮之者，象为龙而吐之者，亲盗瓮间而卧者，将实舟中而浮者，可谓四荒矣。徐景山有酒枪，嵇叔夜有酒杯，皆传于后代，可谓二高矣。"陆龟蒙倾心于酒，卓有识见，是他退隐生活的必然，如果没有了酒，陆龟蒙的痛苦还要增添许多。不仅酒，陆龟蒙还嗜茶。他置小园顾渚山下，"岁入茶租，薄为欧蚁之费"（《唐才子传》）。他还著过《茶经》和《茶诀》，不只是雅士兴味，也是茶的经典。可惜他的《奉和袭美茶具十咏》却非好诗。诗,到底不是学术专著,诗要才情,学术专著要学识,那有极大的区别。

松江甫里,顾渚山下,闲适旷达也好,孤凉凄苦也罢,反正陆龟蒙是要在这里度过终生了。僖宗时,朝廷以左拾遗授陆龟蒙,诏下日,陆龟蒙以疾卒于家中。不知道倘若陆龟蒙无疾健在,他会不会奉诏而出。《唐诗纪事》记下了陆龟蒙生前的一桩趣事,陆龟蒙"有斗鸭一栏,颇极驯养。一旦,有驿使过,挟弹毙其尤者。龟蒙诣而骇之曰:此鸭能人语。少顷,手一表本云:待附苏州上进,使者毙之,奈何! 使人恐,酬以囊中金。龟蒙始焚其章,接以酒食。使者俟其稍悦,方请人语之由。曰:能自呼其名,使人愤且笑,拂袖上马。复召之,还其金,曰:吾戏耳。"

以一只鸭子戏弄驿使的陆龟蒙,又有些东晋名士的做派了。东晋,那个让陆龟蒙的先祖遭诬身死的朝代,还是有另一股遗风被陆龟蒙继承了。

2014 年 12 月 11 日

有道谁敢论

经过了一代代诗人的努力,到了晚唐,诗的体式已经完备,格律谨严,声韵讲究,形式上已没有进一步拓展的空间了,诗,似乎已写到了尽头。在严格的规范中作诗,"戴着镣铐跳舞",好多人不敢稍越雷池一步,更有人只在意格律声韵,倒把诗的本质丢掉了,诗意、诗情、诗境,无心也无力顾及了。《唐才子传》有一段话,说得极好:"观唐诗至此间,弊亦极矣,独奈何国运将弛,士气日丧,文不能不如之。嘲云戏月,刻翠粘红,不见补于采风,无少裨于化育,徒务巧于一联,或伐善于只字,悦心快口,何异秋蝉乱鸣也。"国运日衰,一步步走向末路,诗也不能振作,原来"国家不幸诗家幸"是并不那么准确的。这时候,那能够打破声律拘束,拒绝轻浮,不作虚声,取向沉实的诗人,即便其整体的分量并不怎么重,也会因其独特而引人注目。于濆便是这样的诗人。

于濆的履历太简单了,《全唐诗》诗人小传,《唐诗纪事》《唐才子传》,都只寥寥数字:"濆,字子漪,咸通(二年)进士。"于濆进士,能不为官吗? 他做官如何? 他的政绩呢? 全都没有记载。他做人好像也没有什么特异之处,大约属于那种性格中庸没有特立独行的人。可是,他的诗却实在是并不中庸,也不平常的。他的《苦辛吟》写道:"垅上扶犁儿,手种腹长饥。窗下抛梭女,手织身无衣。我愿燕赵姝,化为嫫母姿。一笑不值钱,自然家国肥。"他的《古宴曲》曰:"十户手胼胝,凤凰钗一只。高楼齐下视,日照罗衣色。笑指负薪人,不信生中国。"这种声音,已经久违了。对贫穷、不公的关注或漠视,检验着人的良心,更考验着诗人的良知。也许,你会觉得于濆的诗不含蓄,不蕴藉,可是,你怎么也不能否认于濆的正气和严正。他要指斥,要批判,你不能要求他还要婉曲,藏起锋芒。比起那些声韵和谐词采绮丽却不着痛痒的诗来,于濆的诗更能够触人心灵。对贫穷的关注,对贫富对立的愤慨,是于濆诗的一个重要题旨。《里中女》:"天与双明眸,只教识蒿簪。""岂知赵飞燕,满髻钗黄金。"于濆的不平、义愤还会化为同情柔肠:"我愿均尔丝,化为寒者衣。"(《野蚕》)《山村叟》"虽沾巾履形,不及贵门犬"的惨状,必定是耿耿执着于濆心头,挥之不去的。

于濆所处的唐代咸通年间,是唐王朝倒数第四个皇帝唐懿宗当朝了。唐懿宗继他的父皇宣宗即位,其荒淫无道,更胜先皇,饮宴无度,淫乐无度,大唐气数不尽倒奇怪了。被后人一直称颂的大唐,并没逃过历史的周期率,不管开国皇帝如何雄才大略,到了他的末世子孙,总是要出亡国之君的。专制王朝,不会为灭亡的国势注入不竭的生气。于濆生当行将灭亡的朝代,他要是像好多无聊骚客那样,还是专在格律声韵中兜圈子,写出一些中规中矩不痛不痒的诗来,他就没有任何值得注意的价值了。

于濆的诗写得本就不多,全是五言。然而他却能在生气渐失的晚唐诗中让人一振,那原因不是别的,就是他关注了民瘼世情,写的是有意义的诗。你可以说他缺乏独创诗有所承,他是继承了杜甫诗风,也可以说他并非唐诗大家,可是,你就是不能说他的诗没有意义。他也写了厌战反战:"燕然山上云,半是离乡魂。卫霍待富贵,岂能无乾坤。"(《塞下曲》)"杀成边将名,名著生灵灭。"(《陇头水》)他也写了思妇闺怨:"辽阳在何处,意欲随君去。"(《辽阳行》)"自是爱封侯,非关备胡虏。知子去从军,何处无良人。"(《古别离》)"一轴金装字,致君终不归。"(《恨从军》)他的《沙场夜》,把前方和后方、征夫与思妇熔为一

271

炉,字字血泪,肝肠寸断:"城上更声发,城下杵声歇。征人烧断蓬,对泣沙中月。耕牛朝挽甲,战马夜衔铁。士卒浣戎衣,交河水为血。轻裘两都客,洞房愁宿别。何况远辞家,生死犹未决。"如此字字泣血的诗,自非那些徒然抚弄词句讲求声韵的诗可比,与后世热衷于展览血肉横飞人体一片片倒下大颂胜利的影视更形成了天壤之别。于濆对战功对元勋的看法,比后世影视编导深刻多了:"凌烟阁上人,未必皆忠烈。"(《戍卒伤春》)这还不是"一将功成万骨枯"那么简单。"赤肉痛金疮,他人成卫霍。"(《边游录戍卒言》)于濆代戍卒发抒不平,也正是他本人内心的不平。

多么想对于濆的生平有更多的了解:他到底经历了一些什么,才能让他写出与一代诗风迥异的诗来呢?收入《全唐诗》的于濆诗,仅一卷,不足五十首,不多,但没有无聊之作,每一首都中血肉。他写战争,写征夫怨妇,他知道战争起源于人心:"苟非夷齐心,岂得无战争。"(《古征战》)人有了争强斗勇之心,才有了战争。所谓版图之争,所谓阶级之争,只不过是人的争斗之心发展起来,假借了冠冕堂皇的理由罢了。当然,贫富极端不均,贫穷的人都要饿死了,却有一部分人在那里饫甘餍肥,饿极了的人也要起来争斗,让自己填饱肚子,有一些战争爆发乃为了生存。"粪土视金珍,犹嫌未奢侈。"(《秦富人》)富人的奢侈追求,也是不知餍足的,他们的不知餍足,是穷人贫寒至死的一个重要原因;另一个原因便来自于官府了:"频年徭役重,尽属富家郎。"(《田翁叹》)官府从来都是富人的官府,权力与财富合谋,便造成了社会的日愈分化,贫富越发不公。苛繁的徭役税赋,令老百姓不堪重负,那就应了那句阶级斗争的经典格言:"哪里有压迫,哪里就有反抗。"

唐咸通六年(865年)爆发了庞勋起义,那是戍卒苦于兵役,而公推粮科判官庞勋而起兵的。起义在庞勋牺牲后归于失败。庞勋起义在役卒戍守的桂林爆发。那里没有长城,朝廷镇压自己的人民,从来都用不到长城,只用军队就行了。军队后来也被称为"长城",那是血肉长城,意义已经发生变化了。对于砖石构筑的长城,于濆诗道:"秦皇岂无德,蒙氏非不武。岂将版筑功,万里遮胡虏。团沙世所难,作垒明知苦。死者倍堪伤,僵尸犹抱杵。"(《长城》)万千民夫尸骨筑起的长城,从来没有抵挡住胡虏进犯。于濆笔下的长城,没有那般巍峨雄壮,也没有什么"伟大"。于濆这样写,不令人沮丧,倒令人楚痛,令人深思。他比那些妄自尊大的诗人深刻多了。

有一些诗人的名字实在是极其陌生的,于濆是,邵谒也是。邵谒属个性鲜明的人。《唐才子传》说他"少为县厅吏,客至仓卒,令怒其不掎床迎待,逐去。遂截髻著县门上,发愤读书。"被县令赶出县厅了,因为他待客不周,邵谒从而发愤读书,还不谓出奇;留他的截髻著县门上,就不仅大胆,而且有些怪异了。读过了县学堂的邵谒,要去京师读国子了。"时温庭筠主试,悯擢寒苦,乃榜谒诗三十余篇,以振公道,曰:'前件进士,识略精微,堪裨教化,声词激切,曲备风谣,标题命篇,时所难著,灯烛之下,雄辞卓然。诚宜榜示众人,不敢独专华藻,仍请申堂,并榜礼部。'"温庭筠原本也是特立独行难为世容的人,他不被重用,仕终国子助教。他能够看中邵谒的诗,必定是声气相投,以一种特异的目光来看了。

邵谒的诗果然是要换一种角度欣赏的,他《放歌行》写屈原,就故作反语:"屈原若不贤,焉得沉湘水。"难道他会赞同奸佞,反对贤良吗?显然不是。他是如同截髻著县门上一样,愤激而走偏锋。他写《贞女墓》,曰:"生持节操心,死作坚贞鬼。至今坟上春,草木无花卉。"对节操,对坚贞,他大概也不是一概鄙视,他是同情怜悯,而推向枯寂。看待节操坚贞,他别有一副眼光,同情怜悯的底处,还是愤激。当年县令以他没有掎床迎客,而逐其出县厅,必定会成为他心头顽梗的一块怪石,有意无意地要阻滞一下他的诗心,让他的诗情由别处夺罅泻出。他应进士不第,倒是别的举子也会有的同样心情:"人人皆爱春,我独愁花发。"(《下第有感》)他自叹命运,也是仰面问天,痛心疾首:"人人但为农,我独常逢旱。恶命如漏卮,滴滴添不满。"(《秋夕》)他失去了截髻著县门上的怪异大胆,成了一般的举子了。科场门外,要跃过龙门的都是一样的鲤鱼,碰来撞去,撞昏了头失去理智,也许才顾不得叹惜命运了。邵谒清醒时,还是要抒发一下他那怀才不遇的不平:"长材靡入用,大厦失巨楹。颜子不得禄,谁谓天道平。"(《赠郑殷处士》)

读邵谒的诗,跟读于濆的诗有大致差不多的感受,会觉得他的诗欠丰满,少葱翠,有一些枯干,有一些滞涩;却会令人痛楚,令人震激,总不会不痛不痒读了像不读一样。"朝争刃上功,暮作泉下鬼。""千载留长声,呜咽城南水。"(《战城南》)邵谒关于战争的诗,并没有多少新异之处,但是这种声音由于久违了,还是能够振聋发聩,让人再度记起诗应有的品质。邵谒是故意要刺痛人麻木的神经,让人切莫沉睡过去的。他《春日感怀》强烈对比,径写痛楚:"我心如蘗苦,他见如荠甘。火未到身者,痛楚难共谙。但言贫者拙,不言富者贪。"他的《岁丰》最终又归于愤激的反向抒发了:"皇天降丰年,本忧贫士食。贫士无良畴,安能得稼穑。工傭输富家,日落长叹息。为供豪者粮,役尽匹夫力。天地莫施恩,施恩强者得。"《寒女行》曰:"终日著绮罗,何曾织机杼。""所以问皇天,皇天竟无语。"邵谒把人间的不公不平归结到天上,倒是一代又一代诗人的无奈发问。

邵谒继承了自《诗经》以来的诗歌传统,也继承了诗人命脉中的郁勃之气,邵谒只是更加专注了。他的诗在《全唐诗》中编为一卷,仅三十二首,比于濆还要少。他的诗,主题却大都集中于人间的不公不平。你可以说邵谒的诗不丰富,但就是不能说他无意义。只要人间还有不公平在,邵谒的诗就有阅读的必要,这些诗直指人心,直指现实,一代又一代的现实。

邵谒既然截髻著于县门，发愤读书，由县学堂读到京师国子，再应士第，他必定也有过建功立业的志向。有几个读书人是甘愿沉沦不思进取的呢？"丈夫志不大，何以佐乾坤。"（《送从弟长安下第南归觐亲》）"愿君似尧舜，能使天下平。"（《少年行》）邵谒勉人，也是励己。不过，邵谒到底是个性特异的人，他在《苦别离》中道："安得太行山，移来君马前。""苦别离"本是乐府旧题，邵谒竟要移一座太行山来，挡住别离的马蹄，邵谒的决绝实在是非同寻常。这样的诗人是不会按常规出牌的，他终究还是要做出点出格的事情来。《唐才子传》叙曰，邵谒"后赴官，不知所终。它日，县民祠神者，持帻舞铃，忽自称'邵先辈降'。乡里前辈皆至，作礼问曰：'今者辱来，能强为我赋诗乎？'巫即书一绝云：'青山山下少年郎，失意当时别故乡。惆怅不堪回首望，隔溪遥见旧书堂。'"

作诗巫者如果是邵谒，回首遥望他读书的县书堂，惆怅满怀，那么，这就是邵谒唯一的一首七言诗了，《全唐诗》不载。这也是邵谒最为情意绵渺的诗。做巫娱神的邵谒，原来也是这样情肠九曲难以释怀吗？

因为有一首《咏田家》，"二月卖新丝，五月粜新谷。医得眼前疮，剜却心头肉"，聂夷中的名字被人熟悉，而且记住了。聂夷中的诗其实跟于濆、邵谒属于同类，并且，他的诗也不多，不足四十首，《全唐诗》编为一卷。他也是专五言诗，七言只有《闻人说海北事有感》一首律诗，不算好，远不如他的五言诗。与《咏田家》相类的悯农诗，聂夷中还有《田家二首》，其中之一是："父耕原上田，子劚山下荒。六月禾未秀，官家已修仓。"另一首"锄禾日当午"，又被当作李绅诗，开首与所传为李绅所作稍稍有异，最重要的两句"谁知盘中餐，粒粒皆辛苦"，则完全相同。唐诗中有好多名诗会发生这种作者舛讹的情况，后人无法判定那版权到底属于谁了。

聂夷中不像李绅那样做过高官,他只做过华阴尉这样的小官,他离朝廷无比遥远,他便在《咏田家》"剜却心头肉"之后,向遥远的宫廷发出美好的祈愿:"我愿君王心,化作光明烛。不照绮罗筵,只照逃亡屋。"他还在《古兴》中殷切呼吁:"片玉一尘轻,粒粟山丘重。""一岁如苦饥,金玉何所用。"聂夷中的重农思想,在商品社会的今天会被人嗤之以鼻了。

聂夷中的胸怀要胜出邵谒许多,他的眼界也远为开阔。他的《行路难》道:"莫言行路难,夷狄如中国。""门前两条辙,何处去不得。"这还不是"条条大道通罗马"那样对"行路难"的乐观诠释,聂夷中的目标并不限于一处,他是四海为家,处处去得的。聂夷中本是豪气满溢的人,他的《胡无行人》道:"男儿徇大义,立节不沽名。""醉卧咸阳楼,梦入受降城。""请携天子剑,斫下旄头星。"聂夷中似乎不是生当一个朝代的末世晚唐,他好像是初唐、盛唐诗人的怀抱,要仗剑去游,青锋裹马,一展抱负了。这当然不意味着聂夷中糊涂,看不清晚唐的没落趋势:"一行书不读,身封万户侯。"(《公子行二首》)

历史和现实,历朝历代,都是如此。聂夷中并不会痴心妄想,以为他会幸运地撞上明主,擢拔于蓬蒿之间。《唐才子传》曰:"夷中滞长安久,皂裘已弊,黄粮如珠,始得调华阴县尉,之官惟琴书而已。性俭,盖奋身草泽,备尝辛楚,率多伤俗悯时之举,哀稼穑之艰难。"聂夷中悯农重粮,把粒粟看得重于山丘,他是有切身的体会,才会痛感"黄粮如珠"吧。有过饥饿的经历,那生命的质量是会发生变化的,诗,便不再是水,而是血了。

由自己所处的时代和切身经历出发,聂夷中回望历史,他的思古之情也会倍加苍凉。战国时燕昭王筑燕台,招纳天下贤士,也曾开创了燕国盛世;可是,在聂夷中的眼里,"燕台累黄金,上欲招儒雅",终究也是"一种是亡国,犹得礼贤名",而今荒芜的燕台,只是徒有虚名罢了。前朝"盛世"如此,当朝"盛世"不也是这样吗?有过"贞观之治""开元盛世"的李唐王朝,也走到了穷途末路,灭亡在即了。"不知马蹄下,谁家旧亭台。"(《早发邺北经古城》)聂夷中的兴亡感沧桑感无边无际。

前朝兴亡,当朝兴衰,令聂夷中想到的会更远吧。贞观时,有诤臣魏徵,李世民曾称道过"以人为鉴";魏徵真的可以跟李世民直言诤谏,无所顾忌吗?开元年间,大臣张九龄一再奏言,安禄山狼子野心,不杀必为后患,唐玄宗不听。天宝六载,名将王忠嗣屡屡上奏安禄山必反,唐玄宗非但不听,反而听信诬陷,要处王忠嗣极刑,终贬为汉阳太守。唐玄宗一意孤行,倒封安禄山为东平郡王,开唐代将帅封王之端。等到"安史之乱"爆发,唐王朝由盛转衰,一蹶不振,复兴无望,再筑起多少燕台招纳天下贤士,也没有用了。即便真的筑起一座燕台,再度招来魏徵、张九龄、王忠嗣,他们的忠言直谏,皇帝仍然听不进去。

聂夷中《过比干墓》痛心疾首道:"静念君臣间,有道谁敢论。"商朝末年的宰相比干,是向纣王进谏,被剖心处死的。只要朝廷上有君臣之分,臣子要启奏,需要先跪下去口称万岁,臣子们再有道,也不能公平讨论。聂夷中的这个诗句,比他的《咏田家》"医得眼前疮,剜却心头肉"之句,意义更为重大,它触到了专制政权下种种弊端的根本。

2014 年 12 月 14 日

意苦若死

诗人的自诚往往是不怎么起作用的,原因在于他们太敏感,太容易动心情,自诚出于理性,理性常常会败于感性。司空图的《自诫》诗曰:"众人皆察察,而我独昏昏。取训于老氏,大辩欲讷言。"司空图要学老子绝圣弃智,众人察察,而我昏昏,以此而在晚唐末世中独善其身,他岂能做到。他假如真能做到了"讷言",他也不会有那么多诗篇留下。他要取训的老子,也是作五千言大辩,一点也不"讷言"的。还有比老聃再明察晰辨的人吗?

司空图取老子为训,书之座右,不谓故作张致,也是强己所难了。司空图原本不是规行矩步能行韬晦的人。《唐诗纪事》说他"有俊才。咸通中,登进士第。雅好为文,躁于进取,颇自矜伐,端士鄙之。"又是"躁于进取",又是"颇自矜伐",司空图显然不是能够"耐得寂寞"的人。

司空图出仕后历黄巢起义之乱,其先人有旧业在中条山,极林泉之美,他丢下了礼部员外郎不做,避于山中,日以诗酒自娱。时当天下板荡,士人多往依附,互相推奖,由是声名益甚。后昭宗当朝,以户部侍郎召司空图至京师。"图既负才慢世,谓己当为宰辅,时人恶之,稍抑其锐。图愤愤,谢病复归中条。与人书疏,不名官位,但称知非子,又称耐辱居士。"(《唐诗纪事》)

司空图再次退隐中条山,跟陶渊明的归隐,跟陆龟蒙的退居,原因都迥然相异,他是嫌当朝皇帝给他的官小了。这可不是老聃的作派。他与人书疏,不名官位,是嫌户部侍郎的官位不够显赫吧,如为宰辅,他就会显而名之了。他自称"知非子",又称"耐辱居士",他是在与人书疏的署名中发泄自己的不满了。他退居中条山,于祯贻溪之上结茅屋,名其曰"休休亭",自称"某宦情萧索,百事无能。量才一宜休,揣分二宜休,耆而聩三宜休。"(《唐才子传》)其实他完全是以反语出之。他宦情并不萧索,他也不会认为自己百事无能,才分不够,老朽昏聩;只有揣测自己的命数,他才会觉得宜休宜休宜休,三宜休矣。他的《休休亭》诗曰:"且喜安能保,那堪病更忧。可怜藜杖者,真个种瓜侯。"喜中有忧,忧甚于喜,自怜自哀的情怀是一望可知的。

还不能说司空图的退居山中就是无奈的,痛苦的。"自此致身绳检外,肯教世路日兢兢。"(《退栖》)至少,他远离庙堂,隐居林泉,从此便少了朝廷上的绳检束缚,可以获得一定程度的自由了,他总不必动不动跪下去叩谢隆恩称颂圣明了吧。一个有良心的诗人做了朝官,分明知道高坐龙廷的是有史以来罕见的大昏君,却还要长跪下去口称圣明,那该是多么诛心昧知的事情。退居中条山的司空图所感到的那一份自适,当是真实的,没有矫作。

"酣歌自适逃名久,不必门多长者车。"(《光启四年春戊申》)司空图不图荣耀显贵,名声也不再挂怀了。退居久了,诗酒山水,司空图不再是那个"躁于进取"的司空图了。"本来薄俗轻文字,却致中原动鼓鼙。将取一壶闲日月,长歌深入武陵溪。"(《丁未岁归王官谷》)诗是好诗,情怀也是由武陵溪头桃花源中一路流淌下来的情怀。"新霁田远处,夕阳禾黎明。沙村平见水,深巷有鸥声。"(《河上二首》)司空图的诗里有了陶渊明的风味了。他是抛开了进士之初的"躁",而归于"静"了。尽管他《退居漫题七首》也有"燕拙营巢苦,鱼贪触网惊。宜缘身外事,亦能我劳形"的辛苦自叙,那也是与陶渊明自耕陇亩的劳苦遥遥相通的。

隐居山中,远离朝廷,司空图的心并不是总那么平静的。《唐诗纪事》说他"见唐政多僻,中官用事,知天下必乱,即弃官归中条山"。能够看透朝廷政事预见到天下必乱的诗人官员,他就不是感情用事更不是麻木迟钝的人,他即便不在朝堂,退居林下了,他还是会惦念着朝廷,江山社稷不是他的,他也会放不下,不会像扔下一宗旧行李一般。司空图《寓居有感三首》曰:"亦知世路薄忠贞,不忍残年负圣明。只待东封沾庆赐,碑阴别刻老臣名。"晚唐皇帝一步步走向亡国末路了,司空图还不忍辜负"圣明",他还期盼着复兴有望,东封有日;不过,他惭愧忝列碑阴,哀哀婉拒了。他的《偶作》,"索得身来未保闲,乱来送在辱来顽。留侯万户虽无分,病骨应消一片山。"心情复杂,又故作自慰,司空图的心真是七上八下,难于以一语概括,中条山的泉流消不尽司空图心中的万般滋味。《山中》的所谓"世间万事非吾事,只愧秋来未有诗",也是故作强语罢了,司空图的山中岁月并不是那么消停。

须知,司空图是有强烈的兴亡之感的。"潼关一败胡儿喜,簇马骊山看御汤。"(《剑器》)开元、天宝由盛转衰,也是司空图心中挥之不去的王朝故事。潼关打破,胡马骊山,"安史之乱"后的唐代诗人很难走出那个历史的阴影。李唐王朝的皇家子孙或许不愿意去触动自家的伤疤,诗人们却不能不时常想起那段伤痛,过去了几十年上百年,潼关,骊山,华清宫,马嵬坡,还是诗人们一再咏叹的遗迹;当年的繁华之地成了废墟,荒草笼覆,拨开看看,仍然是血泪斑斑。好在唐代的皇帝们还没有下一道禁令,不准诗人们揭祖上的伤疤。

由潼关,司空图还会写到秦关;那回溯得更远,是这块土地上建立的第一个大帝国了。"形胜今虽在,荒凉恨不穷。虎狼秦国破,狐兔汉陵空。"(《秦关》)虎狼秦关,汉家陵阙,只是残阳一片,狐兔出没。司空图心头不仅是兴亡,也有沧桑,沧海桑田原本就与盛衰兴替不可分开的。无论是什么样的帝国，强秦炎汉，都不能逃脱最终灭亡的命运，大唐，又岂能例外。想到此，司空图会苍凉满怀吧。"帝业山河固，离宫宴幸频。岂知驱战马，只是太平人。"（《华清宫》）前朝往事又令司空图感慨莫名了。

退隐往往会与慕仙相连。退隐与修道仅距一步之遥了，这一步，司空图却终于没有跨出。他隐居，要过神仙般的日子，真的神仙却离他无比遥远，那是在山顶的云雾缥缈处，司空图的山中别业却在谷中，他的脚始终踏在地上，没有凌空高蹈。说到家，司空图是不信神仙道的。"若有阴功救未然，玉皇品籍亦搜贤。"（《携仙录九首》）他认为，假如有神仙，在神仙们的总头领玉皇大帝那里，也应该有贤良位列仙班，名登籍录，拯救天下，让天下苍生不必遭受末世劫难，而是度过太平岁月。司空图避入中条山时，天下动荡不安，寇盗四起，乱兵流窜，过处即成齑粉，唯独不入中条山谷，知司空图贤。士民多附司空图入谷中避难。李唐王朝行将灭亡，一个产生了众多大诗人巨星璀璨的时代，在它的末世，居然还会有崇尚贤良的世风吹到寇盗那里，听上去简直像一个神话。司空图在《携仙录九首》中所表达的理想，"听君总画麒麟阁，还我闲眠蚱蜢舟"，也只能产生于中国的九世纪。

可是，司空图也没有糊涂到不食人间烟火，以为他的中条山就是世外桃源，他对历代文人向慕的陶渊明不是没有微词的："陶令若能兼不饮，无弦琴亦是沽名。"尽管"几处马嘶春麦长，一川人喜雪峰晴"（《书怀》），山野岁月一时看上去那么优游自在，但他避入谷中，并非为了"沽名"，他亦怀疑山里的安宁能否长此下去。"须知世乱身难保，莫喜天晴菊并开。"（《狂题二首》）巨石之下，岂有完卵，乱世之中，哪里会有避世的桃源。司空图是告诫自己，让自己保持清醒。

也是这"狂题诗"，细品起来，却没有狂放，只有惆怅："惆怅故山归未得，酒狂叫断暮天云。"司空图的内心，比那些追随他进入中条山避难的士民痛苦多了;那原因不是别的,也是"人生识字忧患始",他读书写诗,诗人敏感易触的心灵让他更能够感知即将到来的灾难。诗人的心好像时代的晴雨表,时代变动,天下震荡,自会最先引起剧烈的颤动,化为诗句传达出来。司空图在咏房太尉的诗句"物望倾心久,凶渠破胆频"下注曰:"初瑄建亲王分镇天下议,明皇从之。肃宗以是疑瑄,受谗废。先是禄山见分镇诏书,抚膺叹曰,吾不得天下矣。"此诗未完成,只留下两散句。司空图在小注中,是在感叹当今朝廷没有房瑄那样的太尉一匡天下了。他是在以房瑄的才能自况吗? 昭宗当朝,召他为户部侍郎,他是认为自己当为宰辅,方不就官,而退隐中条山的。朝廷如果用司空图做了宰相,会怎么样呢? 司空图能以一己之力,挽唐王朝大厦之既倾吗? 也未见得。一个朝代要灭亡,没有哪一个人的力量能够挽救,那是历史的必然,大势所趋。

　　未任宰辅,退回中条山中,司空图并不是那么甘心的。"古来贤俊共悲辛,长是豪家据要津。"他在《有感二首》中也发出了这样的愤激语。他说的当然也是事实。"贤俊共悲辛,豪家据要津"的情形自古如此,还要长此下去,以至于无比遥远的未来。社会进步缓慢,人类苦难频仍,这是一个重要原因。没有哪一代皇帝会接受前朝灭亡的教训,真正"以史为鉴",任用贤俊,远离奸佞。其原因说来也很简单。贤俊们总是要直言诤谏,让皇帝改变荒唐的朝政,包括皇帝本人的荒淫无道;而奸佞们总是会顺着皇帝的性子,让皇帝尽其所好,天下混乱,朝代灭亡,他们是不管的。这样说,好像把朝代灭亡的责任归于奸佞了,其实是朝廷上一个人说了算,奸佞们击中了皇帝人性的弱点,是不是"豪家据要津"倒退居其次了。

　　"清香一炷知师意,应为昭陵惜老臣。"(《青龙师安上人》)司空图诗赠于化外之人,涉及的还是世间兴亡,司空图退居到多么深幽的山谷中,他也不会丢下朝廷,不问世事。"须是蓬瀛长买得,一家同上作家山。"(《梦中》)他那仙山修道的理想,只能在梦中浮现一回,醒来所见,还是人世行状。"处处亭台只坏墙,军营人学内人妆。太平故事国君唱,马上曾听隔教坊。"(《歌》)司空图所见,处处都是末世之态了。

也许司空图也有过女娲补天的幻想吧,炼五彩石,补唐王朝将倾之天下。"女娲只解补青天,不解煎胶粘日月。"(《杂言》)形之于诗,他发出的竟是岁月之叹,像后来隔了上千年的曹雪芹一样,叹惜的不只是一个王朝一个家族的倾覆,而是岁月不再的人生悲剧。司空图的山里日月也是倏忽百年的。司空图的岁月感沧桑感比在朝廷上趋走的官员来得更加强烈。"齿落伤情久,心惊健忘频。"(《漫题三首》)"黑须寄在白须生,一度秋风减几茎。"(《寓居有感三首》)齿落须减,秋风健忘,都会让司空图感伤起来。也许司空图在山中隐居着,他还怀着那丝幻想,有一天朝廷会记起他来,再度任用他,委以宰辅重任吗?那简直是一定的。可是,白驹过隙,生齿难驻,司空图能等到那一天吗?回答大概是否定的。

"一自萧关起战尘,河湟隔断异乡春。汉儿尽作胡儿语,却向城头骂汉人。"(《河湟有感》)战乱不定,异乡的春色不仅被隔断,而且也是别一番景象了。汉儿胡语,反骂汉人,司空图写出了最早的"汉奸"。

不能说司空图是妄自尊大,高估了自己的才能。委他以宰辅的重任,他也不会重振唐王朝,那是一定的;但是,至少他不会尸位素餐,因为他是有良心的好诗人。无论作诗,还是做官,良心都是排在第一位的要素。

论作诗,在黯淡的晚唐诗坛上,司空图到底是饶有光彩的卓然一家,他律诗绝句都有好诗,尤长七绝。他还有《诗品二十四则》品诗,是精妙的诗的品格论。他以诗的语言形象地品诗,比那些纯然从理念出发品诗更能切中诗的腠理。他论"豪放":"天风浪浪,海山苍苍。真力弥满,万象在旁。"论"悲慨":"壮士拂剑,浩然弥哀。萧萧落叶,漏雨苍苔。""冲淡"与"含蓄",他区别细微,"冲淡"则"犹之惠风,荏荏在衣。""脱有形似,握手已违。""含蓄"则"不著一字,尽得风流。""花时返秋,悠悠空尘。""纤秾"与"绮丽",他描摹如现,"纤秾"便"碧桃满树,风日水滨。柳荫路曲,流莺比邻。""绮丽"便"露余山青,红杏在林。月明华屋,画桥碧阴。"他道"典雅"为"白云初晴,幽鸟相逐。眠琴绿荫,上有飞瀑。"说"洗练"乃"古镜照神,体素储洁","流水今日,明日前身"。读着这样的诗品文字,会觉得司空图实乃真正懂诗的人。

对诗的品格能够体味得如此精细,对世事,对朝政,司空图会发生偏差吗?唐僖宗中和二年(882),参加过黄巢起义的朱温叛变降唐,被朝廷赐名全忠。天祐元年(904),朱全忠派人将唐昭宗杀害。再过三年,唐朝的末代皇帝唐哀帝又被鸩杀,朱温亦即朱全忠篡唐,自立为帝,国号"大梁",史称"后梁"。司空图闻听,竟不食扼腕,呕血数升而卒,年七十有二。司空图不肯仕"后梁"做"贰臣",固然保全了名节,委实可嘉;然而,他为之绝食呕血的李唐王朝,真的值得以死相殉吗?想来还不能不令人踌躇。"意苦若死,招憩不来。"司空图诗品中的"悲慨"尚有此言,移之于司空图,亦令人悲慨扼腕。

2014 年 12 月 17 日

284

何如买取胡孙弄

《唐诗纪事》叙钱唐人罗隐出世,颇为不凡:"鼍江常有二气亘于江,终夜不灭。隐及杜建徽生,气不复见,议者以为文武秀气。"杜建徽少有大志,及长,从父于军中,有"虎子"之称,骁勇善战,屡建奇功。钱吴越王时,杜建徽官至左丞相,年逾八十,尚能骑射。在一个战乱板荡的时代,尤其是朝代更替时,习武的人往往比较容易找到出路,持一柄大刀,去打仗,百战不死,从血泊中一次次站起来,到最后或许就能有出头之日。从文的就不同了。自隋朝开始行科举,唐代此制更趋完备,应试及第,便成了士子们的一道大关。即便到了罗隐所处的唐朝晚期,一个朝代行将灭亡了,此制还是在维持着;新的朝代开国,也还是如此。

罗隐原本不叫此名,他本名横,字昭谏,十试而不第,才更名为"隐",自号江东生。他不第而隐,却以此名显,这大约并非罗隐更名的本意吧。人的命运如果存在"假如",试想一下,假如罗隐一应而第,官运亨通,却无诗名,是真正的隐而不彰,他会选择不第而以诗名显扬吗?想来罗隐的选择恐怕还会是及第吧。"曾逐旌旗过板桥,世途多难竟蓬飘。"(《得宣州窦尚书书因投寄二首》)"莫教更似山西鼠,啮破愁肠恨一生。"(《出试后投所知》)"出门聊一望,蟾桂向人斜。"(《旅梦》)"名惭桂苑一枝绿,鲙忆松江两箸红。"(《东归别常修》)蟾宫折桂,是罗隐怎么也放不下的期望,屡试不第,是罗隐终生难愈的伤痛。如果拿罗隐的歌诗集十四卷、甲乙集三卷、外集一卷,去换一纸应试的科文金榜题名,他也会做的吧。

科举时代,有才华的诗人应试不第的很多,可是,像罗隐这样耿耿于怀始终不甘心的却不多,他改名为"隐",实在是白改了,他并没有真正的归隐之心。他《下第作》"年年模样一般般,何似东归把钓竿",好像有归意了,其实他也只是说说而已;下一年大比之期一到,他还是会怀着期望去应试。正如他在《寄石省王谏议》中所说,"耳边要静不得静,心里欲闲终未闲",他的心无论如何也平静不下来。别人下第不进, 他也会安慰一下, 好像很能够想得开了:"珍重彩衣归正好,莫将闲事系升沉"(《送进士臧濆下第后归池州》);可是,他怎么也安慰不了自己渴盼的心情:"病想医门渴望梅, 十年心地仅成灰。"(《丁亥岁作》)十试而不第,罗隐的心是灰透了,可也想极了。"浮世到头须适性,男儿何必尽成功"(《东归别常修》),罗隐的自慰是那样的不起作用;"只言圣代谋身易,争奈贫儒得路难"(《江边有寄》),罗隐的自怜是这样的哀哀欲泪。罗隐至少有一点是看错了,他所处的唐朝末年并非"圣代",此前的中唐,哪怕是盛唐,也不是什么"圣代",贫儒要得路,无论什么时候都是很难的,自古至今,乃至将来,莫不如此。

罗隐十试而不第,当然不是他的才华不够。有一些大才奇才,原本不是框定的门槛能够容身通过的, 他们的创造性才华需要在自由的天地里飞翔,才能大放光彩,逼仄的限定的空间容不下他们。有人却能够欣赏这种奇异的才华。令狐绹的儿子令狐滈登进士,罗隐以诗贺之,令狐绹便对儿子道:"吾不喜汝及第,喜汝得罗公一篇耳。"令狐绹曾与李商隐同学,从父令狐楚习骈文。他原本也能够欣赏李商隐的才华,只是由于党争牵涉,才与李商隐相疏。令狐绹把儿子得罗隐一篇看得比进士及第都重,令狐绹也是慧眼识珠了。

罗隐受知于令狐绹,可终因绹卒而无成,罗隐有诗哭绹云:"深恩无以报,底事是柴荆。"罗隐还是把自己的无成,归因于布衣出身。他

《闲居早秋》云:"六宫谁买相如赋,团扇恩情日日疏",才把无成的原因又往深处推进一步,接近于根本了。你纵然才华盖世,诗赋炳焕,可是煌煌六宫,并不需要。他心犹不甘,有时候也会陡生幻想,期望能够不必通过科举及第的门槛,而曲径通幽:"若不他时更青眼,未知谁肯荐临邛。"(《抚州别玩兵曹》)他有时候简直有些可怜巴巴了:"倘使小儒名稍立,岂教吾道受栖迟。"(《谒文宣王庙》)他竟然不懂得,时代并不需要"吾道",遭受栖迟的,由小儒,至大道,概莫能外。这种状况并不是从文宣王时代开始,还要早得多,也不会到晚唐结束,还要拖得更久更久,直至地老天荒。

　　《唐才子传》曰,罗隐,"性简傲,高谈阔论,满座风生。好谐谑,感遇辄发。"又道:"隐恃才忽脱,众颇憎忌。自以当得大用,而一第落落,传食诸侯,因人成事,深怨唐室。诗文凡以讥刺为主,虽荒祠木偶,莫能免者。"此论未免偏切。遍读《全唐诗》编入的罗隐诗十一卷,得不出这样的结论。罗隐的诗多七律,次以五律。他的七律雄阔蕴厚。他自负有以,常常自怨自艾,有怨气,却并不激切。他抒怀才不遇之感觉,也不会激愤直白,锋芒毕露。"龙门盛事无因见,费尽黄金老隗台。"(《送章碣赴举》)龙门不登,他表达的遗憾还是节敛的,并没有呼天抢地。"性灵从道拙,心事奈成功。"(《秋居有寄》)他怪的是自己的性灵,并没有诿过他人。"男儿未必尽英雄,但到时来即命通。"(《王濬墓》)他叹的是时机不到,并没有怨天尤人。从罗隐的诗中,能够更多地感受到他的哀怨郁闷,并没有多少讥刺锋锐。《唐才子传》有一句是剀切的:"隐恃才忽脱,众颇憎忌。"罗隐"恃才",那是必定的,有才华的人,往往会犯了恃才傲物的通病。罗隐"忽脱",《唐才子传》和《唐诗纪事》却没有什么实例所证。

　　《唐诗纪事》倒记下了"众颇憎忌"之一例。罗隐诗名大显,"昭宗欲以甲科处之,有大臣奏曰:隐虽有考,然多轻易,明皇圣德,犹横遭

287

讥谤,将相臣僚,岂能免乎凌轹。帝问谤之词,对曰:隐有《华清宫》词曰:楼殿层层佳气多,开元时节好笙歌。也知道德胜尧舜,争奈杨妃解笑何!其事遂寝。"这是朝廷大臣以罗隐的诗为证构陷,要置罗隐于永远不起之地了。

认真考察起来,也不能说大臣们的话全无道理,要从诗人的诗中挑出几首含讥带讽的篇章来,那是再容易不过了。越是好诗人,越容易找出来。平庸诗人的诗倒是没有什么棱角,没有什么锋芒的。

罗隐是晚唐诗坛上少有的好诗人,他不像《唐才子传》说的那样"诗文凡以讥刺为主",他也不会不着痛痒。本朝先皇唐玄宗和杨贵妃那段风流韵事,因荒淫奢靡而致安史乱起国运衰败的故事,罗隐自不会不涉及。前朝往事,罗隐也不会放过。吴亡夫差,秦始皇,览遗迹,读史书,罗隐都会集于笔下。"西施若解倾吴国,越国亡来又是谁。"(《西施》)"六国英雄漫多事,到头徐福是男儿。"(《始皇陵》)"怜君未到沙丘日,肯信人间有死无。"(《秦记》)"时来天地皆同力,运去英雄不自由。千里山河轻孺子,两朝冠剑恨谁周。"(《筹笔驿》)西施诱吴王夫差而亡吴,几成历史定论,罗隐却再深究一步,深中"美人误国论"之鹄的。秦始皇慕仙,求长生不死药,派方士徐福驾船东渡,去寻海上仙山。发生于世界航海史上那次最早的壮举,却原来是为了这样一个荒唐的目的。丧身沙丘的秦始皇恐怕至死也不能明白,到底是大方士徐福有意欺骗他,还是他自己上了"贼船"。三国时蜀汉两朝任官的谯周反对北伐,最终劝后主刘禅投降,被封为阳城亭侯;诸葛亮死时,谯周还是先行奔丧的官员。天时不佑西蜀,诸葛亮生前筹划军事的筹笔驿只是一处陈迹,不能助蜀汉复兴了。"未必片言资国计,只应邪说动人心。"(《咏史》)两朝冠剑,竟不能胜过劝降的一番邪说。罗隐的史识史论是沉重深刻的,从中不难读到他的满腹苍凉。有了这样的历史感积郁在心头,罗隐《蜂》中"采得百花成蜜后,为谁辛苦为谁甜"的诗句,便不能只当作咏蜜蜂的诗来读了;不必穿凿附会去发掘那微言大义,也当能体味到罗隐复杂幽微的心曲。

读罗隐的诗,很少能感觉到他的"高谈阔论,满座风生",他倒常常是心事重重郁郁难解的。他的心事,也不完全来自于屡屡应试不第,他有别愁离绪:"春色恼人遮不得,别愁如虐避还来。"(《春日叶秀才曲江》)他有世情感怀:"老去渐知时态薄,愁来唯愿酒杯深。"(《西京道德里》)他有生计困顿:"北去南来无定居,此生生计竟何如。"(《早发》)他有颓废沮丧:"思量只合腾腾醉,煮海平陈一梦中。"(《春日独游禅智寺》)他有灰心丧气:"已知世事真徒尔,纵有心期亦偶然。"(《广陵秋日酬进士臧濆见寄》)他有踟蹰不定的矛盾心怀:"世危肯使依刘表,山好犹能忆谢松。此去此恩言不得,谩将闲泪对春风。"(《金陵寄窦尚书》)他当然也有怀才不遇的愤愤不平:"圣代也知无弃物,侯门未必用非才。一船明月一竿竹,家住五湖归去来。"(《曲江春感》)

罗隐绝不是简单化的诗人,他的情感心怀难以用一个"愁"字或"愤"字概括,更不能说他只是由一己情怀出发而赋诗。他咏雪:"尽道丰年瑞,丰年事如何。长安有贫者,为瑞不宜多。"(《雪》)他偏偏不唱"瑞雪兆丰年"的陈词滥调。他写《秦中富人》:"高高起华堂,区区引流水。粪土金玉珍,犹嫌未奢侈。陋巷满蓬蒿,谁知有颜子。"他不是一般的"仇富""斥富",而是落脚于人的品质;在此类诗中,他便高出了一格。他的《长安秋夜》《所思》两首七律,最好地表现了他的苍茫沉郁,值得反复吟诵,深深体味。

长安秋夜

远闻天子似羲皇,偶舍渔乡入帝乡。

五等列侯无故旧,一枝仙桂有风霜。

灯歇短焰烧离鬓,漏转寒更滴旅肠。

归计未知身已老,九衢双阙夜苍苍。

所 思

梁王兔苑荆榛里,炀帝鸡台梦想中。

只觉惘然悲谢傅,未知何以报文翁。

生灵不幸台星折,造化无成世界空。

划尽寒灰始堪叹,满庭霜叶一窗风。

不仅晚唐的那些考官们有眼无珠,没有给予罗隐适当的重视和评价,即便后来的诗选家、诗评家也失于盲目,他们实在是忽视了罗隐的存在。在某种程度上,所谓"专家",有时候倒不如非专家的一般读者的眼光。罗隐诗名,曾为唐相郑畋、李蔚所知。"畋女览隐诗,讽诵不已。畋疑有慕才意。隐貌寝陋,女一日垂帘窥之,自此绝不咏其诗。"(《唐诗纪事》)僖宗朝宰相郑畋的女儿懂诗,却因诗人貌丑而厌其诗了,这真让人无话可说。相比之下,畋的女儿就不如泾原节度使王茂元的女儿了。王茂元爱李商隐的才华,把女儿嫁给了他。李商隐就是面貌丑陋的,王茂元的女儿并没有嫌弃过李商隐。至于李商隐的王氏夫人是否懂诗,未见记载,不可妄说,至少,她没有以貌取人。她和李商隐也是伉俪情深,李商隐那首《王十二兄与畏之员外相访见招小饮时予因悼亡日近不去因寄》,深挚,惋沉,可以为证。宰相的女儿却不仅以貌取人,也以貌取诗了,可惜了她那闺中的诗心诗目。

罗隐终生困顿,是被方方面面注定了。设想一下,他如果不是"貌寝陋",被宰相的女儿垂帘隐窥,一眼相中,会怎么样呢?宰相家的乘龙快婿,定然飞黄腾达有日了。可是,那样一来,也就没有这么多回肠九曲的诗篇了。"两鬓已衰时未遇,数峰虽在病相撄。""试哭军门看谁向,旧来还似祢先生。"(《途中寄怀》)老病交加,无人相问,罗隐到了走投无路的境地了。"君依相门貂蝉贵,我恋王门鬓发斑。"(《送人归湘中兼寄旧知》)看别人富贵荣耀,而自己垂垂老去,只能空怀恋羡,他显得可怜巴巴的。"西上青云未有期,东归沧海一何迟。"他还没有完全绝望,可他似乎等不及了。他愤愤不平,发出了愤激之语:"斗鸡走狗五陵道,惆怅输他轻薄儿。"(《所思》)五陵古道,轻裘肥马,自杜甫那个时候就是斗鸡走狗之徒洋洋得意,罗隐岂能抑下对轻薄儿的憎厌和嫉恨。他似乎知道自己在哪里有失了,那还不纯是应试不第,而是别的:"翅弱未知三岛路,舌顽虚掉五侯门。"(《临川投穆中丞》)他投路无门,看来只剩下那一条路可走了:"会将一副寒蓑笠,来与渔翁作往还。"(《西塞山》)科举不成,仕进无门,罗隐的最后归宿仍然是代代士子相沿的去处,能不能成为现实且不必管它,能够得到暂时的心理安慰也好。

还是一个"说说而已",诗人们的多少愤激之语,归隐之念,都是写写诗聊发一下不平而已,罗隐也未能例外。"深恩重德无言处,回首浮生泪泫然。"(《病中上钱尚父》)自哀自怜的罗隐,想起他人的恩德,回首自己的一生,仍然止不住泫然下泪,罗隐既做不到像他更的名字那样去"隐",他也做不到像有些诗人那样去"狂"。他《自遣》,也会"今朝有酒今朝醉,明日愁来明日愁",他《京口见李侍郎》,也会故作闲淡豪放,"别来且喜身俱健,乱后休悲业尽贫。还有杖头沽酒物,待寻山寺话逡巡。"他《水边偶题》,也会思先贤而观自身,一时解脱:"穷似丘轲休叹息,达如周召亦埃尘。"身处一个朝代的末世,经历丧乱,罗隐一时也能想得开:"乱罹且喜身俱在,存没那堪耳更闻。"(《送梅处士归宁》)可是,到了先辈诗人墓前,他还是为身后的荒凉而凄哀不已:

"鹿门黄土无多少,恰到书生冢便低。"(《孟浩然墓》)

至此,罗隐似乎彻悟了他的不幸到底来自何处:"吾今尚自披蓑笠,你等何须读典坟。"(《代文宣王答》)三坟五典,万卷诗书,原来却是忧患的来源,不幸的根底。罗隐的否定,令读书人寒彻,他那"如今赢得将衰老,闲看人间得意人"(《偶兴》)的结局,又为他的否定提供了悲惨的佐证,还让读书人怎么忍受寒窗之苦?罗隐难得的豪放在他的《芳树》中:"人生长短同一轨,若使威可以制,力可以止,则秦王不肯敛手下沙丘,孟贲不合低头入蒿里。伊人强猛犹如此,顾我劳生何足恃。但愿我开素袍,倾绿蚁,陶陶兀兀大醉于清宵白昼间,任他上是天,下是地。"可惜,一时的豪放过后,又是无尽无休的黑暗、抑郁和不平了。

罗隐十试而不第,连妓女也瞧不起他了。罗隐初赴举时,过钟陵,见营妓云英有才思,若有意。再过一年,罗隐下第过之,云英讥隐犹未第,曰:"罗秀才尚未脱白?"罗隐亦反唇相讥:"钟陵醉别十余春,征购云英掌上身。我未成名君未嫁,可能俱是不如人。"这不是文人与营妓间寻常斗嘴,更不是青楼妓馆出诗打对,罗隐心头的辛酸以嘲语出之,他只是不甘低头罢了。进士刘赞后来官至刑部侍郎,他曾赠罗隐诗曰:"人皆言子屈,独我谓君非。明主既难谒,青山何不归。年虚侵雪鬓,尘枉污麻衣。自古逃名者,至今名岂微。"(《唐诗记事》)刘赞是真正的"站着说话不腰痛"了,春风得意,他怎么会知道罗隐的痛楚。他还不如贞元中的僧人灵澈能够理解俗世的隐痛,说得实在:"相逢尽道休官好,林下何曾见一人。"(《东林寺酬韦丹刺史》)

陶渊明树起了一个可望而不可即的目标,千百年来,有几人真正做到了?刘赞那归隐的解劝,也失去了归隐的本意,他心目中的归隐,只不过是另一种方式的求名罢了,终究仍是俗念。刘赞的观念,自然也有现实的依据,名,有时候的确是至关重要的;名与利相连,而且名是排在前头的。《唐诗纪事》载,"江南李氏,尝遣使聘越,越人问见罗给事否?使人曰,不识,亦不闻其名。越人云:四海闻有罗江东,何拙之甚?使人曰:为金榜上无名,所以不知。"金榜题名,越来比诗名远为重要,且不管彼名与此名有何差异。

还是罗隐对这一切看得更为明白,他有《感弄猴人赐朱绂》诗。《幕府燕闲录》云:"唐昭宗播迁,随驾伎艺人止有弄猴者。猴颇驯,能随班起居。昭宗赐以绯袍,号'孙供奉'。"罗隐诗曰:"十二三年就试期,五湖烟月奈相违。何如买取胡孙弄,一笑君王便著绯。"

皇帝赐猴子绯袍,号"孙供奉"。我们知道,盛唐的皇帝封李白为"供奉翰林"。一"供奉"不会作诗,一"供奉"会作诗,这就是在末世皇帝与盛世皇帝眼中,猴子与诗人的区别。天下对诗人的污辱,莫此为甚了。

2014 年 12 月 23 日

为他人作嫁衣裳

唐末钱塘余杭罗氏,出了一个罗隐,还出了罗邺、罗虬,三人齐名,咸通年间被称为"三罗"。虽称"三罗"齐名,实际上罗邺诗远逊罗隐,罗虬就更加等而下之了。"三罗"中,罗虬是以狂宕无检束而著称的。广明间,罗虬为李孝恭从事。籍中有善歌者为杜红儿,姿色殊绝,罗虬久慕之,令之歌,赠以缯彩。李孝恭以红儿为副戎所盼,不准受。罗虬怒,手刃红儿。既而追其冤,作《比红儿诗》百首。罗虬既慕红儿,不得而杀之,汉子倒是血性的,但也够残忍的。他又作《比红儿诗》,择"古之美色灼然于史传之数十辈",以比红儿,咏唱不休,即便不说他惺惺作态,一百首读下来,也令人起腻;而且,诗并不出色,难以与红儿殊绝的姿色相匹。如果不是中国人愿凑"三"数"八"数的,罗虬实不应列于"三罗"。

罗邺诗倒是值得一读的。罗邺像宗人罗隐一样,也是屡试不第。他的父亲为盐铁吏,家赀巨万,罗邺的生计倒不必发愁;不过,落第的创伤还是留在了他的心头,发而为诗,七上八下的,忧伤莫名:"清世谁能便陆沉,相逢休作忆山吟。若教仙桂在平地,更有何人肯用心。去国汉妃还似玉,亡家石氏岂无金。且安怀抱莫惆怅,瑶瑟调高尊酒深。"(《落第书怀寄友人》)诗为七律,是罗邺擅长的诗体,深郁绵致,不是一般拼凑之作。

罗邺怀金抱玉,是颇为自负的。在他看来,似他这般有才华的人下第不进,是会影响别人的上进之心的。不说他高看了自己的才华吧,他高估了他下第的影响是肯定的。不仅他一个罗邺下第,不会影响万千士子照样寒窗苦读禁闱应试,再有十个八个比他罗邺更为才华出众的举子不第,朝廷的科举还是照样进行,皇榜题名还是一年一度。就是他罗邺本人,不是也安慰自己"且安怀抱",准备来年再试吗?再试再不第,他还是以诗书怀:"年年春色独怀羞,强向东归懒举头。"(《落第东归》)"此时惆怅更堪老,何用人间岁月催。"(《下第》)

也许是家资殷富生计无忧吧,罗邺的下第之伤,还不像罗隐那样终生耿耿于怀,难以排解。他的及第进士渴望,好像就是由建功立业理想出发的,他的诗写兴废的尤多,他是把国家社稷看得很重的,虽然那是别人的江山,罗氏再出几个诗人,也做不了皇帝。金陵,秣陵,南京,石头城,这不同名字指向的同一处地方,六朝古都,寄托了太多的兴亡之慨,多少诗人吟咏过它。虎距龙蟠,天翻地覆,石头城记下了太多的丧权辱国,城头上一片白幡,写下的很少有慷慨激昂。"江山不改兴亡地,冠盖自为前后尘。""六朝无限悲愁事,欲下荒城回首频。"(《春望梁石头城》)身处一个朝代末期的罗邺,他是预感到兴亡交替又要发生了吧。尽管唐王朝的国都设在长安,不在南京,可是历史已经证明了,不管建都哪里,从来未曾有过也不会有千秋永固的江山。他回首金陵石头城,看到的也正是长安都城。千古一帝秦始皇,当然是有雄才大略的一代帝王,也曾设想过秦朝天下会千秋万代传下去;可是,秦朝的天下却是那么短暂,秦始皇筑起长城,留下的只是历史遗迹。"当时无德御乾坤,广筑徒劳万古存。谩役生民防极塞,不知血刃起中原。珠玑旋见陪陵寝,社稷何曾保子孙。降虏至今犹自说,冤声夜夜傍城根。"罗邺的《长城》诗,会触痛秦皇陵下千古一帝的灵魂吗?珍珠为星辰,水银为江河,陪秦始皇陵寝于地下,于皇帝的儿子何益?

罗邺的诗博厚而阔雄,沉郁深刻,不是泛泛的吟咏古迹之作。他的《上阳宫》曰:"千门虽对嵩山在,一笑还随洛水流。""翠华却自登仙去,肠断宫娥望不休。"其兴亡之感就更为绵延无尽了。可怜亦复可悲的是那些断肠宫娥,仍在遥望着仙去的翠华宝辇;前朝奢华,到底与而今业已年老珠黄的宫娥有多少关系呢?即便她们当年也曾得到过皇帝偶尔青睐,为皇帝捧过漱口的盂子,束过腰带,那又能怎么样呢?

罗邺的兴废挂怀确是挥之不去的,他《经故洛城》,会"长恨往来经此地,每嗟兴废欲沾巾"。他念《陈宫》,便会想到"陈王半醉贵妃舞,不觉隋兵夜渡江"。丧国的陈后主,因为他那宠妃张丽华的一曲《玉树后庭花》,便被当作了荒淫亡国的君主代表,好像成了一个符号;可是,渡江而下的隋兵占据了陈宫,万千大军打下天下建立起来的隋朝,亡得也很快,隋炀帝的荒淫比前朝昏君更甚。

兴亡交替是在这样的一个怪圈里循环,陈宫也罢,金陵也罢,哪里又会是纯然兴盛的所在呢?唐朝开元以来的游览胜地曲江,处长安南郊,杜甫曾为之作过《曲江三章》,还作过《哀江头》,安史乱后荒废。大和年间,唐文宗读杜甫的《哀江头》,想恢复"升平故事",重修曲江,终因"甘露之变"而作罢。罗邺《曲江春望》,追想那"瑞影玉楼开组绣,欢声丹禁奏云韶"的胜景,表达他的诚挚心愿:"虽然未得陪鸳鸾,亦酹金觞祝帝尧。"他不知道,当朝皇帝不仅成不了尧那样的帝王,就连中兴之主也做不成了。一个王朝要灭亡,那是如大堤溃决,大厦倾倒,再有多少金觞酹酒颂诗祝祷也是没有用的。

风雨飘摇的李唐末朝,气数已尽,罗邺的祝祷注定了不起丝毫作用,他的理想和期望也终将落空。"但将死节酬尧禹,版筑无劳寇已平"(《新安城》),只是他表达美好意愿的徒劳诗句了;"可怜四海车书共,重见萧曹助汉材"(《岁仗》),也只是他一厢情愿的美好想望,当今朝代,决然不是汉朝的开国初期,皇家自然也不需要他的萧曹之才来辅佐。

与深深的兴亡之慨相比,罗邺那羁思乡愁岁月沧桑的咏叹,似乎可以不予理会了。尽管他《春晚渡河有怀》"乡思正多羁思苦,不须回首问渔翁",羁旅愁思是可感可触的,《春闺》"玉笛岂能留舞态,金河犹自浣戎衣。梨花满院东风急,惆怅无言倚锦机。"闺怨已经怨到了岁月无情,还是抵不过他的江山天下情怀更为深厚苍凉。因为太多地想到了更为广大沉重的主题,罗邺的诗很少发个人怨言,《鹦鹉咏》"乘时得路何须贵,燕雀鸾凤各有机",算是了,却仍然指向了普遍,而非一己。

罗邺的结局像他所处的王朝一样,荒败悲凉。咸通中,崔安潜侍郎廉问江西时,罗邺正值飘蓬于湘、浦间。崔安潜素赏其诗作,"志在弓旌,竟为幕吏所沮。既而俯就督邮,不得志,踉跄北征,赴职单于牙帐。邺去家愈远,万里沙漠,满目谁亲,因兹举事阑珊无成,于邑而卒。"(《唐才子传》)罗邺去家远赴,就职单于牙帐,他的满腹苍凉留在了诗里:"职忝翩翩逐建牙,笈随征骑入胡沙。定将千里书凭雁,应看三春雪当花。年长有心终报国,时清到处便营家。逢秋不似同张翰,为忆鲈鱼却叹嗟。"(《赴职单于留别阙下知己》)罗邺报国之心不泯,却要"趁职"单于帐下,那恐怕不是他的初衷吧。罗邺逝后,光华中,以韦庄奏请,追赐其进士及第,赠官补阙。

唐代有才华的诗人应试不第的为数甚多,已不为奇。方干不第的原因却颇为奇特。方干天生兔唇,连应十余举,终而不第,遂归镜湖。过了十余年后,遇医家为其补唇,年已老矣,遂终无进士名分,镜湖人只称其为"补唇先生"。

那么,方干即便不是唇缺,他就能进士及第吗?那也难说。方干有为别人下第写的诗《送姚舒下第游蜀》曰:"蜀路何迢遥,怜君独去游。""临邛一壶酒,能遣长卿愁。"不妨看作他的自况自叹。他为自己下第只留下了一个散句:"弟子已攀挂,先生犹卧云。"其内心酸楚,不言而喻。他《送喻坦之下第还江东》,"文战偶未胜,无令移壮心",勉人勉己,壮心不已,看来倒也是能够想得开的人。《唐才子传》叙方干"举进士不第,隐居镜湖中,湖北有茅斋,湖西有松岛,每风清月明,携稚子邻叟,轻棹往返,甚惬素心。所住水木幽閟,一花一草,俱能留客。家贫,蓄古琴,行吟醉卧以自娱。"能够悠游于湖山之中,诗酒琴赋,吟啸山水,惬意放诞,自是神仙般的日子,方干还想什么?

然而方干偏偏也是功名心切的人。他《中路寄喻凫先辈》曰:"求名如未遂,白首亦难归。"心中念念着功名,他就苦了,劝慰别人时表现得再怎么想得开,到了自己身上,还是"理论的巨人,行为的矮子",调子再高也成连篇空话。据《唐诗纪事》载,方干"为人质野,每见人设三拜,曰礼数有三。识者呼为'方三拜'。"方干这样的为人礼数,也是个彬彬君子了,还不能说他是故作张致。

方干留下的诗不多,劝勉别人的却不少。他《贻钱塘县路明府》道:"吟成五字句,用破一生心。""前贤多晚达,莫怕鬓霜侵。"他是在倡言用功勤苦终生不辍了。读过他的这些诗,再回头看他的镜湖中隐居,就会看出他到底是真隐还是假隐了。他《山中言事》诗曰:"贫来犹有故琴在,老去不过新发生","潜夫自有孤云侣,可要王侯知姓名",好像他很自适很惬意,不求闻达于诸侯了;可是他《暮发七里滩夜泊严光台下》,"前贤竟何益,此地误垂竿",便把这种隐居否定了。汉光武帝刘秀的同学好友严光子陵,拒绝了刘秀封他的高官,隐居于富春江上,垂钓维生,终老林泉,成了不慕权贵追求自适的榜样,在方干看来,严光的隐居不仅无益,而且是误了终生。在《题严子陵祠二首》中,方干进而言道:"先生不入云台像,赢得桐江万古名。"严光垂钓于富春江上,早就有人说过,他是以另一种方式求得大名。方干此诗并无多少新意,只是进一步彰显了方干对隐居的看法,也是对他自己隐居于镜湖的否定。

镜湖山水再美,再适意,也难比庙堂的辉煌和荣耀,方干岂能甘心镜湖上终此一生。王大夫廉问浙东，"嘉其操，将荐于朝，托吴融草表，行有日，王公以疾逝去，事不果成。"方干也是时运不济，遇上了赏识他的人，却偏偏"伯乐"又逝；倘非如此，方干出山，那是定然无疑的，他绝不会拒绝人家荐举的美意，失去走上庙堂的机会。他《寄江陵王少府》诗曰："此来俗辈皆疏我，唯有故人心不疏。"诗中怨气，不必细察，一望可知。俗辈疏他，大约也是因为他的兔唇吧。方干的兔唇，在他自己心上造成的创痛，不言而喻。他表现出来的却是另一番面貌。他不揣貌丑，也有吟赠美人的诗："舞袖低回真蛱蝶，朱唇深浅假樱桃。粉胸半掩疑晴雪，醉眼斜回小样刀。""含歌媚盼如桃叶，妙舞轻盈似柳枝。"（《赠美人四首》）诗自是俗腻而无聊，但是，由方干那兔唇中吟诵出来，谁知道方干要抗拒着内心多么大的伤痛，才能够强装豪俊呢？

　　带着他与生俱来的兔唇，连同他的才华和不平，方干无可挽回地老了。"堪笑愚夫足纷竞，不知流水去无穷。"（《感时二首》）纷纷扰扰而来，攘攘竞竞而去，人生正如流水，去而不回。方干堪笑的愚夫，包不包括他自己呢？咸通末，方干卒。"门人相与论德谋迹，谥曰玄英先生。"（《唐才子传》）

　　门人追赠的谥号，大约不能够满足方干的功名之心吧。方干殁后十余年，宰臣张文蔚奏名儒不第者五人，请赐官，以慰其魂，干为其中之一。方干远逝的亡魂，对此该会满足吧。阳世追赐的官爵，在阴间能值几何呢？方干生前，"始谒钱塘守姚公合，公视其貌陋，初甚侮之。坐定览卷，骇目变容而叹之。"（《唐诗纪事》）姚合乃宰相姚崇之孙，家世显赫，历任监察御史、户部侍郎、秘书监，也是个诗人。姚合逝后，方干有《哭姚监》诗云："入室几人成弟子，为儒是处哭先生。"方干是感念姚合那"初甚侮之"后而"骇目变容而叹之"吧。人的相知相识，能有逝后的一哭相报，也甚难能了；不知道该为之而欣慰，还是该为之而叹惜。

　　如果不是留下了"为他人作嫁衣裳"这样一个常为人引用的名句，秦韬玉就不值得一说了。秦韬玉父为左军军将，他"慕柏耆为人，然险而好进，谄事大阉田令孜，巧宦未期年，官至丞郎、判盐铁、保大军节度判官。"秦韬玉钦慕名将柏良器之子柏耆的为人，本无可多加指摘。他们出身相同，走同样的路子本也是自然的。柏耆赞画于军中，秦韬玉却谄事宦官，他们便有了分野。秦韬玉的做法是令人不齿的。

　　当然，秦韬玉却由此走上了宦途捷径。僖宗幸蜀时，他便得以从驾。中和二年，特敕赐进士及第。秦韬玉根本没有用得着应试，便获得了万千士子苦读以求的名分。而且，由于他谄事大阉田令孜，田令孜又引推其为工部侍郎。《唐才子传》叙述了秦韬玉的简略生平后，又道："韬玉歌诗，每作人必传诵。"即便果真如此，秦韬玉的价值也要大打折扣。"因人废诗"固不可取，但也不能全然不顾及诗人的品质。

　　知道了秦韬玉的为人，再来看他的诗，有时候便会觉得他是假模假式惺惺作态了。"早晚身闲著蓑去，桔香深处钓船横。"(《长安书怀》)他谄事阉宦而得来的高官厚禄，他怎么会舍得丢下，而去垂钓寒江？秦韬玉未免太不真诚了吧。也许，他在谄事阉宦的时候，也是倍感痛苦——那倒是可能的；可是，既然如此，那又何必呢？有自己事阉致宦的经历，又有将军世家出身，秦韬玉对皇宫侯府的见地当会更加深刻一些。"后宫得宠人争时，前殿陈诚帝不疑"(《读五侯传》)，就不只是纸上得来的见识，而是切身体验。"苏公有国皆悬印，楚将无官可赏功。若使重生太平日，也应回首哭涂穷。"(《寄怀》)秦韬玉是在感叹生不逢时吗？他在肯定时势造英雄的同时，如果能够想到，乱世里英雄四起，逐鹿中原，也会有生灵涂炭，民生凋敝，他就不应该为生不逢乱世而慨叹。事实上，他所处的时代，也已经是乱世末朝多事之秋了。他要是一个好诗人，他就不应该羡慕过往的英雄赶上了"好时候"。

撇开秦韬玉的为人行事宦途追逐谄事阉宦,单看他的诗,他的诗写得还是不错的。他的《贫女》,通篇可诵:"蓬门未识绮罗香,拟托良媒益自伤。谁爱风流高格调,共怜时世俭梳妆。敢将十指夸偏巧,不把双眉斗画长。苦恨年年压金线,为他人作嫁衣裳。"诗的末句,脱开对贫女的怜悯同情,被引用到远为广大的领域,成了名句。"为他人作嫁衣裳",小到为他人编发一篇文稿,大到为一姓王朝尽忠。记住了这个,秦韬玉的名字,可以忘掉不提了。

　　　　　　　　　　　　　　　2014 年 12 月 26 日

算来何必躁于名

　　读到杜荀鹤,对晚唐诗过低的评价才会得到一些纠正。唐诗到了晚期,固然是强弩之末了,但是偶有异彩一闪,仍然光华逼人,带了唐诗固有的风采,非其他朝代的诗可比。《唐才子传》叙杜荀鹤道:"荀鹤苦吟,平生所志不遂,晚始成名,况丁乱世,殊多忧惋思虑之语,于一觞一咏,变俗为雅,极事物之情,足丘壑之趣,非易能及者也。""忧惋思虑",本应为生于乱世的诗人多有的情怀,可惜好多诗人并不具有。即便同处晚唐,有一些诗人也还在雕章琢句,一味在工对声韵上用心思,没有乱世末代诗人应有的忧思。杜荀鹤从平庸泛泛中卓立出来,便令人刮目相看了,他为晚唐诗的恹恹不景气添了陡然一振的起色。

　　时世动荡,在杜荀鹤诗中留下了愁肠百端的记录,他也不讳言自己作这个时代"书记官"的用意:"农夫背上题军号,贾客船上插战旗。他日亲知问官况,但教读取杜家诗。"(《赠秋浦张明府》)农夫贾客,皆被打上了战乱的色彩,那还不是"全民皆兵"的同仇敌忾一致抗敌,而是乱兵征夫,一副江山兵燹的景象。杜荀鹤《旅泊遇军中叛乱示同志》是一首读来更为惊心的七律:"握手相看谁敢言,军家刀剑在腰边。遍搜宝货无藏处,乱杀平人不怕天。古寺拆为修寨木,荒坟开作甓城砖。郡侯逐出浑闲事,正是銮舆幸蜀天。"国祚已经二百多年的李唐王朝,到了末期,李世民的后世儿孙已经远远没有了先祖治国的雄才大略,藩镇割据,宦官专权,皇帝再也没有能力控制天下了。

　　杜荀鹤所处的僖宗朝,虽然唐僖宗本人还是个有天分的人,骑射、剑槊、算术等无不精通,但他十二岁即位,还是一个正贪玩的小孩子,怎么也无法号令治理老大的帝国,只能把大权交给宦官田令孜,致使朝政民生到了不可收拾的地步,爆发了王仙芝、黄巢起义。黄巢义军打进长安,唐僖宗步前朝先皇唐玄宗当年后尘,走上了避难西蜀的老路,这便是"銮舆幸蜀天"了。唐僖宗二十七岁病逝,传位于他的弟弟李晔,那就是死得更惨的唐昭宗了。

朝廷无力,世事昏暗,烽烟四起,乱兵遍地,丧乱之下,岂有完郡。杜荀鹤《长林山中闻贼退寄孟明府》:"一县今如此,残民数不多。也知贤宰相,争奈乱兵何。"《塞上伤战士》:"战士说辛勤,书生不忍闻。三边远天子,一命信将军。野火烧人骨,阴风卷阵云。其如禁城里,何以重要勋。"沉郁深切,分明是杜甫"三吏""三别"在唐末的余响了;李姓皇帝的末代子孙,却绝无回天之力,以求中兴了。这些纪实般的诗,你可以说它没有浪漫,稍逊风雅,但你怎么也无法否认它的时代意义,认识价值。在"纪实文学"还没有成为独立的文学样式的时代,我们只能靠这类纪实诗,来重新认识那个远去的时代。单单从这个意义出发,杜荀鹤的价值就不可低估。

杜荀鹤这类诗还有优秀的七律:

山中寡妇

夫因兵死守蓬茅,麻苎衣衫鬓发焦。
桑柘废来犹纳税,田园荒后尚征苗。
时挑野菜和根煮,旋斫生柴带叶烧。
任是深山更深处,也应无计避征徭。

乱后逢村叟

经乱衰翁居破村，村中何事不伤魂。
因供寨木无桑柘，为著乡兵绝子孙。
还似平宁征赋税，未尝州县略安存。
至于鸡犬皆星散，日落前山独掩门。

诗不难懂，并不故作奥曲；战乱时世，容不得优秀诗人雕琢词句。杜荀鹤七言诗好于他的五言诗，七律尤好。在这两首写战乱的七律中，都写到了征徭。夫因兵死而逃入山中的寡妇无计逃避繁重的征徭，经历了丧乱之后的村叟也要如平宁时一样缴纳赋税，为了一姓天下的江山，朝廷是不会因战乱困弊，而免除了征徭赋税的，越是到了行将灭亡时，越是这样。读杜荀鹤的这些战乱诗，会令人疼痛，绝不会不着痛痒。诗人的才华，总是在时代的风云激荡中显现的，他不能自外于时世动荡，偏安蜗角，沉醉于一己的小天地，浅吟低唱，孤芳自赏。

杜荀鹤当然也有他个人的哀痛，他最深的哀伤也来自于下第。又是一个好诗人屡试不第了。"御苑早莺啼暖树，钓乡春水浸贫居。拟离门馆东归去，又恐重来事转疏。"（《下第投所知》）心事重重，踌躇不定，下第后的杜荀鹤竟不知何去何从了。"纵饶生白发，岂敢怨明时。知己虽然切，春官未必私。"（《下第投所知》）纵然霜染鬓发，文场连败，杜荀鹤还是没有抱怨生不逢时，也没有怪责试官，他表现出了士子难得的通达。"侯门数处将书荐，帝里经年借宅居。未必有诗堪讽诵，只怜无缘过吹嘘。"（《下第寄池州郑员外》）杜荀鹤终于想过来，进士及第还会有别种途径，荐举吹嘘是会起到意想不到的作用的。

他最终果然也走上了捷径。他谒梁王朱全忠，与之坐，"雨作而天无行云。梁曰:此谓天泣,不知何祥? 请先生作无云雨诗。乃赋曰:同是乾坤事不同,雨丝飞洒日轮中。若教阴显都相似,争表梁王造化功! "(《唐诗纪事》)杜荀鹤分明是作谀诗以讨梁王高兴了。早年参加黄巢起义的朱温,脱离了黄巢义军归唐后,被赐名朱全忠,后来又派人弑了唐昭宗,最终篡唐建立了大梁朝,杀人如麻,更其荒淫无道。杜荀鹤作诗谀之,无论如何,杜荀鹤的诗人品格也被打了折扣,尽管他作谀诗时,朱全忠尚未篡唐自立。杜荀鹤这一谀诗谀到了好处,"至是遣送名春官。大顺二年裴贽侍郎下第八人登科。"《(唐才子传》)放榜日正是杜荀鹤生日,杜荀鹤的得意可以想见。与他同榜进士的张曙亦工诗,喝了酒带醉戏谑道:"杜十五大荣,而得与曙同年。"杜荀鹤反唇相谑道:"是公荣。天下只知有荀鹤,若个知有张五十郎耶?"杜荀鹤说的未必不是事实,张曙是自讨无趣了。不过,杜荀鹤一朝登第,得意可以,却不应忘形。他不该忘记而且应深以为惭的是,他到底是给梁王写了谀诗,才"遣名送春官",得到了特殊关照的。当然,按照他的诗才,同年中他应排第一,而不是第八;可是,春闱取士,从来都是不看诗才的。

然而, 即便看透了进士及第靠的不是诗,杜荀鹤也不会放弃作诗,辜负了上天赋予他的才华。在他"四海欲行遍,不知终遇谁"的困顿时日,他清楚了"如今已无计,只得苦于诗"(《自述》),作诗于他,也并非完全是无奈的。"乍可百年无称意,难教一日不吟诗。"(《秋日闲居寄先达》)这才是他真切的心愿。

真正的天才诗人作诗, 也不是他刻意选择,而是上天赋予的使命,诗人生命的自然勃发,像水流花开一样。杜荀鹤《读诸家诗》,曾经对诗与自己的出身来历发出过评判和追问:"辞赋文章能者稀,难中难者莫过诗。直应吟骨无生死,只我前身是阿谁。"杜荀鹤差不多接近"我是谁""我从哪里来"的追问了。在六道轮回中,他的前生是谁,没有人能够回答；他的出身倒是大致可以肯定的。一说他是杜牧之微子。会昌末年，杜牧自齐安移守秋浦时，妾有妊，出嫁长林乡正杜筼，生荀鹤。且假定这说的是事实，杜荀鹤的诗中确有乃父遗风。杜荀鹤曾作《苦吟》诗曰："世间何事好，最好莫过诗。""生应无辍日，死是不吟诗。"诗题曰"苦吟"，表达的是他对诗至死不渝的钟爱。他作诗勤苦，吟出来的却好像并不那么用力，很少有雕琢痕迹，这一点就很像杜牧。杜荀鹤也如杜牧一样才情儒雅，他"嗜酒、善弹琴、风情雅度，千载犹可想望也"（《唐才子传》）。他只是没有像杜牧那样，留下"青楼薄幸名"的诗句。

　　大约生当一个王朝的末世，杜荀鹤心中比杜牧更苦吧。"苦吟风月唯添病，遍识公卿未免贫。马壮金乡有官者，荣归却笑读书人。"（《下第东归道中作》）所书之怀仍然是下第之苦；"吟尽三更未著题，竹风松雨共凄凄。此时若有人来听，始觉巴猿不解啼。"（《秋夜苦吟》）秋夜所吟之苦就不仅关乎下第了。"空有文章传海内，更无亲族在朝中。"（《投从叔补阙》）看上去好像还是在哀叹自己朝中无人，其实内藏的锋芒却指向了普遍。千年过后，现代诗人郁达夫也发出过"薄有文章惊海内，竟无饘粥润诗肠"之叹。现代作家中，很少有人能写出郁达夫那么好的旧体诗，郁达夫的诗风和生活作风，也很像杜牧，他曾自称"略有狂才追杜牧"，表达的诗脉渊源比杜荀鹤还要清楚一些。杜荀鹤没有明确书写过他的师承，他却有自己的作诗主张。"诗旨未能忘救物，世情奈值不容真。平生肺腑无言处，自发吾唐第一人。"（《自叙》）

　　济世救物，肺腑真情，是杜荀鹤的写诗追求；尽管世情不容，他依然实践着自己的主张。杜荀鹤的诗名尽管不如杜牧高，杜牧被称为"小杜"，他连"小小杜"的名号也未能赢得。他的诗比起杜牧来，也有不及，但他的诗却是有内容有风骨的，并不凡庸。他的《再经胡城县》：

"去岁曾经此县城,县民无口不冤声。今来县宰加朱绂,便是生灵血染成。"《伤硖石县病叟》:"无子无孙一病翁,将何筋力事耕农。官家不管蓬蒿地,须勒王租出此中。"这些诗字字血泪,声声痛切,是晚唐诗中激越挺拔之作,杜荀鹤实实当得起"小小杜"之称了。有了这样的诗,杜荀鹤有过作诗谀梁王,似乎可以得到原谅了。"老杜"为了走向仕途,不是也一再"干谒",还向朝廷进献了《三大礼赋》吗?"共有人间事,须怀济物心。"(《与友人对酒吟》)杜荀鹤一再强调的经世济物之心,是每一个时代的诗人都不应须臾丢掉的,哪怕他们正在饮酒赋诗纵情忘怀时。

杜荀鹤也会有一时旷达,那是他与山人对话时。"闲与先生话身事,浮名薄宦总悠悠。"(《夏日留题张山人林亭》)杜荀鹤似乎可以把人世名利放下了。"毕竟浮生漫劳役,算来何事不成空。"(《赠题兜率寺闲上人院》)杜荀鹤好像想通了,人世万事扰扰攘攘,都是没有什么意义的一切皆空。可是他真正深居山中,还自号"九华山人"了,他还是不能成为闲居"上人",完全抛却人间情怀。诗人要出家,并不是那么容易的。把《全唐诗》从头读下来,会发现诗人们大都有过与"上人"交往的经历,他们在"人上院"中对谈,品茗,题赠留诗,表达的是他们向慕世外的闲淡无争,那神仙一般优游从容的日子;然而,他们哪里会真正放下人世牵挂,诗作过以后,他们又走进碌碌人世奔竞不止了。杜荀鹤《山居寄同志》,说的依旧是:"不是无端过时日,似从窗下蹑云梯。"

真的不能责怪诗人们心口不一。诗,原本就非无情物,越是好诗人,他们的诗越是生命的自然勃发。人间情怀,是诗人们最可宝贵的,丢掉了,也就失去了诗的根本。"天下未宁吾道丧,更谁将酒醉吟魂。"(《哭方干》)立朝已近三百年了,李唐王朝末代的杜荀鹤,深深有感于大道沦丧,他哭同仁,也是哭自己。他不甘心,还怀着救世幻想:"闻道中兴重文物,不妨西去马蹄轻。"(《投宣谕张侍郎乱后遇毗陵》)他大约忘记了,李唐王朝不仅中兴无望,即便在盛朝开元天宝年间,朝廷也未看重过文物,李白做的翰林是"供奉"的,杜甫干谒再三,做的也只是小小的工部检校员外郎,从来没有居庙堂之高。"自别家来生白发,为侵星起谒朱门。也知柳欲开春眼,争奈萍无入土根。"(《江下初秋寓泊》)"闭户十年专笔砚,仰天无处认梯媒。""若许登门换髻鬣,必应辛苦事风雷。"(《投江上崔尚书》)杜荀鹤走上的是"老杜"上下一代代诗人走过的"干谒"之路,四处投书,表白忠诚,有时候不惜自降自辱一下自己的人格。看他们可怜巴巴的样子,让人不忍加以指责。

　　"十五年来笔砚功,只今犹在苦贫中。""朱门处处若相似,此命到头通不通。"(《秋日湖外书事》)投门不应,干谒无效,杜荀鹤十五年来命乖运蹇,不能通达,为梁王朱全忠作一诔诗,便打开了通途,你是批评杜荀鹤作诔诗谄媚呢,还是指斥世风不公呢?"吾道天宁丧,人情日可疑。西陵向西望,双泪为君垂。"(《钱塘别罗隐》)世道人情,都不可信任,诗人好像也只剩下"吾与汝皆丧"一条道可走了。这不只是一个王朝末代的悲剧,也不只属于诗人,这部悲剧从孔子那个时代,从屈原那个时代,就开始上演了,还要无休无止地演下去,看不到落幕究竟在哪个时候。

　　自然不能无视杜荀鹤的功名心切。"如何待取丹霄桂,别赴嘉招作上宾。"(《赠友人罢举赴交趾辟命》)"生在世间人不识,死于泉下鬼应知。"(《酬张员外见寄》)"虽然干禄无休意,争奈趋时不见机。"(《书事投所知》)"题桥每念相如志,佩印当期季子荣。谩道强亲堪倚赖,到头须是有前程。"(《遣怀》)杜荀鹤的诗写得坦白真诚,他日思夜念着功名,他就把这所思所想书下来,像写一部心声日记,绝不道貌岸然地装洒脱装通达。能够做一个真诚的诗人,其实也并不容易,有多少假装出来的豪放、高尚与旷达,令人生厌啊!

比较起来,古代诗人比当代诗人更能够真诚地吐露心声。晚近一个时期的自由诗,看起来好像可以、也能够说一些真话了,可是却走向了琐屑与庸常,那也背离了诗的本质。诗,无论如何,不能丢掉了用世济物之根本,它由诗人们的诗心生发,却指向广大的人生。杜荀鹤,连同他的前辈和后辈的功名之心,其实是系联着时世间的,并非仅仅一己私念。想一想自己的功名心切,杜荀鹤也会自嘲起来:"笑我有诗三百首,马蹄红日急于名。"(《题仇处士郊居》)想一想人生百年,不过如此,杜荀鹤也会一时"虚无"起来:"易落好花三个月,难留浮世百年身。"(《晚春寄同年张曙先辈》)杜荀鹤的自嘲中不乏自得,他到底还有诗三百首可以传世;杜荀鹤的"虚无"中犹有伤感,花红易落,生命易逝,百年过后,身如浮土,功名利禄值得颠沛奔竞去苦苦追求吗?"青云快活一未见,争得安闲钓五湖。"(《早发》)霜晨梦苏,落叶寒猿,杜荀鹤犹有悔意,他又向往起湖上垂钓来了。

诗人们怎么也走不出这个怪圈:放不下功名心,应试落第,屡下屡试,四处投奔,干谒献赋,偶尔回头,看一看自己走过的路,想一想自己在一处处朱门遭受的冷遇,又后悔起来,向往起山中湖上的闲适来。古代诗人,好像总是在奔走,他们只要没有登上仕途在庙堂上占到一个位置,他们就总在旅途上。羁旅愁思,他们留下了那么多旅次诗篇。哀猿鹤唳,板桥晨霜,成为古诗中常有的物象,一次次唤起孤旅情思,离愁别绪。如果旅次卧病,那就更为孤苦凄切。"风射破窗灯易灭,且穿疏屋梦难成。故园何啻三千里,新雁才闻一两声。"(《旅中卧病》)"回头不忍看羸僮,一路行人我最穷。""子细寻思底模样,腾腾又过玉关东。"(《长安道中作》)写下这般诗句的杜荀鹤,他可怜着自己,心是颤抖不止的。看来,如此奔竞,为了那一点功名,真的是不值得了。

"此中是处终堪隐,何要世人知姓名。"(《送项山人归天台》)"尽谓黄金堪润屋，谁思荒骨旋成尘。一名一宦平生事，不放愁侵易过身。"(《登城有作》)杜荀鹤瞻前顾后，思量生死，踌躇在用世与出世、功名与归隐之间，他的心怎么也不能安定下来。"花前不独垂乡泪，曾是朱门寄食身。"(《春日行次钱塘却寄台州姚中丞》))可怜自己，朱门寄食，花前垂泪，乡愁暮烟，杜荀鹤借一匹病马写下了最惨切的诗句："此马堪怜力壮时，细匀行步恐尘知。骑来未省将鞭触，病后长教觅药医。顾主强抬和泪眼，就人轻刷带疮皮。只今筋骨浑全在，春暖莎青放未迟。"(《伤病马》)多少诗人，就像这匹病马一样，在追逐功名的尘路上奔走着，无可奈何地老了，病了，他们再有多少雄心壮志，也得不到用世时机，要随着病老走向死亡，纵有春暖莎青之日，他们也没有驰骋之时了。

　　天知道，杜荀鹤也像李白一样，像杜甫一样，像许多天才诗人一样，是自负才华自恃才能的。杜荀鹤的诗才在后代没有得到充分评价，生当同代的人却曾表示过推崇。他大顺二年以第八名登科时，正月十日放榜，正其生朝。天复元年登进士第的王希羽就曾作诗赞曰："金榜晓悬生世日，玉书潜记上升时。九华山色高千尺，未必高于第八枝。"王希羽仅存此一首诗，倒是看准了杜荀鹤的才华。杜荀鹤的朋友顾云序荀鹤诗也曾大为赞赏道："其雅丽清苦激越之句，能使贪吏廉，邪臣正，父慈子孝，兄友弟悌，人伦之纪纲备矣。其壮语大言，则决起逸发，可以左揽工部袂，右拍翰林肩，吞贾、喻八九于胸中，曾不茛介。或情动于中，则极思冥搜，神游希夷，形兀枯木，五声劳于呼吸，万象贫于抉剔，信诗家之雄杰者也。"(《唐诗纪事》)

　　顾云"能使贪吏廉，邪臣正"的评价，未免高估了杜荀鹤诗的作用；贪官佞臣从来不会因读诗而改邪归正，他们也不去读诗。不过，杜荀鹤的作诗主张本是用世济物，他怀有那样的目的，则是肯定的。顾云把杜荀鹤的诗与杜甫、李白、贾岛、喻凫等人相比，自有他的道理。

李唐王朝中兴无望,诗的中兴也很困难,同辈诗人曾意杜荀鹤"勉为中兴诗宗"。至少在唐末诗坛上,杜荀鹤作为"诗宗",倒也称得起。杜荀鹤有《送李先辈从知塞上》诗曰:"好随汉将收胡土,莫遣胡兵近汉疆。洒碛雪粘旗力重,冻河风揭角声长。"诗句雄壮有力,隐约传来了盛唐边塞诗的声韵。这样的诗,在唐末诗坛上已经少见了。杜荀鹤还有《山中对雪有作》诗道:"一浑乾坤万象收,唯应不雍大江流。""王帐英雄携妓赏,山村鸟雀共民愁。"诗写得气象雄浑,对比强烈,也是盛唐诗拥有的气魄境界。杜荀鹤于唐诗的末途踽踽独行,走出了深谷跫音,闪射了唐诗最后的光彩。后世少于留意,疏于推评,实不应该。

杜荀鹤作诗像杜牧一样,不露惨淡经营的痕迹,好像是不用力做出来的。其实,杜荀鹤是把功夫用在暗处。"无酒御寒虽寡况,有书供读且资身。""昼短夜长须强学,学成贫亦胜他贫。"(《喜从弟雪中远至有作》)"卖却屋边三亩地,添成窗下一床书。""乡里老农多见笑,不知稽古胜耕锄。"(《书斋即事》)"鬓白只应秋练句,眼昏多为夜抄书。""待得功成即西去,时清不问命何如。"(《闲居书事》)这些有关读书的诗句,告诉我们,杜荀鹤是下过读书苦功的人。他的诗不露斧斤雕琢的用力痕迹,是他暗处用功的结果。他的朋友顾云把他与贾岛相比,算不得怎么准确。贾岛的诗,明显露出了太多"推敲"之力;当然,差别也在于天赋才华。不过,同样的才华,读书与不读书却有很大的区别。"老杜"的"读书破万卷,下笔如有神",还是不易的真理。杜荀鹤还有一首《乱后归山》诗,道出了他对书的热爱:"乱世避山谷,征鼙喜不闻。诗书犹满架,弟侄未参军。"

末朝乱世,重归山中的杜荀鹤喜的是诗书满架,弟侄尚在,未死于军中阵前。他《哭刘德云》诗曰:"贾岛还如此,生前不见春。岂能诗苦者,便是命羁人。"他是把诗人的命运际遇与作诗相连了,诗苦亦命苦。他是推崇李白的:"青山明月夜,千古一诗人。"(《经青山吊李翰林》)李白作诗不苦,可是命运照样也不能算好。也许,杜荀鹤会羡慕李白供奉翰林的荣耀吧,他或许也有李白"为君谈笑静胡沙"的自负与壮志。"冰河夜渡偷来马,雪岭朝飞猎去人。独作书生疑不稳,软弓轻剑也随身。"(《塞上》)书生仗剑,杜荀鹤大概也希望佐军大帐,运筹帷幄了。"九土如今尽用兵,短戈长戟困书生。""到头诗卷须藏却,各向渔樵混姓名。"(《乱后书事寄同志》)乱世兵戈,书生日困,诗书深谷,渔樵湖山,大约并不是杜荀鹤真实的用意和选择。一旦登第,不管是第八名还是第几名上榜,杜荀鹤的自得欣喜仍然满溢纸上:"九华山叟惊凡骨,同到蓬莱岂偶然。"(《依韵次同年张曙先辈见寄之什》)

　　杜荀鹤未免太得意了。他忘记困迫时的自哀自伤了:"仙桂终无分,皇家似有私。"(《经贾岛墓》)他以为荣登皇榜,皇天便无私了吗?难道他忘了他是作诗谀梁王,"至是遣送名春官",才开榜荣列的吗?得意便忘形,忘形便失去了根本。唐朝灭,"梁王立,荐为翰林学士,迁主客员外郎。颇恃势侮慢缙绅,为文多主箴刺,众怒欲杀之,未得。"(《唐才子传》)杜荀鹤是晚节不保,差点死于众怒之下了。这时候再来看他的《和友人见题山居》诗:"有景供吟且如此,算来何必躁于名。"他虽不无矫情,倒也说出了几分至理。

2015 年 1 月 1 日

错位的反抗

　　韩偓是唐代诗人中少数做到了高官廷臣者之一。作为诗人,他的成就只能算中等;作为大臣,他却是并不多见的良臣。他的父亲韩瞻,开成六年与李商隐同科及第。韩偓小字冬郎。李商隐曾云:"尝即席为诗相送,一座皆惊,句有老成之风。"李商隐因有诗曰:"十岁裁诗走马成,冷灰残烛动离情。桐花万里丹山路,雏凤清于老凤声。"看来韩偓当在"神童"之属,少年老成。可是,好多"神童",到大来并不见好,正是"小时了了,大未必好"。神童发展不好的原因种种;在韩偓,他一举登第,踏上仕途,历翰林学士、中书舍人、兵部侍郎的为宦生涯,朝堂上规行矩步,谨言慎行,阻碍了他作诗才华的发扬光大,当是重要原因。诗的翅膀是不能被枷锁捆绑束缚的。有的诗人,会在枷锁下挣扎,"戴着镣铐跳舞",迸发出生命异样的光辉,但韩偓不是那种诗人。

　　大约是韩偓及第为官还算顺利,他没有那么多内心痛苦灵魂挣扎,他的诗便是四平八稳的。他《雨后月中玉堂闲坐》云:"银台直北金銮外,暑雨初晴皓月中。""夜久忽闻铃索动,玉堂西畔响丁东。"诗是既闲又静。皓月静谧中忽有铃索响动,那是有事传达了。诗后注曰:"禁署严密,非本院人,虽有公事,不敢遽入。至于内夫人宣事,亦先引铃。每有文书,即内臣立于门外,铃声动,本院小判官出受,受讫,授院使,院使授学士。"署院之规如此禁严,长久在此为官的诗人,要想自由作诗,也难。

　　韩偓却能受得了这样的禁束,他甚至嘲笑起不守廷规的前朝臣子来了："如今冷笑东方朔,唯用诙谐侍汉皇。"(《六月十七日召对自辰及申方归本院》)难道他不知道东方朔是以那种特有的谐谑幽默立于朝堂,得便讽喻一下皇帝吗?韩偓是一入庙堂,便诚惶诚恐受宠若惊了。他有一首《与吴子华侍郎同年玉堂同直怀恩叙恳因成长句四韵兼呈诸同年》,诗曰:"二红计偕劳笔研,一朝宣入掌丝纶。""绛帐恩深无路报,语余相顾却酸辛。"他只是两度应试,就心怀酸辛,一旦及第,走上朝廷,对皇家就深怀感恩之情了,他的诗还会好到哪里去吗?

对皇家的怀恩成为韩偓的一个主题,一再絮念。皇帝赐一场宴,韩偓会感恩不绝:"中使押从天上去,外人知自日边来。臣心净比漪涟水,圣泽深于潋滟杯。"(《锡宴日作》)诗题下注曰:"是岁大稔,内出金币赐百官,充观稼宴。学士院别赐越绫百匹,委京局句当。后宰相一日宴于兴化亭。"一岁丰稔,廷臣们就在宫中尽享皇帝赐宴,以"充观稼宴"了。他们没有跑到乡村田间去看看"四海无闲田,农夫犹饿死";末朝战乱,时世动荡,似乎也与他们没有什么关系。直到皇上赐给臣子樱桃了,韩偓的诗里才出现了酸楚的滋味:"俱有乱离终日恨,贵将滋味片时同。"(《恩赐樱桃分寄朝士》)在唐朝,樱桃大约是稀罕果品,廷臣们常会有关于恩赐樱桃的诗,记下他们从皇帝那里得到的恩宠。韩偓在诗里把樱桃的滋味与乱离感受一起书写下来,恢复了他作为诗人的良知。

韩偓做官,恭顺谨慎,中规中矩,大概有时候也觉得不那么好受吧。"长卿只为长门赋,未识君臣际会难。"(《中秋禁道》)宫禁森严,韩偓与皇帝也是咫尺天涯,他还不能随便得见"天颜",他的官做得小心又苦。"外使调鹰初得按,中官过马不教嘶。"(《苑中》)看了诗下的小注,我们才得以知道,"五方外按使,以鹰隼初调习,始能擒获,谓之得按。""上每乘马,必阉官驭以进,谓之过马。既乘之,而后躞蹀嘶鸣。"宫中规矩,连鹰擒马嘶都严格禁束了,臣子们又怎么敢越雷池一步呢？怪韩偓诗不自由不大胆，似乎是苛求了。

　　尽管韩偓谨慎为官，他也有过贬官遭遇。因朱全忠恶之，致构祸贬濮州司马。贬出朝廷，外地为官，韩偓的心情便大变了。他《出官经硖石县》，题下明明白白注曰："天复三年二月二十二日。"诗篇起首，句下又注明"是月十一日贬濮州司马"。韩偓好像要记下一笔贬官账目，历历对应他恓惶的心情。"逆旅访簪裾，野老悲陵谷。"句中仍然加注道："南路以久无儒服经过，皆相聚悲喜。"此时，忆想他《辛酉岁冬十一月随驾幸歧下作》，"晓题御服颁群吏，夜发宫嫔诏列侯"，韩偓会有不胜今昔之感吧。即便随驾西幸时，韩偓也不总是欢天喜地的。他的《秋霖夜忆家》是一首很不错的绝句："垂老何时见弟兄，背灯愁泣到天明。不知短发能多少，一滴秋霖白一茎。"诗题下也明确注曰："随驾在凤翔府。"韩偓作诗，这么喜欢加注，他是要为自己用诗记下一部日记，记下他的心路历程吧；有了注，人家就不会误读了他的"日记"，方凿圆枘了。

　　韩偓随驾西幸，是他天复初入翰林的冬天。黄巢起义军打入长安，唐僖宗步唐玄宗后尘逃往西蜀。巴山蜀水，该是唐皇帝的伤心之地吧。韩偓随唐僖宗驾幸凤翔，有扈从之功，唐僖宗曾当面许他为相。韩偓奏道："陛下运契中兴，当复用重德，镇风俗。臣座主右仆射赵崇，可充是选，乞回臣之命授崇，天下幸甚。"（《唐诗纪事》）韩偓是把将要到手的相位推让出去了。在跑官要官买官卖官的当代，听来如同神话；即在古代，也属罕见。韩偓此举，够得上高风亮节了。朱全忠构祸陷害，贬他为濮州司马时，皇帝曾流涕道："我左右无人矣。"皇帝如果不是矫情惺惺作态，那也是大权旁落，皇帝的权威已敌不过一个朱全忠了。朱全忠后来能够弑君篡唐，自立朝为"大梁"，应自此始。

　　天祐二年，朝廷复韩偓原官，偓不赴召。他有《病中初闻复官二首》，书写他的心情与不赴召的原因："又挂朝衣一自惊，始知天意重推城。""宦途蠛崄终难测,稳泊渔舟隐姓名。"宦途险恶,提心吊胆,韩偓已经深深体验,他不是初及第的那般心境了。"暗惊凡骨升仙籍,忽讶麻衣谒相庭。"(《及第过堂日作》)及第荣登,虽然也诚惶诚恐,到底与亲身经历过宦海风波犹有区别,那是初涉滩涂与大海波荡之别,不可同日而语的。

经历过宦海险恶的韩偓生出退意了。他如归隐,便要大隐,好像要隐得更为彻底,他瞧不起庄子的那种小隐。他特地写一首《小隐》诗书怀:"借得茅斋岳麓西,拟将身世老锄犁。清晨向市烟含郭,寒夜归村日照溪。炉为窗明僧偶坐,松因雪折鸟惊啼。灵椿朝菌由来事,却笑庄生始欲齐。"诗写得工整安静,很像韩偓为官的谨重样子;他嘲笑庄子的齐物论,态度也是温和的。灵椿朝菌,寿龄千年也罢,朝生暮死也罢,都是自然的,本用不着"齐",庄子实在是故作张致了。

对于归隐,韩偓有他自己的看法,严子陵垂钓钱塘江,在韩偓看来,那是严子陵另一种沽名钓誉的方式,并非真正的归隐。"时人未会严陵志,不钓鲈鱼只钓名。"(《招隐》)对严子陵垂钓江上,不去光武帝刘秀朝做官,在韩偓之前之后,一直有人怀疑严子陵的真正目的,看透了他钓鱼是假,沽名是真。韩偓此见,是由另一个角度表达他自己的归隐情怀。可是,他却没有真的退出官场,归隐林泉。"偷生亦似符天意,未死深疑齐国恩。白面儿郎犹巧宦,不知谁与正乾坤。"(《避地》)韩偓放不下他的朝廷牵挂;唐王朝大厦将倾,他还在惦念着乾坤扶正,一匡天下。你可以说韩偓也是"愚忠",可是也不能无视他的家国情怀。"渐觉人心望息兵,老儒希凯见澄清。"(《息兵》)韩偓深深惦念的,还是天下太平,玉宇澄明;为儒为宦,有这样的情愫在胸,就值得肯定,可以暂时放开他是为哪一姓王朝尽忠,不予追究了。

撇开韩偓的为官态度,单单考察韩偓的做人原则,自会得出一个结论,这是个好人。"何劳诣笑学趋时,务实清修胜用机。"(《天鉴》)韩偓是坦诚做人,不尚心机的 。其实这正是君子胸怀。小人是专用心机,并以心机过重自负的。小人处世,步步心机,处处心机,每时每事都在动用心机,自以为聪明,其实恰恰是愚蠢,没有大智慧,枉费了小心机。他连"捣鬼有术也有效,然而有限"都不懂,他连"多行不义必自毙,予姑待之"都不明白,只是一味地妄用心机,耍小聪明,到头来必定下场可悲。你还能指望他读一读韩偓的诗,看看拒绝了相位的官员诗人是怎样做人的吗?想通了一些大道理,才会从容做人,优雅处世。韩偓也会醉酒,但他却不借酒闹事,不会朝属下指桑骂槐,也不借酒发狂,妄发谵语。他的《醉著》是一首很好的绝句:"万里清江万里天,一村桑柘一树烟。渔翁醉着无人唤,过午醒来雪满船。"诗的境界开阔浩漫,宁静而不孤凉,是韩偓君子胸怀才能产生的好诗,小肚鸡肠的人心机再重,也是决然写不出来的。诗,更与心机绝缘,而只关系着胸怀和才情。小人是无胸怀无德行,也无才情的。

韩偓还有一部分诗,入《香奁集》,乃艳诗集结,也是韩偓为人的另一方面,让人惊奇着人性复杂和丰富的同时,也惊讶韩偓的坦白,他居然把心灵的某些幽微角落形之于诗,大白于人了。他的《五更》写"怀里不知金钿落,暗中唯觉绣鞋香",读来已觉不堪,幸有结句"光景旋消惆怅在,一生赢得是凄凉",得此一救,才不至流于庸俗,尚差堪入目。他《半睡》曰:"宵分未归帐,半睡待郎看。"写女性娇态可掬,还不算怎么可厌;《咏浴》曰:"教移兰烛频羞影,自试香汤更怕深。初似洗花难抑按,终忧沃雪不胜任。"专写女人沐浴之娇,就腻得有些可厌了。他还有《咏手》,"腕白肤红玉笋芽,调琴抽线露尖斜";还有《昼寝》,"扑粉更添香体滑,解衣唯见下裳红",不仅腻烦,而且庸滥不堪了。他写《寄远》,"空房展转怀悲酸,铜壶漏尽闻金莺",写《病忆》,"信知尤物必牵情,一顾难酬觉命轻",是传统的闺怨尤物诗,没有多少新意,倒比专在女人体态上用笔墨好了一些。他写《席上有赠》,"小雁斜侵柳眉去,媚霞横接眼波来。鬓垂香颈云遮藕,粉著兰胸雪压梅。"好像是他即席赋赠的诗。他如此专注席间女子的体态媚姿,实在有失高官身份了,他像一个风流的公子哥儿厮混在青楼妓馆了。韩偓的一部《香奁集》收诗不少,从中固然能看出他善写女儿娇态,但是,他在女人身上未免用心太多,影响了他作为一个诗人的整体质量与分量。他的这些诗,比稍后的《花间集》艳词汇集,还要香艳,韩偓倒是有勇气开此先河。也许,他在朝廷上做官,规行矩步,受宫禁束缚太久,他便为自己留出了这一角心灵的天地,在其中过一把自由的瘾?"哪里有压迫,哪里就有反抗",韩偓反抗的地方是错位了。

这是韩偓小心为官的代价。

2015 年 1 月 2 日

韦庄的根底

唐末诗人是不幸的,他们像开元、天宝年间遭受"安史之乱"的诗人一样,饱受着战乱离丧之苦,盛唐诗的光华却已经消失殆尽,他们不能与那一代诗人同沐着唐诗如日中天的光辉,迸射才华了。

京兆杜陵人韦庄,"少孤贫,力学,才敏过人。庄应举时,正黄巢犯阙,兵火交作,遂著《秦妇吟》,有云:'内库烧为锦绣灰,天街踏尽却重回。'乱定,公卿多讶之,号为'秦妇吟秀才'。"(《唐才子传》)以韦庄的才华,如生在盛唐,他会更有光彩的。盛唐已过,晚唐也近末期,即便才华高一些的诗人,也只能人各为诗,惨淡经营了,他们无法集体创造出如盛唐诗般的灿烂景象。真正的复兴是没有的,无论是国家,还是诗。要复兴,首先要打烂一些束缚枷锁。文艺复兴是推倒了神权,让位于人权,才来了轰轰烈烈巨星辉耀的人文景象。

身处末朝乱世,韦庄的心情也是矛盾重重,他"平生志业匡尧舜,又拟沧浪学钓翁"(《关河道中》),又想济世,又想归隐,他不知道究竟怎样,才能不负此生。他疏旷不拘小节,应试不第,也难以豁达,他《下第题青龙寺僧房》曰:"酒薄恨浓消不得,却将惆怅问支郎",像他的前辈举子诗人们一样失意怅惘。即便他能够预见到李唐王朝将要被他姓皇朝取代,他还是要通过及第仕进的道路,才能实现他济世匡政的理想,虽然国体政体却不会就此改变。以他天才诗人的敏感,他不会感受不到一个王朝的风雨飘摇,他预见到王朝更替,是极为可能的。

韦庄的兴亡感比他同代的诗人都要多,他的诗写到兴废丧替,苍凉浩茫,他像一个哲人,阅透了历朝历代,发而为诗,便不再是为一个李唐王朝而感慨了。他的《过扬州》诗曰:"当年人未识兵戈,处处青楼夜夜歌。花发洞中春日永,月明衣上好风多。淮王去后无鸡犬,炀帝归来葬绮罗。二十四桥空寂寂,绿杨摧折旧官河。"诗似毫不用力写出来的,却带了千年沧桑,百代感怀,是韦庄写兴亡的一首好律诗。他的《台城》,则是写兴亡的一首好绝句:"江雨霏霏江草齐,六朝如梦鸟空啼。无情最是台城柳,依旧烟笼十里堤。"六朝丧亡,竟如梦幻,哪里会有铁打的江山呢?帝王们惦着自己的王朝千秋永固,只是梦想罢了。金陵台城,记录着六朝的灭亡,其他城池,也记录着别的朝代的灭亡,在哪里建都是一样的。在长安都城灭掉的,不是也有周、秦、汉、隋等朝了吗? 长安,并不能真正长治久安。

　　唐僖宗已经逃出京都长安,去西蜀避难了。韦庄写《洛阳吟》,不忘在题下注曰:"时大驾在蜀,巢寇未平。"洛阳也是众多朝代的都城,韦庄在此抒发的兴亡之感仍然强烈,他思古抚今,想到的是唐王朝的天下:"胡骑北来空进主,汉皇西去竟升仙。如今父老偏垂泪,不见承平四十年。"西去升天的汉皇是唐明皇玄宗,韦庄的笔下不无嘲讽讥刺。所谓玄宗的开元、天宝盛世,是与战乱丧离的"安史之乱"紧紧相连的;而今,唐僖宗步他先祖的后尘,再次西去,他却不能升仙了,他的下场将比先皇帝惨得多。更惨的则是天下父老,"妖气欲昏唐社稷,夕阳空照汉山川。""家寄杜陵归不得,一回回首一潸然。"(《中渡晚眺》)唐王朝的最终灭亡,韦庄是切切实实地预感到了。"妖气"弥漫,天下昏暗,韦庄只能潸然泪下,归家尚且不有,又岂能回天。"关河自此为征垒,城阙于今陷战鼙。"(《江上逢史馆李学士》)"但有赢兵填渭水,更无奇士出商山。田园已没红尘里,弟妹相逢白刃间。"(《辛丑年》)韦庄这些写战乱的诗,让人想起了杜甫,自然也就想起了开元、天宝"盛世"。有些人是太爱称"盛世"了,"盛世"果真是那么好称的吗？那可不是笙歌燕舞粉饰出来的。玄宗朝曾有过念奴一唱，后世不断有新的"念奴"，歌喉嘹亮，可是，能唱出比开元、天宝年间更好的"太平盛世"吗？

官军还在与乱军作战，前方战事依然吃紧。遥望战区，韦庄不能不忧心忡忡。"嫖姚何日破重围，秋草深来战马肥。""何事小臣偏注目，帝乡遥羡白云归。"（《闻官军继至未睹凯旋》）胜利只在诗人的想望中，大驾回銮也只是诗人的祈愿。《太平广记》云，韦庄幼时，常在华州下邽县侨居，多与邻苞诸儿会戏。及广明乱后，韦庄再经故里，追思往事，但存遗踪，战乱后的故里不复旧日模样了。韦庄感慨万端，因赋《下邽感旧》一诗记之："昔为童稚不知愁，竹马闲乘绕县游。曾为看花偷出郭，也因逃学暂登楼。招他邑客来还醉，儌得先生去始休。今日故人何处问，夕阳衰草尽荒丘。"抚今追昔，韦庄会潸然泪下的，虽然诗里并未写泪水。

身处乱世，有良心的诗人不能不为他目睹身历的动荡留下诗的记录。通读《全唐诗》，会有一种强烈的感受，那些能够振荡人心的诗，总是与时代共同着脉息搏动的吟咏。诗人可以有一己愁欢，但他的个人情怀，必须系联着天下苍生的心怀，他才是有价值有意义的。从这个角度出发，来看韦庄，说他是唐诗的殿军也未为不可。韦庄之后，唐诗的光焰愈发黯淡了。韦庄仿佛是唐诗最后的一道夺目之光。

固然，韦庄也有及第时的一己喜悦。他及第后出关作《与东吴生相遇》，也曾"且对一尊开口笑，未衰应见泰阶平"，可是他仍然没忘"老去不知花有态，乱来唯觉酒多情"。榜上题名时，他《放榜日作》，"一声天鼓辟金扉，三十仙材上翠微。""回首便辞尘土世，彩云新换六铢衣。"有仕进的得意，又有避世的想望，有一些心猿意马。他过浙西，作《上元县》，"南朝四十六英雄，角逐兴亡尽此中。""止竟霸图何物在，石麟无主卧秋风。"有一些虚无颓废感，与沧桑感交融在一起了。

可是,细加分析,便会明白,霸图无物,石麟无主,争权霸业是没有意义的,总会归于空无;而天下苍生却要在霸主们的争夺中生存,那才是需要切实关心的,所以,他在《题淮阴侯庙》时,想到大将韩信,他才发出了痛切的感慨,殷切的呼唤:"能扶汉代成王业,忍见唐民陷战机。""如何不借平齐策,空看长星落贼围。"韦庄对前方抗战的唐朝将领是不满意的,失望的,他在《睹军回戈》中不满地写道:"漫教韩信兵涂地,不及刘琨啸解围。昨日屯军还夜遁,满车空载洛神归。"唐朝末代的将领,不仅没有淮阴侯韩信的帅才,连西晋名将刘琨善啸胡笳解围退敌的将才也没有,李唐王朝不灭亡倒也怪了。

读过了韦庄诸多写兴亡的诗,他的闲适诗《宴起》,尽管是一首很好的绝句,也不可与他那些律诗相提并论了。这首绝句倒的确是可吟可诵的:"尔来中酒起常迟,卧看南山改旧诗。开户日高春寂寂,数声啼鸟上花枝。"诗写得淡定娴雅,没有了烽燧狼烟,是诗人心灵的片刻宁静明媚。韦庄还有一首《悔恨》,写他个人的一段情感经历:"六七年来春又秋,也同欢笑也同愁。才闻及第心先喜,试说求婚泪便流。几为妒来频敛黛,每思闲事不梳头。如今悔恨将何益,肠断千休与万休。"不知道韦庄写的是与哪一个女子的感情纠葛了,诗写得真挚动人,诗人的心是绞扭痛苦的。这样的诗,还不能仅仅看作诗人的一己情怀,这种情怀,是跟悲悯苍生之心同一的,不能割裂开来。很难设想,个人的感情生活随随便便,会对他人有深挚的情感。

韦庄还有一首《女仆阿汪》,写一个女仆,在全部唐诗中也极为少见:"念尔辛勤岁已深,乱离相失又相寻。他年待我门如市,报尔千金与万金。"有了这种平民意识,有这份对一个女仆的质朴情愫,韦庄才会有那些乱离中悯恤苍生的诗。韦庄的悲悯投向了各层人等,他《伤灼灼》是为妓女写的吊诗。他题下自注曰:"灼灼,蜀之丽人也。近闻贫且老,殂落于成都酒市中,因以四韵吊之。"诗云:"尝闻灼灼丽于花,云髻盘时未破瓜。桃脸曼长横绿水,玉肌香腻透红纱。多情不住神仙界,薄命曾嫌富贵家。流落锦江无处问,断魂尽作碧天霞。"不能以庸俗的眼光来看这首诗,庸俗的眼光看到的也会是庸俗。即便诗中有一些脂粉气,却未涉亵秽,他投入的只是对一个薄命红颜的同情和怜恤。

　　韦庄到底亲眼看到了唐朝灭亡,新朝建立。伪蜀立,"庄托在腹心,首预谋画,其郊庙之礼,册书赦令,皆出庄手。以功臣授吏部侍郎同平章事。"(《唐才子传》)韦庄是以他的才华为新朝尽力了。这也没有什么可指责的。在他身上,没有非要忠于李唐王朝而不入他朝为仕的理由,他不必做什么前朝遗老。韦庄自来到成都,"寻得杜少陵所居院花溪故址,虽芜没已久,而柱砥犹存,遂诛茅重作草堂而居焉。"(《唐才子传》)寻得杜甫草堂故址,韦庄算是找到了他的根底;韦诗与杜诗,唐朝末代的战乱与唐代盛世的离乱,遥遥相接了。韦庄,是继杜甫之后,唐代的又一位离乱诗人。值得好好一读的唐代诗人中,韦庄也是最后一位。

2015 年 1 月 4 日

后 记

　　最早读到的唐诗,定然是杜甫的那首"两个黄鹂鸣翠柳"。在完小的教室里,老师捧着课本,为一班小学生朗读讲解。在那所没有西窗的正房教室里, 老师没有给我们讲明白窗里含的为什么会是"西岭雪",那疑惑便长久留在了心头。最初听到李白的名字,还要早上两三年。在小村子那所厢房教室里,高个子的小学老师讲了那个李白遇上位老太太铁棒磨针的故事,那故事编成了课文,配了老太太拿一根铁棒在石头上打磨的图画。老师讲的故事,比课本上写的还要复杂生动许多,爱好画画的老师显然在故事中添加了他个人的想望和激情。那时候听着那个伟大诗人的故事,我心头着实动了一下:原来伟大的诗人是与勤奋相连的。

　　少年的记忆真纯而又清晰,铭刻在心头,永难磨灭。渐渐长成,在文学中浸染日久, 才明白了另一个道理:伟大的诗人固然与勤奋有关,然而单单勤奋还不能成就一个伟大的诗人,那还需要天才,从某种意义上来说,天才比勤奋更为重要。正是李白、杜甫、白居易、杜牧、李商隐这唐诗五大家以及其他诸多天才诗人共同努力, 造就了唐诗巨星璀璨众星辉耀的天空。光焰万丈的唐诗,虽然到中晚唐日趋暗淡了,但是,它整体放射的光芒依然光耀万代,为其他朝代所不及。当今时代,有一些作家、诗人雄心勃勃,抱负甚大,往往还会睥睨四野,可是,在李白、杜甫等旷世天才面前,还是要收敛起那份狂傲。缺乏天赋的旷世才华,多少雄心,多少狂傲,多少勤奋,都是没有用的,我们的不幸正在于此。

　　然而我们的幸运也在这里:我们,以至于我们的后代,子子孙孙,有伟大的天才们创造的唐诗阅读啊!这是一份令人可资自豪的遗产,是我们这个民族的集体幸运。唐诗,作为一个文化遗产,在我们这个民族的文化中占据着举足轻重的地位;很难想象,抽去了唐诗,中华民族的文化会是多么巨大的缺失。生长在这块土地上的人,即便他不识字,他也会张口诵出几句唐诗吧。

　　翻开《全唐诗》,从头开始一一读下来,一首也不放过,试着写一部笔记,记下自己的阅读感受,这样的过程,是幸福的,也是痛苦的。幸福自不必言,其痛苦也并非这种阅读写作构成的严峻挑战,而是走进一千多年前那些诗人们的诗心,与他们感同身受所体验的痛苦。那痛苦非止一端,有时候且莫可名状,然而,我做着努力,尽可能努力走进那一颗颗诗心。在文学的所有形式中,没有哪一种比诗更能够直接地袒露作者的心灵了;尽管诗人们常常要用曲笔,并不直抒。

　　翻开《全唐诗》,走进诗人们痛苦的诗心,才会发现,唐代诗人在那个时代感受的痛苦,并不少于其他时代,只不过在形式上表现上会发生一些变化而已。"愤怒出诗人"的老话也许可以就此予以改变——"痛苦出诗人",痛苦,正是痛苦,心灵的精神的痛苦,造就了一个个杰出的诗人。这与天才成就了诗人并不矛盾。能痛苦,有精神痛苦,也是天才的一个方面,而且是重要的方面。天才诗人的心总是异乎寻常的敏感,他们比一般人更能够感受时代的痛苦,人世的痛苦,生命本体的痛苦。诚如是,他们的痛苦便不再仅仅属于一己,而属于更为广大的世界。阅读了全部唐诗,自会得出一个结论,只有那切身感受着痛苦的诗人,才是创造出最为灿烂动人诗篇的诗人。这当然并不意味着就是直接书写苦难,苦难只是诗人笔下一个重要方面。然而,心中有大痛苦的诗人,即便他们笔下涌流出的是壮丽华美灿烂的诗篇,也因为是经过了痛苦心灵熔炼锻造而成,它迸发的光辉便愈加逼人,动人心弦;而那些身世优裕没有心灵痛苦的人,写出来的四平八稳不痛不痒的诗,遣词造句声韵工对无论多么用心,多么严整,多么无可挑剔,无论如何也不能打动人,那只是纸上的东西,与心灵无关。

于是,不能不注意诗人们的身世遭际。读诗,也正是读诗人。那一个个天才诗人,是离我们远去了,他们的心却跳动在诗行中;走进诗篇,也就走进了他们的心灵,走进了他们的人生。享受着他们留下的一首首绝美的诗,触摸着他们痛苦的心灵,同情着他们不幸的遭际,我们的心情更加复杂起来,真不知道该为我们庆幸,还是该为他们不平了。没有他们的痛苦,便没有这些动人的诗篇;然而,我们会为了得到一首首好诗,而让一个个天才诗人遭受不幸和不公吗? 如果,诗,就是要让诗人们痛苦的,那么,它从诞生之初,就背离了生命的根本宗旨,难道,生命的诞生真的是为痛苦而来? 生命的终极固然是悲剧,可是,它的过程不应该这样。如果世界、人生的美满,要以诗人们先行痛苦为代价,那么,诗人们代整个人类受难,就是他们的自觉选择了。为此,我们更要深深地感激他们。

李白远去了,杜甫也远去了,世上不再会有李白,也不再会有杜甫,这才是我们最大的不幸。上天赋予人类的旷世天才,在任何时代、任何民族、任何国家都不会太多,因为人类世界并不珍惜他们。好在,他们为我们留下了永久的财富,让我们代代享用。那就让我们打开他们的诗篇,走进去,尽可能深一点走进去,走进他们的世界吧。他们的世界与我们的世界相通,也相隔,其阻隔不只是千年时空,还有其他,文字障碍也只是其中并非关键的一种,关键是要能够做到心心相印。我这部笔记,便作着这种试图打通阻碍的努力。

2015 年 1 月 8 日记于烟台青翠里